La révolution des vitamines

THIERRY SOUCCAR

La révolution des vitamines

Bien-être

Ce livre est dédié à ma grand-mère,
Geneviève Alandry.

Remerciements

De nombreuses personnes ont permis à la première édition de ce livre de voir le jour, et surtout contribué à son évolution. Je tiens d'abord à remercier mon frère Didier, pharmacien, sans lequel cet ouvrage n'aurait pu exister. Sa curiosité scientifique, sa connaissance des mécanismes physiologiques et biochimiques, son professionnalisme, sa patience m'ont apporté une aide inestimable.

Merci au docteur Linus Pauling, prix Nobel de chimie, prix Nobel de la paix, pour m'avoir, par livres interposés, intéressé aux questions de nutrition et m'avoir chaleureusement reçu au bord de l'océan Pacifique, par une aimable matinée de printemps.

Je souhaite également remercier ici les docteurs Jean-Paul Curtay, Robert Nataf, Jean-Pierre Cahané. Ils ont, à des titres divers, contribué à enrichir ma connaissance de la nutrition et de la biochimie. Parce qu'ils sensibilisent jour après jour leurs patients et leurs pairs au rôle crucial de l'alimentation, j'espère que cet ouvrage saura appuyer leur démarche. Merci aussi au docteur Jeffrey Blumberg, de Tufts University, au docteur Martin Jensen, du Mission Viejo Charter Hospital, au docteur Judith Wurtman, du Massachusetts Institute of Technology, pour leurs remarques précieuses. Que soient aussi remerciés les docteurs Jean-Marie Bourre et Robert Aron-Brunetière, le professeur Marian Apfelbaum, Marc Suschetet.

Merci aux éditeurs et organismes suivants : Editions du Vidal (Paris), Sciences et Avenir (Paris), Centre d'Etude et d'Information sur les Vitamines (Neuilly-sur-Seine), Institut Natio-

nal de la Recherche Agronomique (Paris), Institut National de
la Santé et de la Recherche Médicale (Paris), Newport Beach
Public Library (Californie), Biomedical Library, University of
California, Irvine (Californie), National Institutes of Health
(Bethesda, Maryland), American Society for Clinical Nutrition
(Bethesda, Maryland).

Merci à ma mère, Nicole, pour son soutien et l'intérêt
qu'elle manifeste depuis toujours pour mon parcours professionnel, si peu orthodoxe soit-il. A Lori Elizabeth Lara
pour avoir patiemment supporté la transmutation d'une
chambre à coucher en bibliothèque scientifique ; à Barbara
Kopf pour son enthousiasme, sa curiosité, son écoute ; à
Jean Bréhat et Isabelle Lemercier pour leur amitié et leur
aide ; à Antoine, Baptiste, Martine et Michel Etchegaray
pour la maison sous la glycine et pour m'avoir servi de
cobayes ; à Matthieu, Catherine et Georges Salinas pour
leur chaleur et leur soutien ; à Claude, Georges, Jean-Marc,
Laurent et Mounir, du Club Quartier Latin, pour leurs questions et les moments d'amitié. And thanks to you, Merle,
your voice was a great help all along ! Keep on singing for
the working man !

SOMMAIRE

NUTRITION ET AFFECTIONS CHRONIQUES   238

LES ACIDES AMINÉS 332

LES AUTRES ACIDES AMINÉS 340

LES ACIDES GRAS 343

AVERTISSEMENT

Ce livre a pour but de vous faire découvrir les vertus thérapeutiques de certains nutriments et leur rôle crucial dans la santé et l'équilibre de l'organisme.

Les suggestions qui sont faites de certains nutriments ne constituent pas des prescriptions. Les doses suggérées sont celles habituellement pratiquées dans les cas présentés ; elles n'ont donc qu'une valeur de moyenne, au sens statistique du terme, et ne tiennent compte ni de votre état pathologique ni de vos besoins propres, qui varient d'un individu à l'autre. Elles n'ont donc pas valeur d'avis médical.

Bien que la plupart des nutriments cités soient en vente libre, l'auteur encourage les lecteurs qui souhaitent utiliser des suppléments à ne le faire qu'après avoir consulté leur médecin ou un médecin nutritionniste.

AVANT-PROPOS

Il y a quelque chose d'infiniment troublant dans l'attitude des Français vis-à-vis de leur santé. En 1993, nous avons dépensé pour nous soigner 648 milliards de francs, un chiffre qui nous place largement en tête de toutes les nations européennes. Et qui fait peser un poids insupportable sur l'économie.

Ce triste record nous donne-t-il au moins la satisfaction d'être mieux soignés ? Non. Nous ne sommes pas moins vulnérables aux virus du rhume ou de la grippe que ne l'étaient nos parents. Et la mortalité par cancer est en France l'une des plus fortes de la planète.

Malgré cela, nous continuons de pratiquer une chasse frénétique à l'ordonnance bien remplie. En 1993, chaque Français a dépensé plus de 2 000 francs en médicaments. C'est 7 % de plus que l'année précédente et 30 à 50 % de plus que dans les autres pays occidentaux. Nos armoires à pharmacie regorgent de substances plus ou moins périmées, plus ou moins utilisées. Chaque année, ce sont près de 60 000 tonnes de médicaments dont les boîtes ne seront jamais ouvertes, mais les vignettes envoyées scrupuleusement à la Sécurité sociale.

Comment en sommes-nous arrivés là ? Les médecins ont leur part de responsabilités. Ils ont, en France, la réputation d'avoir la main lourde sur les ordonnances. Mais, à titre individuel, nous ne sommes pas exempts de reproches. Nous avons grandi dans une société cartésienne, celle de Pasteur et des cliniciens, qui donne au corps médical et à ses acteurs (médecins, pharmaciens, laboratoires) une aura incomparable. Au fil des décennies, nous avons perdu une part de notre héritage rural, fait de pragmatisme et de bon sens. La médecine hospitalière, sur laquelle est construite la formation des hommes et des femmes qui nous soignent, a écrasé de ses certitudes et de son dogmatisme notre sens critique, et le leur. Sur ce terreau, les laboratoires pharmaceutiques ont construit des stratégies d'influence qui façonnent notre foi inébranlable dans le pouvoir des médicaments. La médecine est devenue une science exacte, alors que le champ de ses certitudes est limité, changeant et approximatif.

MÉDECINE : LA SCIENCE FLOUE

Les médecins sont à la tête d'un formidable arsenal de médicaments et procédures chirurgicales en tout genre. Personne ne leur fera le reproche de nous les conseiller. C'est leur métier. Dans de nombreux cas, médicaments et chirurgie améliorent notre santé, et nous devons en être reconnaissants aux chercheurs qui les ont mis au point et aux praticiens qui nous les ont prescrits. Mais dans des cas tout aussi nombreux, ces actes sont simplement inutiles, dangereux ou inappropriés. Les médecins le savent-ils ? Pas toujours.

Les exemples ci-dessous sont tirés d'une actualité récente, mais il n'est pas sûr que votre médecin les connaisse tous :

— plus d'un tiers des candidats à une greffe du cœur au centre médical de UCLA (University of California, Los Angeles, USA) ont échappé à cette opération en suivant un programme d'exercice personnalisé et en prenant un médicament approprié ;

— 60 % des personnes atteintes de glomérulonéphrite membraneuse, une forme d'insuffisance rénale, se rétablissent partiellement ou totalement en cinq ans sans passer par le traitement standard (stéroïdes, immunosuppresseurs), si leur taux urinaire de protéines reste dans des limites acceptables[1] ;

— entre 1984 et 1990, le nombre d'hommes âgés de plus de 65 ans ayant subi une intervention chirurgicale pour un cancer de la prostate a été multiplié par 5, alors qu'il n'existe aucune preuve que cette procédure parfois invalidante est efficace[2]. Dans de nombreux cas, un simple suivi médical serait suffisant[3] ;
— il semble inutile de traiter les dysplasies (états précancéreux) du col de l'utérus, mis en évidence par la pratique des frottis de dépistage. Dans la plupart des cas, ces anomalies disparaissent dans l'année[4] ;
— l'ablation de l'appendice est 3 fois plus fréquente en France que partout ailleurs. Elle est inutile dans un cas sur deux[5] ;
— un quart des personnes âgées de plus de 65 ans font l'objet de prescriptions médicamenteuses inadéquates et dangereuses[6] ;
— une étude a montré qu'après un infarctus du myocarde, la procédure qui consiste à traiter les arythmies par deux médicaments (encaïnide ou flécaïnide) entraîne une mortalité à long terme 3 fois supérieure à un traitement placebo (pilule dénuée d'effet). Un autre médicament, la moricizine, entraîne aussi une mortalité (à court terme) plus élevée qu'un placebo[7] ;
— les diurétiques à base de thiazide, prescrits dans le traitement de l'hypertension, augmentent le risque d'arrêt cardiaque[8] ;
— les médicaments contre le rhume à base d'antihistaminiques ne servent à rien. Ils peuvent même être dangereux[9] ;
— la prescription d'antibiotiques pour rhumes et grippes n'a aucun intérêt thérapeutique. Au contraire, elle contribue à renforcer la résistance de souches bactériennes[10].

Loin d'être une science exacte, la médecine est une discipline qui devrait se garder des certitudes. Elle doit se nourrir du sens critique des patients comme de celui des médecins. Un exercice qui n'est pas toujours aisé.

L'industrie pharmaceutique est l'une des plus puissantes de la planète. L'occasion m'a été donnée d'en prendre la mesure, à l'occasion d'un reportage pour le magazine *Challenges*, auquel je collabore. L'enquête portait sur les traitements de la dépression, et notamment celui commercialisé par le laboratoire Eli Lilly, le célèbre Prozac®.

En 1993, le marché des antidépresseurs a atteint une taille considérable : 1,7 milliard de dollars aux Etats-Unis, 3 milliards dans le monde, en augmentation de 24 % par rapport à 1992. De l'avis des experts, on n'a encore rien vu. Viren Mehta, un analyste du cabinet Mehta & Isaly Worldwide Pharmaceutical Research (USA) prévoit que le marché va encore doubler, pour atteindre 6 milliards de dollars en 1998.

En 1993 toujours, Eli Lilly a enregistré un chiffre d'affaires de plus de 6,3 milliards de dollars. Mais à lui seul, le Prozac® a drainé 1,2 milliard de dollars, soit une contribution proche de 20 %.

Parce que les intérêts en jeu sont considérables, il faut se garder de trop de naïveté sur les motivations réelles des laboratoires. Le Prozac® est certainement un médicament utile dans certains cas de dépressions sévères, mais les laboratoires comme Eli Lilly font peser une pression insidieuse tant sur la communauté médicale que sur les particuliers.

Depuis le début des années 90, les campagnes grand public de sensibilisation au problème de la dépression se sont multipliées aux USA. Le message ? « La dépression n'est pas une maladie honteuse. Il existe des traitements efficaces. Consultez votre médecin. » Ces campagnes coûtent cher. Mais qui trouve-t-on comme principaux bailleurs de fonds ? Les grands laboratoires pharmaceutiques. Aux USA, Eli Lilly a financé une campagne de sensibilisation, presse et télévision, officiellement présentée comme émanant d'une organisation à but non lucratif, la Mental Health Association.

Lilly a financé une autre étude, conduite par le Massachusetts Institute of Technology et un cabinet privé, et qui a été rendue publique en décembre dernier. Elle évalue le poids de la dépression sur l'économie américaine. Cette maladie coûterait 43,7 milliards de dollars par an à la communauté, un chiffre « plus élevé qu'on ne l'aurait imaginé » (le chiffre communément accepté jusqu'alors était de 25 milliards). Selon cette étude, la dépression accéderait au quatrième rang dans la liste des affections les plus coûteuses, après le cancer, les troubles respiratoires, le SIDA, et juste avant les maladies coronariennes. Mais, s'empresse de préciser l'étude, ce n'est pas le traitement de la dépression qui revient le plus cher (12,4 milliards à peine), mais le fait de « négliger la maladie ou de la traiter de manière inappropriée ». Encore une fois, le laboratoire n'apparaît pas officiellement dans la publication de l'étude.

Chez Smith Kline Beecham, qui vend Paxil®, un autre antidépresseur, on a pris pour cible médecins et particuliers. En plus des séminaires, qui s'adressent à la profession médicale, cette société distribue généreusement, par l'intermédiaire de sa force de vente, des brochures que les médecins se chargeront de donner à leurs patients. Smith Kline a ainsi réalisé deux fascicules, l'un qui décrit les symptômes de la dépression et explique le mode d'action de Paxil®, l'autre qui ne fait pas mention du médicament, mais porte le titre suivant : « Quand quelqu'un qui vous est cher est dépressif. »

Le public est d'autant plus enclin à rechercher un traitement, que le diagnostic de dépression repose sur un éventail de symptômes dans lesquels tout un chacun peut ou a pu se reconnaître. Les médecins sont d'autant plus portés à prescrire que les nouveaux médicaments sont faciles à prendre et ont peu d'effets secondaires apparents.

En 1992, les médecins français ont rédigé 150 millions de prescriptions. Une Française sur trois, un Français sur cinq prennent des somnifères, calmants ou antidépresseurs (3 fois plus qu'aux USA).

L'exemple des antidépresseurs n'est pas unique. Tous les marchés qui concernent la santé des populations occidentales vieillissantes sont concernés : hypocholestérolémiants, médicaments contre le diabète, le cancer, la maladie d'Alzheimer, l'arthrite, etc.

Aujourd'hui plus que jamais, notre vigilance est nécessaire, d'autant que les dés sont parfois pipés.

LES CONDITIONS TROUBLES
DES AUTORISATIONS DE MISE SUR LE MARCHÉ

Il y a de bonnes raisons de penser que la mise sur le marché des médicaments ne se déroule pas dans les conditions sereines que l'on pourrait imaginer.

Le directeur de la pharmacie au sein du gouvernement italien, Dulio Poggiolini, également président du Comité des spécialités pharmaceutiques à Bruxelles (une instance de la CEE) est en prison. Il est accusé d'avoir reçu des centaines de millions de lires pour avoir donné un coup de pouce aux produits de plusieurs laboratoires pharmaceutiques.

En France, des membres de la commission chargée de délivrer les autorisations de mise sur le marché (AMM) entretiennent des liens occasionnels ou réguliers avec des firmes pharmaceutiques, une situation qui vient de conduire le ministère de la Santé à demander à ces experts de déclarer officiellement la nature de leurs relations. Selon ces nouvelles dispositions, « les membres de la commission ne peuvent prendre part ni aux délibérations ni aux votes s'ils ont un intérêt direct ou indirect pour le dossier examiné[11] ».

L'attitude du ministère est motivée par l'information judiciaire qui vient d'être ouverte à l'encontre du dirigeant d'une société qui conseillait les laboratoires pharmaceutiques. Ce dirigeant était membre de la commission d'autorisation des médicaments. La société qu'il dirigeait avait, semble-t-il, reçu des émoluments confortables du laboratoire Squibb[12].

Aux USA, la Federal Drug Administration (FDA), chargée de délivrer les autorisations sur le marché américain, vient d'adopter une démarche identique à celle du gouvernement français. La FDA a aussi demandé aux laboratoires de lui adresser tous les 6 mois, et non plus tous les ans, les informations sur les effets indésirables des médicaments déjà commercialisés, en provenance de tous les pays où ils sont vendus.

Au cours des vingt-cinq dernières années, alors que laboratoires et corps médical dictaient, avec plus ou moins de bonheur, leur vision de ce que doit être notre santé, d'autres chercheurs préparaient ce qu'il faut aujourd'hui appeler une révolution. Cette révolution a pour but de remettre la santé entre les mains des premiers concernés : vous.

LA NUTRITION :
UNE RÉVOLUTION CULTURELLE ET SCIENTIFIQUE

La nutrition part d'une idée simple, si simple qu'elle est longtemps apparue comme simpliste aux yeux de nombreux médecins : ce que nous mangeons a une influence sur notre état de santé.

La place me manque pour retracer plus de vingt-cinq ans de travaux, de tâtonnements et de découvertes. Mais, au fil des pages, ce livre vous en donnera un aperçu que j'espère convaincant.

La nutrition n'est pas une création du corps médical. Elle lui échappe, et cela explique en partie le scepticisme dont elle continue d'être l'objet. La nutrition est née des travaux d'une catégorie de scientifiques mal connue du grand public. Les biochimistes sont les enquêteurs de notre patrimoine cellulaire. A la fois biologistes et chimistes, une seule question les intéresse : *Pourquoi ?*

Le médecin diagnostique une maladie coronarienne. Il est formé pour soigner son patient. Celui-ci sera hospitalisé pour une angioplastie ou un pontage. Mais le biochimiste se demande : *Pourquoi ?* Pourquoi une artère s'est-elle encrassée ? Par quel phénomène cinquante années d'une vie apparemment sans histoires aboutissent-elles à un accident cardiovasculaire de ce type ?

Pour répondre à cette question, et à d'autres, les biochimistes sont longtemps restés dans le cercle clos de leurs laboratoires, avec leurs éprouvettes et leurs souris blanches.

Ils se sont tournés vers les généticiens, qui leur ont apporté une partie de la réponse : notre héritage génétique peut nous prédisposer à certaines maladies : diabète, cancer, phénylcétonurie, obésité. Mais les gènes n'expliquent pas tout, ont conclu généticiens et biochimistes.

L'autre partie de la réponse était affaire de bon sens. Les biochimistes se sont tournés vers les épidémiologues. Ceux-ci leur ont dit que certains peuples, comme les Japonais, ont un taux de maladies cardiovasculaires faible par rapport aux Américains. Mais lorsque les Japonais émigrent sur le sol américain, la fréquence de leurs maladies augmente pour se rapprocher de celle de la population autochtone. Plusieurs facteurs peuvent expliquer le phénomène. Le plus remarquable est le suivant : leurs habitudes alimentaires changent.

En vingt-cinq ans, les choses ont évolué très vite. Les expériences animales ont confirmé que certains régimes alimentaires étaient protecteurs, et que d'autres étaient promoteurs de maladies. Les études in vitro, c'est-à-dire dans l'éprouvette, ont montré que certaines substances naturelles avaient une influence sur la santé même de la cellule. Les études cliniques et épidémiologiques ont établi que l'alimentation pouvait modifier les paramètres biologiques : taux de cholestérol, par exemple. Elle jouait donc sur l'état de santé des participants.

LA NUTRITION :
UNE AFFAIRE PERSONNELLE

Peu à peu, les biochimistes sont sortis du bois. Ils ont aujourd'hui entre les mains plus de 200 000 études qui montrent que certaines substances de l'alimentation participent à l'espérance de santé et à l'espérance de vie de chacun de nous. Leur itinéraire les a conduits d'une question simple : *Pourquoi ?* à une question plus délicate : *Comment ?* Comment utiliser cette masse d'informations pour édicter des conseils simples à l'usage de leurs concitoyens ?

La question est délicate à plus d'un titre. D'abord, la nutrition est une discipline jeune. La vitamine C, rappelons-le, n'a été découverte qu'en 1928. Comme toutes les disciplines, la nutrition est en perpétuelle évolution. Ce que l'on tenait pour acquis il y a cinq ans peut fort bien être remis en question en 1998. La nutrition incite donc à une grande humilité et à une grande prudence, loin du dogmatisme qui caractérise trop souvent la profession médicale.

Mais la question est aussi délicate dans la mesure où la nutrition, discipline à l'origine non médicale, empiète aujourd'hui sur les territoires des professions de santé : médecins et pharmaciens. On verra plus loin les conséquences d'une telle interférence.

De très nombreuses unités de recherche mêlent aujourd'hui médecins et biochimistes, mais la cohabitation reste difficile. Les médecins ne voient pas toujours d'un très bon œil de vulgaires chimistes prendre la parole pour proposer des conseils de santé à la population.

Mais cette cohabitation est nécessaire. On assiste chaque jour à un basculement en faveur des approches nutritionnelles et de leur cousine : la prévention. On aurait tort d'y voir la prise de pouvoir des non-médecins en matière de santé. Ce transfert se fait au profit de l'individu : vous, moi. De plus en plus, la santé va devenir l'affaire de chacun de nous. Ce capital précieux est entre vos mains : voilà la leçon principale de vingt-cinq années d'idées simples et de recherches sophistiquées. Vous avez le pouvoir de préserver votre capital. Ou pas.

Un enjeu pour la médecine

Aujourd'hui, les médecins sont invités à reprendre l'initiative, au risque de voir leurs prérogatives leur glisser entre les doigts. Déjà, la presse a commencé d'occuper, avec plus ou moins de bonheur, ce champ libre de la prévention et de l'automédication. Mais les médecins ont un rôle considérable à jouer. A eux de se former à cette nouvelle discipline. A eux de devenir non plus des pompiers de la catastrophe (la maladie), mais des conseillers précieux. Il faudra vraisemblablement une révolution culturelle pour y parvenir.

Aujourd'hui, l'enseignement médical ne consacre que quelques heures à la nutrition, sur une formation de huit ans. C'est peu pour pouvoir proposer des thérapies alternatives et sûres aux patients. C'est peu pour prescrire des compléments alimentaires à bon escient. C'est peu pour éviter quelques sottises graves, telle celle qui consiste à supprimer à une patiente ménopausée sa seule source de calcium (fromages) sous prétexte que son taux de cholestérol est un peu élevé, sans la remplacer par d'autres sources. Ou à refuser des compléments alimentaires à une jeune femme en passe d'attendre un enfant. Ou à oublier d'interroger une femme enceinte sur son alimentation, et à l'hospitaliser huit mois plus tard avec une fracture du col du fémur par déminéralisation (histoires vécues). C'est peu pour éviter quelques sottises sans conséquence, telle celle qui consiste à recommander de ne pas prendre de vitamine C le soir « parce qu'elle empêche de dormir » (une légende !).

En intégrant la nutrition à leur pratique, les médecins nous apporteront un service de meilleure qualité. Déjà, de nombreux praticiens se forment à cette discipline, et il faut saluer ici leur esprit d'ouverture.

L'auteur de ce livre ne se situe pas dans le camp de l'antimédical, dans quelque chapelle intégriste des tenants de la nutrition à tous crins. Il souhaite au contraire voir les médecins occuper à nouveau le devant de la scène, sans dogmatisme, dans l'intérêt de la collectivité.

Mais si le progrès passe par les médecins, il passe aussi par les pharmaciens. Là, les choses sont plus compliquées. Car les pharmaciens sont aussi des commerçants, qui diffusent aujourd'hui encore l'essentiel des compléments alimentaires vendus en France.

NUTRITION ET COMPLÉMENTS ALIMENTAIRES

Notre alimentation a changé, et de très nombreuses études montrent que des catégories entières de la population ne reçoivent pas les quantités de micronutriments (vitamines, minéraux, acides gras) qui sont nécessaires pour les maintenir en bonne santé. Soit parce que la teneur des aliments est plus faible, soit parce que nous privilégions des nourritures « creuses », soit parce que nos conditions de vie (pollutions, prise de médicaments) augmentent nos besoins. Mais aussi parce que les dépenses physiques ont diminué, et avec elles les apports caloriques. Moins de calories, ce sont aussi moins de vitamines et de minéraux. Seuls 9 % des Américains consomment des repas qui correspondent aux conseils nutritionnels édictés par les instances de la santé de ce pays. Le mythe de l'alimentation équilibrée s'effrite jour après jour.

Les études de Mareschi en France et une récente grande enquête menée en Hollande ont prouvé qu'une alimentation équilibrée et variée ne peut fournir dans les conditions actuelles les apports conseillés en vitamines et minéraux. En réalité, des compléments alimentaires sont nécessaires si l'on veut répondre aux besoins augmentés de la grossesse, de l'activité sportive, d'un épisode infectieux, de la prise de la pilule, du stress, de l'âge, des maladies, de la prévention des maladies dégénératives liées au vieillissement, etc. Les compléments sont donc souvent indispensables, ce qui est reconnu en fait depuis longtemps : on donne systématiquement de la vitamine K à tous les nouveau-nés (pour éviter le risque de maladie hémorragique) et de la vitamine D aux enfants (pour éviter le rachitisme). Ce n'est pas tout : 60 % de la population est supplémentée en iode à travers les sels de table, et presque toutes les femmes enceintes reçoivent du fer.

Par ailleurs, un très grand nombre de travaux suggèrent que vitamines, minéraux, acides gras, à des doses qui ne peuvent être apportées par l'alimentation, permettent de corriger des pathologies, ou d'améliorer l'état de forme, même en l'absence de carences avérées. A plusieurs reprises ils se sont révélés aussi efficaces, sinon plus, que des traitements médicamenteux traditionnels.

C'est à partir de ces travaux que j'ai conçu ce livre, qui se veut la courroie de transmission entre chercheurs et grand public. Ces travaux n'ont pas valeur de certitude, pour les raisons que j'ai évoquées plus haut, aussi faut-il les prendre comme des suggestions et des alternatives, à envisager le plus souvent avec le médecin traitant. Des alternatives qui passent là aussi par la prise de compléments alimentaires.

Le nombre de compléments alimentaires vendus en France a considérablement augmenté depuis la première édition de ce livre. C'est tant mieux, car cela vous permettra d'exercer un choix. La plupart des fabricants proposent des produits de qualité, dont la commercialisation est sans tache. Le livre que vous avez acheté vous aidera à sélectionner le meilleur rapport dosage/qualité/prix.

Ce livre vous permettra aussi de vous détourner des produits moins sérieux et d'esquiver les pratiques commerciales douteuses. Certaines sociétés, en effet, abusent de la naïveté des consommateurs, et de leur total manque d'informations en matière de nutrition. Outre qu'elles trompent le public, ces entreprises font du tort aux autres fabricants et distributeurs, et à la nutrition en général. Je ne souhaite pas que mon livre, qui défend le libre accès aux compléments alimentaires, puisse servir les intérêts d'une minorité d'opérateurs dont les agissements sont critiquables.

J'ai sous les yeux le catalogue de vente par correspondance d'une certaine société Biotonic. Une grande partie des produits commercialisés par cette entreprise s'adresse à une population très vulnérable : les femmes qui souhaitent perdre des kilogrammes en trop. Vous le verrez plus loin dans ce livre, il n'y a pas de miracle en matière de ligne. Or, Biotonic vend du miracle en gélules.

Page 25 de ce catalogue, on nous vend par exemple « La L. Carnitine : la molécule qui "détruit" la graisse ». Le texte précise : « En suivant une cure de L.-Carnitine, vous perdez **facilement et sans effort** vos kilos superflus. En quelques jours, toute la graisse que vous avez en trop *"fond" littéralement.* » Outre que les soi-disants laboratoires Biotonic sont incapables d'écrire correctement le mot L-carnitine, une telle promesse est scandaleuse. Il n'existe aucune étude contrôlée montrant que la carnitine fait perdre sans effort des kilogrammes superflus. Les seuls résultats plus ou moins intéressants ont été obtenus dans le cadre de régime très hypocaloriques ou d'efforts physiques importants. Encore, les doses données aux participants étaient-elles de l'ordre de 1 000 à 2 000 mg par jour. Or, qu'apporte le programme Biotonic ? Exactement 150 mg par jour !

Page 26 du même catalogue, on nous donne « Le secret pour être belle et en pleine forme ». De quoi s'agit-il ? D'une « cure de vitamines et minéraux Biotonic » ! Pourquoi pas ? Mais suit une liste de produits (calcium, vitamine E, zinc...) dont on ignore tout du dosage. Ce genre de procédé est à fuir absolument. Dans la même page, Biotonic nous propose une « vitamine F », une « vitamine J », une « vitamine M ». De telles vitamines n'existent pas. La vitamine F est le nom sous lequel étaient connus en 1922 les acides linoléique et alpha-linoléique, deux acides gras. La vitamine J est l'ancien nom de la choline, une quasi-vitamine. J'ignore ce qu'est la vitamine M...

Page 10, on nous invite à découvrir « le **vrai** moyen **naturel** de stopper la chute des cheveux et de provoquer la repousse. » La page est illustrée de photographies éloquentes réalisées « sans trucage ». Le produit dont il est question (à base de plantes, co-enzymes, vitamines et protéines) a fait l'objet de « tests scientifiques sous contrôle médical » qui ont mis en évidence « des résultats incroyables, du jamais vu à ce jour » ! Pour le « jamais vu à ce jour », cela signifie que ce produit fait mieux que la référence chez les dermatologues, le médicament Minoxidil®, mais que cet exploit remarquable a été accompli dans la plus grande discrétion, le produit de Biotonic étant inconnu des principaux spécialistes ! Quant à l'étude clinique, elle est, nous dit-on, signée du docteur Frédéric B. On n'en saura pas plus, car, précise le distributeur, « la déontologie nous interdit de publier autre chose que les initiales des médecins, mais les coordonnées de ceux-ci peuvent être fournies à toute autorité scientifique qui en fera la demande ». En clair, le grand public, lui, doit accepter les yeux fermés les allégations de Biotonic. Or, s'il s'agit d'une étude contrôlée, elle a probablement été publiée dans une revue scientifique, dont Biotonic peut donner les références au lecteur, qu'il soit ou non averti...

Cette société tire ses profits de l'ignorance du public. Le livre que vous avez entre les mains vous donne les moyens de démonter les allégations fumeuses, et d'exiger que vous soit fournie la composition exacte des compléments qu'on vous propose.

D'autres sociétés ont développé des méthodes de vente plus subtiles :

— Nature's Plus, qui commercialise par ailleurs des produits de bonne qualité, propose des « consultations » gratuites avec un « naturopathe ». J'ai demandé à l'un de mes collaborateurs de se rendre en décembre 1994 à l'une de ces « consultations » dans un magasin parisien. L'entretien, émaillé de termes hétéroclites de biochimie et doublé d'un diagnostic fumeux, s'est terminé par la délivrance d'une pseudo-ordonnance manuscrite, sous la forme de produits vendus dans le magasin.

— Nutrisciences, une société du sud de la France, propose des « bilans nutritionnels personnalisés », par le biais d'une association baptisée Nutrition et Prévention[13]. Ces pseudo-bilans sont destinés à orienter le consommateur potentiel vers l'achat de produits tirés du catalogue Nutrisciences.

Ces deux derniers exemples m'amènent à vous rappeler que seul un médecin est à même de fonder un diagnostic, et qu'un bilan nutritionnel ne peut être établi qu'à partir d'analyses complexes réalisées par un laboratoire. Le reste est à fuir de toute urgence.

QUAND LA NUTRITION DÉRANGE

J'ai écrit ce livre parce que j'ai le sentiment qu'il peut améliorer la santé de ceux qui le liront. J'ai voulu donner une information qu'il est souvent difficile de trouver dans la presse ou dans un cabinet médical. J'ai voulu montrer qu'il existe des alternatives non toxiques à des traitements coûteux et parfois dangereux.

Tout en dénonçant les méthodes d'une minorité de sociétés, tout en recommandant le conseil d'un médecin, j'ai l'intime conviction que c'est en favorisant l'accès libre aux compléments alimentaires que l'on améliorera la santé de la population. Tout ce qui vise aujourd'hui à restreindre cet accès ne va ni dans l'intérêt du public, ni dans le sens d'une réduction des dépenses de santé. *Or, vous devez savoir qu'un certain nombre d'acteurs, dans l'économie, les médias, le gouvernement, poursuivent, pour des raisons diverses, un but opposé.*

Certains médecins s'inquiètent des effets à long terme de mégadoses de vitamines. J'entends cet argument, et c'est une préoccupation qui les honore. Mais il n'existe quasiment aucun cas d'intoxication aux compléments alimentaires, en France comme dans les autres pays industrialisés. Les hôpitaux ne regorgent pas d'adeptes de la vitamine C. Les Etats-Unis nous offrent un recul de plusieurs décennies, et les spécialistes considèrent aujourd'hui que les bénéfices des compléments alimentaires sont largement supérieurs à leurs éventuels effets nocifs. De très nombreuses enquêtes épidémiologiques montrent que les utilisateurs de ces compléments jouissent en général d'une santé supérieure à la moyenne de la population. Cela n'est pas un encouragement à se bourrer sans discernement de vitamines, mais plaide contre une démarche qui viserait à réglementer l'accès de ces produits ou leur dosage.

La question du libre accès aux compléments et celle de leur dosage s'inscrivent dans un vaste débat sur l'intérêt curatif ou préventif de ces compléments. Ce débat a lieu ou aura lieu dans tous les pays occidentaux et je souhaite qu'il soit le plus objectif possible. Je souhaite aussi que les Français donnent leur avis, et qu'ils le fassent en connaissance de cause. Or, l'information véhiculée par la presse n'est pas toujours aussi équilibrée qu'on pourrait le souhaiter.

L'ÉTRANGE SYNDROME DE LA PRESSE FRANÇAISE

Un étrange syndrome affecte une partie de la presse française. Plus notre connaissance de la nutrition s'enrichit, plus l'on constate ses effets prometteurs sur la santé, et plus fleurissent les articles négatifs, qui contestent l'intérêt des suppléments et mettent en garde contre leurs « dangers » supposés. Ces dernières années, mis à part quelques articles bien documentés dans *L'Evénement du jeudi, Paris-Match, VSD, Science & Vie* ou *Globe*, on assiste à une entreprise de démolition dont les motivations réelles m'échappent.

Il me semble — mais peut-être suis-je naïf — que tout ce qui peut contribuer à prévenir ou soigner les maladies de manière non toxique va dans l'intérêt du public, et devrait être porté à sa connaissance, plutôt que d'être systématiquement dénigré.

La presse se fait volontiers l'écho de la mise au point d'une molécule qui « pourrait à l'avenir permettre de traiter certains cancers », ou de la découverte d'un gène qui « représente un espoir pour des milliers de malades ». En cela, elle amplifie de manière servile les affirmations d'un laboratoire ou d'un généticien, alors même qu'aucun médicament révolutionnaire contre le cancer n'est en vue, et qu'on n'a pas la moindre idée de la manière dont on pourrait guérir un malade par manipulation génétique. Pourquoi faire preuve de si peu d'esprit critique dans un domaine — celui de la médecine conventionnelle —, et accueillir au bazooka les timides préconisations des spécialistes de la nutrition, elles-mêmes étayées par des résultats aussi convaincants, sinon plus, que ceux qui sont présentés par les laboratoires pharmaceutiques ? J'avoue ne pas bien comprendre.

Il est légitime qu'un journaliste manifeste des doutes vis-à-vis de la nutrition, et les communique à ses lecteurs. Ce qui est plus inquiétant, c'est le parti pris, lorsqu'il ne repose sur aucune réalité scientifique.

Voici quelques titres récents relevés dans la presse :

— « Les cocktails de vitamines sont des remèdes aussi chers qu'inefficaces. » (*InfoMatin* du 13 janvier 1994.)

— « A comme absurde, B comme bidon, C comme cher... » (*50 Millions de consommateurs* de mars 1990.)

— « Compléments alimentaires : Inutiles et parfois dangereux. » (*Que Choisir ?* de janvier 1993.)

— « Compléments alimentaires : Est-ce bien raisonnable ? » (*Que Choisir ?* hors-série de décembre 1994.)

Aujourd'hui, les arguments utilisés pour accréditer l'idée que les suppléments seraient dangereux s'appuient sur les résultats d'une étude conduite en Finlande. Au cours de cette étude on avait relevé avec surprise plus de cancers pulmonaires dans un groupe de gros fumeurs (20 cigarettes au moins pendant plus de 30 ans) qui prenaient des suppléments de bêta-carotène.

Mais les journalistes prompts à conclure à la nocivité du bêta-carotène sur la foi d'une enquête isolée, se gardent bien de citer les auteurs de l'étude. Voici ce qu'écrivent ces chercheurs : « Le manque de bénéfice du bêta-carotène est particulièrement surprenant étant donné les preuves épidémiologiques substantielles et consistantes d'une association entre la consommation de bêta-carotène et l'incidence plus faible de cancer du poumon (...). Nous ne possédons à ce jour aucune information qui suggérerait des effets néfastes du bêta-carotène, alors qu'il existe des informations sur ses effets bénéfiques. De plus, il n'existe pas de mécanismes connus ou théoriques d'effets toxiques du bêta-carotène, il n'existe aucune information fournie par les études chez l'animal suggérant une éventuelle toxicité du bêta-carotène, et aucune preuve d'effets toxiques sérieux chez l'homme. (...)[14] » « *Nous serions en fort désaccord avec quiconque tirerait quelque ferme conclusion que ce soit de ces résultats inattendus d'une seule étude, qui sont contraires à la totalité des preuves [fournies par les autres études]*[15]. » (Les italiques sont miennes.)

Les journalistes se gardent aussi de citer l'étude conduite en Chine et publiée en 1993, au cours de laquelle le groupe qui prenait du bêta-carotène avait connu moins de cancers du poumon ! Il est tellement plus facile de faire peur...

Comme si cela ne suffisait pas, on n'hésite pas à médiatiser à outrance les propos de Victor Herbert, un chercheur américain extrémiste qui menace depuis 20 ans les consommateurs de compléments de la punition divine. Extrêmement isolé dans la communauté scientifique américaine, Herbert est un illuminé qui mène une croisade contre — en vrac — Linus Pauling, les vitamines A, C et E, et ceux qui les préconisent. Dans un article récent (*American Journal of Clinical Nutrition*, 60 : 157-158, 1994), Victor Herbert parvenait à démontrer que les compléments de vitamines C et E augmentent la mortalité, et que l'alimentation fournit aux Etats-Unis 120 % des apports conseillés en bêta-carotène, vitamine C et vitamine E. Ces affirmations stupéfiantes, qui sont contraires à la masse des observations accumulées depuis 50 ans, étaient pourtant étayées par des références à de nombreuses publications. La plupart de ces publications étaient signées... Victor Herbert !

Bref, ça n'arrête pas. Faut-il que la presse soit en mal de sensationnalisme pour ne trouver, sur la nutrition, rien d'autre à nous servir que ce discours alarmiste, moralisateur et conservateur !

Tous ces articles et émissions sont construits sur le même modèle. On y explique qu'une alimentation équilibrée suffit à nos besoins (pourquoi pas ? encore faudrait-il dire lesquels), que les compléments sont donc inutiles, et qu'ils sont de surcroît dangereux, puisqu'ils contiennent des doses élevées de vitamines A, D, B_3, B_6, dont on peint, avec force détails les effets toxiques.

Dans un article paru le mercredi 4 janvier 1994, et intitulé « La mine des vitamines », *Libération* attaque à son tour les fabricants de compléments alimentaires et les compléments alimentaires eux-mêmes. « Non contents d'être d'une utilité douteuse, ces suppléments nutritionnels pourraient même se révéler dangereux », écrit la journaliste, qui fait preuve en la matière d'une grande originalité. A l'appui de ces propos définitifs, *Libération* cite les affirmations d'un chercheur de l'INRA, Véronique Azais-Braesco. Celle-ci laisse entendre que les suppléments sont inutiles puisque, dit-elle, « l'alimentation couvre les besoins de 97,5 % de la population ».

Je conçois qu'un chercheur ou un journaliste exprime ses réticences, mais on doit à ses lecteurs la totalité de l'histoire et non une version tronquée et expurgée.

Par exemple, il est idiot d'affirmer que l'alimentation couvre les besoins de la population, quand plusieurs études montrent le contraire. Une enquête sur le statut nutritionnel en vitamines et minéraux de la population du Val-de-Marne, censée donner une bonne image du statut général de la population, a été réalisée en 1991 par une équipe de l'INSERM, dont faisait notamment partie Serge Hercberg[16]. Voici ce qu'écrivent ces chercheurs : « Les résultats des apports alimentaires en minéraux et vitamines suggèrent que des fractions non négligeables de l'échantillon ne satisfont pas les recommandations pour certains micro-nutriments : c'est le cas notamment des vitamines B_1, B_6, C, A et E, du fer, du zinc, du cuivre et du magnésium. »

Sur le plan biologique, les chercheurs notent que :

— 6 à 8 % des enfants et 10 à 20 % des adultes des deux sexes ont un risque biologique de déficience en thiamine.

— 25 % des femmes âgées de 18 à 30 ans ont un risque de déficience en riboflavine.

— 30 % des adolescentes âgées de 10 à 14 ans ont un risque de déficience en B_6.

— 20 à 25 % des hommes âgés de plus de 65 ans ont un risque de déficience en vitamine C.

— 20 % de la population associent des risques de déficience en B_1/B_2, B_2/B_6, B_6/C.

— 29,2 % des jeunes enfants, 14 % des 2-6 ans, 15 % des adolescents, 10 % des femmes en âge de procréer ont un risque de déficience en fer.

Dans le même ordre d'idée, je suis toujours surpris lorsque j'entends dire que les suppléments apportent des doses dangereusement élevées de certaines vitamines. Celles qui sont le plus souvent montrées du doigt sont les vitamines A, D, B_3, B_6.

La vitamine A est, en France, délivrée depuis peu sur ordonnance, une mesure censée protéger les femmes enceintes de ses effets tératogènes. Mais la vitamine A est en vente libre aux Etats-Unis. Pourtant, les hôpitaux américains ne sont pas envahis de surdosés de la vitamine A. Dans un entretien récent, la FDA m'a indiqué qu'elle n'avait enregistré aucun cas fatal dû à une hypervitaminose depuis plus de 15 ans. Mieux, ni l'Agence du médicament ni le Centre antipoison n'ont été en mesure de me rapporter un seul cas d'intoxication à la vitamine A (ou à d'autres vitamines) depuis 10 ans en France. La vitamine A n'est toxique qu'à partir de doses quotidiennes de 50 000 UI (unités internationales) prises pendant 6 mois au moins. Il s'agit là de doses considérables, qui ne peuvent être apportées par des suppléments habituels. Cette information est à la disposition du premier journaliste venu[17].

La vitamine D est toxique à partir de 60 000 UI quotidiennes sur plusieurs semaines. Les suppléments apportent au maximum 400 UI par jour, et les seuls cas d'intoxication sont consécutifs à des traitements prescrits dans le cadre de certaines pathologies (ostéomalacie, rachitisme). En réalité, les apports en vitamine D sont souvent insuffisants dans les régions peu ensoleillées, et il existe une corrélation très nette entre ces subcarences et les incidences de cancer du sein et du côlon, comme l'ont montré Frank et Cedric Garland, deux chercheurs du National Cancer Institute américain[18]. Le lait est, aux Etats-Unis, systématiquement supplémenté en vitamine D (environ 400 UI par litre) !

Enfin, il existe deux autres vitamines à manier raisonnablement : la vitamine B_6 et la forme en acide nicotinique (et non la forme amide) de la vitamine B_3. On a recensé de rares cas d'intoxication à la vitamine B_6 à des doses supérieures à... 2 000 mg par jour sur plus d'un an. Les symptômes (polynévrite) disparaissent à l'arrêt du traitement. Pour ramener les choses à leur juste mesure, sachez que les suppléments les plus dosés apportent 100 mg de cette vitamine quotidiennement.

La vitamine B_3 peut entraîner des rougeurs sans conséquence lorsqu'elle est donnée à des doses quotidiennes comprises entre 2 000 et 12 000 mg par jour (soit l'équivalent de 20 à 120 comprimés !). Si ces doses sont poursuivies sur de longues périodes, il y a risque d'hépatite, mais là encore tout rentre dans l'ordre à l'arrêt du traitement. De tels accidents ont le plus souvent été observés sous contrôle médical, car la vitamine B_3 est parfois donnée en traitement de l'hypercholestérolémie, dont elle constitue l'un des traitements les plus efficaces (et le moins onéreux).

Cela fait plusieurs années que le journal *Que Choisir ?* a pris les compléments alimentaires dans son collimateur. Dans un article plutôt bien écrit, publié dans le numéro hors-série de décembre 1994, Catherine Sokolsky déroule une dialectique maintenant bien rodée : nous ne manquons pas de nutriments — il n'y a aucune preuve de leur efficacité — les pilules ne remplacent pas les vrais aliments — attention à la consommation excessive. En dépit de la qualité de sa documentation, cet article est lui aussi partisan. Les seules études prospectives citées sont des enquêtes qui vont dans le sens du propos général de l'article.

L'article agite bien sûr l'épouvantail du surdosage, en mettant en cause, du fait de leur teneur en vitamines A et D, des spécialités aussi anodines que Supradyne® ! Cet amalgame étrange s'étend aux compléments de vitamine E (vendus en pharmacie), auxquels il est reproché... d'apporter un surcroît de vitamine E ! Pour faire plaisir à *Que Choisir ?* et à Ubu, je suggère que les fabricants de compléments de vitamines E, A ou D renoncent à inclure ces vitamines dans leurs comprimés et gélules, ou alors en quantités infimes. Cette mesure originale pourrait être étendue aux comprimés d'aspirine. Ainsi, pour soigner un mal de tête avec des comprimés dosés à 1 milligramme d'aspirine, faudrait-il se rendre à la pharmacie avec un caddie.

A la vérité, *Que Choisir ?* mène un combat d'arrière-garde, qui rappelle de manière frappante les positions que défendait il y a 20 ans son confrère américain *Consumer Reports*. A cette époque, le magazine consumériste n'avait pas de mots assez méprisants pour condamner les vitamines et ceux qui en consommaient. Les arguments étaient — la concordance est amusante — ceux-là même qu'utilise aujourd'hui *Que Choisir ?* Voici par exemple ce qu'écrivait en 1973 *Consumer Reports* sur l'anodine vitamine E :

« L'utilisation de la vitamine E comme supplément nutritionnel ou comme médicament contre des maladies cardio-vasculaires est, au mieux, un gaspillage d'argent. Plus grave, son emploi pourrait retarder un traitement médical adéquat, en faveur d'une automédication sans valeur, ce qui entraînerait des coûts incalculables. »

L'avertissement était réellement visionnaire, comme vous allez pouvoir en juger.

Car *Consumer Reports* vient de consacrer (septembre 1994) un épais dossier aux vitamines.

Vingt ans plus tard, voici ce qu'écrit la revue consumériste américaine sur la même vitamine E :

« Deux études menées à Harvard (...) auprès de 80 000 femmes et 40 000 hommes ont montré que les personnes qui ont pris au moins 100 UI de vitamine E pendant 2 ans avaient un risque cardiovasculaire inférieur de 40 % à celles qui en consommaient moins. »

Consumer Reports cite d'autres études de ce type qui montrent l'intérêt potentiel des suppléments — une évolution remarquée dans l'attitude de ce journal envers la nutrition. Et l'essentiel du dossier est consacré à... des tests comparatifs entre les différentes marques vendues sur le marché.

Il aura fallu 20 ans à *Consumer Reports* pour réaliser qu'en matière de santé, l'intérêt du consommateur passait par une meilleure connaissance des compléments, et non leur dénigrement systématique. J'espère qu'il faudra moins de temps à *Que Choisir ?*, un journal pour lequel j'ai de la sympathie, pour faire la même révolution culturelle !

Mais si une telle révolution est souhaitable dans la presse, elle l'est aussi dans les pharmacies.

DES PHARMACIENS ZÉLÉS

Pour certains pharmaciens, la diffusion des principes de nutrition et l'accroissement des ventes qui l'accompagne sont une bonne chose... tant que leur monopole n'est pas menacé. Qu'un flacon pointe son couvercle en supermarché, et l'ordre des pharmaciens s'émeut des conséquences pour la Santé publique.

Ainsi, l'ordre des pharmaciens est-il la tête pensante de la plupart des actions de la Direction générale de la consommation, de la concurrence et de la répression des fraudes (DGCCRF). La DGCCRF fait souvent un travail salutaire, en interdisant à des fabricants peu scrupuleux de formuler des allégations fantaisistes. Mais elle s'en prend aussi aux fabricants et aux commerçants qui, hors pharmacie, proposent certains compléments alimentaires « non autorisés » ou à des doses qui dépassent les apports conseillés en vitamines et minéraux.

En avril 1993, l'ordre a saisi la DGCCRF du « problème posé par les smart-drinks ». Les smart-drinks sont des formules d'acides aminés auxquelles on prête dans certains milieux noctambules des vertus excitantes (exagérées, nous verrons que l'effet des acides aminés est autrement plus lent et complexe).

Réaction immédiate de la DGCCRF : l'un de ses représentants conclut à la non-conformité des produits. La chose est relatée dans le journal *Le Moniteur des pharmacies*[19] de la manière suivante — qui vaut son pesant de typographie :

« Parmi les griefs de l'Administration, on pouvait notamment relever le fort dépassement des apports quotidiens recommandés ou la présence de minéraux non autorisés dans l'alimentation humaine (sélénium, chrome...). » Et le journaliste, probablement plus familier des Bloody Marys que de la L-phénylalanine, de conclure finement : « Smart génération ou smart dégénération ? »

La DGCCRF, semble-t-il, ne lit pas la prose du CNERNA (l'organisme chargé en France de définir les apports recommandés) qui évalue à 75 µg les besoins quotidiens en sélénium et à 50-200 µg les besoins en chrome. Peu importe qu'au même moment l'Administration américaine de la santé recommande au grand public la prise de suppléments de sélénium (pour réduire le risque de cancer).

L'ex-président du conseil de l'ordre des pharmaciens, Jean Brudon, se targuait d'ailleurs d'être l'aiguillon sans lequel la DGCCRF sombrerait dans une dangereuse léthargie. Son cheval de bataille en 1993 ? La L-carnitine, un acide aminé qui a connu en 1990 son heure de gloire. Voici ce que M. Brudon écrit à l'intention des pharmaciens français[20] :

« Depuis longtemps, j'étais préoccupé par les débordements publicitaires auxquels donnait lieu, entre autres, l'utilisation des pseudo-propriétés — amaigrissantes ou toniques — prêtées à la L-carnitine. J'en avais saisi à maintes reprises la Direction générale de la Consommation, de la Concurrence et de la Répression des Fraudes sur des exemples précis. La lettre de la DGCCRF met clairement les choses au point. »

Que dit en effet la DGCCRF dans sa réponse à M. Brudon ?

« L'emploi de la L-carnitine n'est actuellement admis en France (...) que dans les seuls produits diététiques. Dans toutes les autres denrées destinées à l'alimentation humaine, y compris les compléments alimentaires, son emploi est interdit.

« Or, nos enquêtes font ressortir que la plupart des produits contenant de la carnitine ne répondent pas aux critères de composition des produits diététiques.

« Par ailleurs, la Commission interministérielle d'étude des produits destinés à une alimentation particulière (CEDAP) a émis un avis, le 6 janvier 1993, concernant la véracité des allégations relatives à la carnitine. S'appuyant sur l'ensemble des publications actuelles, la CEDAP conclut que celles-ci ne fournissent pas une base scientifique pour justifier une supplémentation en carnitine ou permettre les allégations reliant la prise de carnitine à l'amélioration des performances physiques, à l'augmentation de la masse musculaire, à un effet favorable sur le métabolisme des lipides, à l'effet amaigrissant ou à toutes propriétés les suggérant. »

Titillée par le vertueux président du conseil de l'ordre des pharmaciens, la DGCCRF base sa réponse sur trois éléments :

1. Le dogme : la L-carnitine n'est pas autorisée en France dans les compléments alimentaires (pourquoi ? personne ne le sait).
2. Il n'existerait aucune preuve des effets de la L-carnitine, *donc* une supplémentation est *inutile* (de quel droit décide-t-on pour vous si des aliments sont *utiles ?*).
3. On ne peut laisser les fabricants alléguer des effets supposés de la L-carnitine (publicité mensongère).

Les deux premiers motifs sont révélateurs d'un obscurantisme d'un autre âge. Vous remarquerez qu'à aucun moment la DGCCRF ne s'appuie sur une éventuelle menace pour la Santé publique liée à la consommation de L-carnitine. Pour une raison simple : ce produit est inoffensif. Seul le troisième motif peut justifier une intervention de la DGCCRF. Si la L-carnitine ne fait probablement pas maigrir (voir plus loin), comme l'ont affirmé des fabricants peu scrupuleux, ses effets sur le métabolisme des lipides sont bien documentés dans la presse scientifique anglo-saxonne[21, 22, 23, 24]. Mais ces messieurs de la CEDAP ne lisent probablement pas l'anglais.

GUERRE TOTALE AUX COMPLÉMENTS : LA NOUVELLE CROISADE

L'ordre des pharmaciens est aujourd'hui débordé sur sa droite par un syndicat[25] qui s'est juré de bouter hors des officines, voire hors de portée des Français, les nouveaux marchands du temple que sont les fabricants de compléments alimentaires. Pour ces croisés en blouse blanche, tout ce qui ressemble de près ou de loin à un comprimé de vitamine ne peut être que l'œuvre du malin.

Dans un colloque organisé le 8 décembre 1994 à Paris, les membres de ce syndicat, appuyés en cela par le président du conseil de l'ordre des pharmaciens, ont réclamé à grands cris un arsenal législatif contraignant et répressif pour limiter le dosage et la diffusion de ces produits hérétiques.

Cet intégrisme moyenâgeux, qui s'exprime sans discernement contre les compléments alimentaires, est intrigant. Si le but est de poursuivre les fabricants de poudre de perlimpinpin et autre corne de rhinocéros, et ceux qui utilisent des arguments mensongers, c'est une chose saine. Les sociétés qui commercialisent des compléments n'ont aucun intérêt à voir les fabricants de la croix aztèque ou de la bague du Nord inonder le marché d'extrait de bave de crapaud. Mais un nouvel arsenal législatif est inutile, et la DGCCRF a les moyens d'agir.

Il faut donc chercher ailleurs les raisons de la virulence de tels propos.

En vérité, la nutrition fait peur, peut-être parce qu'elle dépossède ces professionnels d'un savoir et d'une emprise sur les mécréants que nous sommes. Le vieux réflexe élitiste et corporatiste s'exprime à plein, doublé d'un cartésianisme dont la société française continue de souffrir. Les compléments alimentaires n'ont pas de vertu parce que ce sont... des compléments alimentaires. Les pharmaciens ne s'émeuvent pas de vendre des médicaments — dont on a vu certains des effets et conditions de mise sur le marché... — du moment qu'ils ont le label de médicaments.

Le meilleur des mondes n'existe pas. Il y aura toujours des médicaments dangereux ou inutiles, mis sur le marché dans des conditions frauduleuses. Ce n'est pas une raison pour porter au bûcher tous les médicaments. Ou pour accuser les pharmaciens de se faire les complices de laboratoires malintentionnés.

Il y aura toujours en matière de compléments alimentaires des excès, des abus et des charlatans. Ce n'est pas une raison pour restreindre la diffusion de ces produits, ni pour y voir la main de Satan. Si les pharmaciens offrent leur vigilance et leurs conseils, c'est tant mieux. Nous avons besoin de nos pharmaciens comme nous avons besoin de nos médecins, pour améliorer la santé du plus grand nombre. Si certains s'enferment au contraire dans un maccarthysme rétrograde, et exercent leur influence pour priver les Français de la liberté de choisir, alors il faudra défendre cette liberté, comme viennent de le faire les Américains.

Pour conclure, gardez-vous des charlatans comme des intégristes de tous acabits. Prenez conseil auprès de votre pharmacien ; la plupart sont excellents, dévoués et ouverts. Si vous êtes malade, consultez votre médecin. Mais faites-le en connaissance de cause. Ce livre vous y aidera.

Bonne lecture, et bonne santé !

LES BASES DE LA NUTRITION

Bienvenue dans le monde de la nutrition !

La nutrition, c'est d'abord une affaire de plaisir — celui de manger — et ce livre n'a pas l'intention de faire de vous un ascète. Jean-Paul Coffe se trompe de cible lorsqu'il stigmatise les défenseurs des compléments alimentaires. Ceux-là prônent au contraire un retour à une alimentation saine et traditionnelle, celle que l'on trouve sur les marchés, celle qui sert à préparer la fameuse « cuisine bourgeoise » chère au professeur Marian Apfelbaum, l'un de nos célèbres nutritionnistes. Je me range sans hésitation dans le camp des défenseurs de la « bonne bouffe » par opposition à la nourriture insipide ou « creuse » qu'ont pris l'habitude de nous servir les industriels.

Des Etats-Unis nous sont venus les messages anti-sel, puis anti-sucre, anti-café, anti-beurre, anti-cholestérol. Il est devenu impossible de trouver dans un supermarché américain des produits laitiers qui ne soient débarrassés de leurs lipides (graisses). Paradoxe : dans le même temps, les marchés ouverts disparaissaient tandis que proliféraient les chaînes de fast-foods. Etrange progrès nutritionnel, dont j'espère la France et les pays francophones se garderont encore longtemps.

Hors condition pathologique grave, il y a peu de chances que des quantités raisonnables de sel, sucre, café, beurre, cholestérol vous fassent du mal. Les aliments ne se laissent pas facilement diviser en groupes, l'un bon, l'autre mauvais. Si votre style de vie ne vous place pas dans une catégorie

45

à risques (tabac, alcool, exposition à des substances toxiques), une alimentation moyenne, raisonnable vous conduira probablement à un état de santé conforme à la moyenne, avec une espérance de vie « normale ».

Pour ceux qui ne se satisfont pas de la normalité, la nutrition offre aussi un champ d'exploration riche et prometteur. En clair, on peut aimer la cuisine bourgeoise et avaler un comprimé de vitamine E. Ce n'est pas incompatible. On peut aussi aimer la « bonne bouffe » et reconnaître que l'on a intérêt à consommer plus de fruits.

LE RÉGIME MÉDITERRANÉEN

Les épidémiologistes nous disent que les populations du pourtour méditerranéen ont une espérance de vie et une espérance de santé plus longues que d'autres populations du globe. Ces résultats ont été attribués à un régime alimentaire riche en fruits et légumes, pauvre en graisses animales, dans lequel l'huile d'olive occupe une place importante. Le fameux « régime méditerranéen » est donc un bon point de départ pour ce livre.

Les légumes et les fruits ont de multiples qualités. Ils apportent des **glucides** (sucres) qui fournissent de l'énergie au cerveau et aux muscles, des fibres qui facilitent le transit intestinal et freinent la prolifération des cellules du tube digestif — ce qui diminue les risques de cancer.

Légumes et fruits apportent aussi des **protéines**, mais de moindre qualité que celles contenues dans la viande. Les protéines sont constituées de chaînes d'acides aminés. Le corps détache ces acides aminés et les réorganise pour fabriquer des tissus. Les acides aminés des végétaux ne figurent pas toujours dans les proportions et les quantités adéquates pour l'organisme.

L'huile d'olive est une **graisse** végétale riche en acide oléique, un acide gras qui, à l'inverse des acides gras contenus dans le beurre par exemple, a un effet favorable sur le cholestérol circulant.

Les qualités du régime méditerranéen lui valent d'être

conseillé dans de nombreuses maladies, comme les maladies coronariennes.

Un tel régime fournit les trois grandes catégories de macronutriments : glucides, protides, lipides. Il apporte aussi les principaux micronutriments : vitamines, minéraux, acides aminés, acides gras.

FAITES CONNAISSANCE AVEC LES NUTRIMENTS

Dans les années 50, et plus encore à partir des années 60, des scientifiques se sont penchés sur ces micronutriments. Il s'agit de substances présentes dans l'alimentation en petites quantités, et dont beaucoup sont nécessaires à la vie : vitamines, minéraux, acides aminés, acides gras.

Les **vitamines** sont des molécules organiques (à base d'atomes de carbone) que l'on trouve dans les végétaux ou dans les aliments d'origine animale. Sans elles, nous risquons la maladie, et parfois la mort.

Les **minéraux**, des substances inorganiques, sont présents dans l'écorce terrestre. De là, ils passent dans les plantes et dans l'eau, et nous les absorbons avant de les utiliser pour de nombreuses réactions physiologiques nécessaires à la vie de la cellule, à la transmission de l'influx nerveux, à l'équilibre des fluides du corps. On les trouve bien sûr aussi dans les os.

Vitamines et minéraux permettent des réactions enzymatiques, au cours desquelles une substance est transformée en une autre substance par l'addition ou le retrait d'un ou plusieurs atomes. C'est ainsi par exemple que les cellules produisent de l'énergie à partir du sucre ou des graisses que nous mangeons. Les enzymes sont simplement des protéines spécialisées grâce auxquelles une réaction peut avoir lieu, des « entremetteurs » en quelque sorte. De nombreuses enzymes incorporent des minéraux dans leur structure. Sans minéraux, elles sont comme des voitures sans roues : elles ne peuvent fonctionner. D'autres enzymes ont besoin de minéraux et de vitamines pour être mises en action : dans ce cas, vitamines et minéraux jouent le rôle d'une clé. L'intérêt des vitamines et des minéraux tient en partie à leur présence dans les réactions enzymatiques. Mais ce n'est pas leur seul intérêt, comme on le verra.

Les **acides aminés** sont au nombre de vingt. Ce sont les constituants de base des protéines. Nous ingérons des protéines en mangeant des végétaux et des aliments d'origine animale.

Les **acides gras** sont apportés par les graisses. Nous nous en servons pour une multitude d'usages : fourniture d'énergie, constitution des membranes cellulaires, synthèse du cholestérol et des hormones, transmission des impulsions nerveuses, et d'autres fonctions plus complexes.

L'alimentation nous apporte une multitude d'autres micronutriments dont on commence à comprendre le mécanisme d'action. Il s'agit de substances présentes dans les plantes, que l'on appelle flavonoïdes, polyphénols, caroténoïdes. Les plantes peuvent même nous procurer des hormones, comme le fait le soja. Toutes ces substances jouent un rôle important dans notre état de santé et on les soupçonne de prévenir vieillissement et cancer par des mécanismes complexes que je ne détaillerai pas ici.

LES APPORTS CONSEILLÉS

Les vitamines et minéraux, lorsqu'ils sont apportés en quantités très insuffisantes, entraînent une détérioration rapide de l'état de santé. Le manque de vitamine C provoque le scorbut. Une carence en niacine (vitamine B_3) déclenche une autre maladie, la pellagre. Une carence en sélénium peut entraîner l'apparition de troubles cardiaques.

A partir de ces constatations, les autorités de la santé de chaque pays ont édicté des niveaux minimums quotidiens d'apport de ces nutriments, destinés à éviter au plus grand nombre une maladie par carence. Ce sont les apports nutritionnels conseillés (ANC en France, *recommended dietary allowances* ou RDAs aux USA). Ces apports conseillés sont calculés pour empêcher les carences et les maladies aiguës de se déclarer. Ils sont donc relativement bas, puisque très peu de ces nutriments suffisent à prévenir les troubles liés aux carences. Par exemple, l'apport conseillé en vitamine E est de 18 UI. Ces apports partent donc du principe que les vitamines n'ont d'autre intérêt que de prévenir des maladies comme le scorbut.

Mais les scientifiques qui s'intéressaient il y a une quarantaine d'années à ces questions ont fait d'autres découvertes, qui sont le point de départ de la nutrithérapie et qui, aujourd'hui, contribuent à remettre en cause le calcul des ANC.

DES BESOINS À GÉOMÉTRIE VARIABLE

D'abord, les besoins en vitamines et minéraux, voire en acides aminés, varient selon les individus. Ils varient aussi selon l'état de santé. Ainsi, pendant certaines infections virales, le taux de vitamine A chute, sans que l'on sache pourquoi. La vitamine A étant très importante dans la lutte contre l'infection, elle s'effondre au moment où on en a le plus besoin.

Les besoins varient selon le style de vie. Les femmes qui prennent la pilule ont moins d'acide folique (vitamine B_9) que celles qui ne la prennent pas. Les fumeurs manquent de vitamine C. Les végétariens manquent de vitamine B_{12}. Les gros consommateurs de sucres manquent de chrome. Ainsi de suite...

L'âge est un autre facteur : après 60 ans, les carences en vitamines et minéraux sont légion, comme si l'organisme ne parvenait plus à tirer parti de ce que la nourriture lui apporte.

DEUX THÉORIES QUI ONT FONDÉ LA NUTRITHÉRAPIE

Il y eut d'autres découvertes ou hypothèses. Linus Pauling, le double prix Nobel, et Irwin Stone, un biochimiste américain, se sont penchés sur l'alimentation de nos lointains ancêtres. Ils ont trouvé que les premiers hommes qui vivaient dans les forêts tropicales consommaient environ 2 300 mg de vitamine C par jour, soit plus de 25 fois ce que nous apporte l'alimentation moderne. Ce régime se traduisait aussi par un apport 3 fois supérieur dans les autres vitamines, et des quantités également supérieures dans des minéraux comme le magnésium, le calcium, le potassium. Pauling et Stone en ont conclu que l'homme était biochimiquement constitué pour consommer beaucoup plus de micronutriments qu'on ne le croyait jusqu'alors.

En 1956, le docteur Denham Harman, de l'Université du Nebraska, construisant sur les travaux d'autres chercheurs, formula la théorie du vieillissement par les radicaux libres.

Selon cette théorie, qui est aujourd'hui acceptée par la communauté scientifique internationale, le vieillissement du corps est en grande partie provoqué par le bombardement des cellules par des molécules extrêmement réactives. Ces molécules sont des dérivés de l'oxygène, que l'on appelle radicaux libres.

Radicaux libres et vieillissement

J'aborde en détail ces questions dans un autre ouvrage, mais je vais essayer de vous en présenter ici une synthèse rapide.

Les atomes sont formés d'un noyau autour duquel tournent des électrons, généralement par paires. Un **radical libre** est un atome ou une molécule qui contient un ou plusieurs électrons non appariés.

Les radicaux libres sont générés par les radiations qui nous entourent, y compris celles de la lumière du soleil. Ils sont aussi fabriqués accidentellement par l'organisme pendant les réactions qui fournissent de l'énergie à partir de l'oxygène. Le corps peut même en générer intentionnellement : certains globules blancs fabriquent des radicaux libres pour tuer virus ou bactéries.

Si les radicaux libres sont parfois nécessaires, leur excès pose des problèmes. En effet, la nature ayant horreur de l'instabilité, une molécule à laquelle manque un électron n'a de cesse de trouver son équilibre. Elle réagit pour cela avec une molécule voisine parfaitement stable, en lui arrachant un atome ou un électron. La molécule ainsi amputée devient à son tour un radical libre, qui va s'attaquer à une autre molécule.

Ce genre de réaction en chaîne peut se propager très rapidement et s'appelle oxydation. Le corps en a une peur bleue. Lorsque l'oxydation gagne les membranes des cellules, qui sont constituées de lipides, ceux-ci sont rapidement endommagés, un peu à la manière dont le beurre rancit. Une membrane qui rancit ne peut plus jouer son rôle de protecteur et d'intermédiaire entre le milieu extracellulaire et intracellulaire. L'oxydation peut gagner d'autres parties de la cellule, le noyau, par exemple. Le noyau contient l'ADN, qui renferme le code génétique à partir duquel d'autres cellules sont fabriquées. Si l'ADN est à son tour endommagé, il servira à donner naissance à des cellules légèrement différentes. C'est un premier pas vers le cancer.

Les radicaux libres sont impliqués dans le vieillissement accéléré des cellules et l'apparition de nombreuses maladies chroniques : cancer, athérosclérose, dégénérescence cérébrale, cataracte, maladies inflammatoires et de nombreuses pathologies aiguës.

RADICAUX LIBRES ET ANTIOXYDANTS

Au fil de l'évolution, tous les organismes vivants ont cherché à se protéger contre les ravages des radicaux libres, car leur survie en dépendait. Les plantes ont synthétisé des substances, comme les caroténoïdes, qui les protègent des rayons du soleil. Le corps humain a mis à profit la particularité chimique de ces substances naturelles, et d'autres comme la vitamine C ou la vitamine E, pour les employer à neutraliser les radicaux libres ou, si vous préférez, les désamorcer avant qu'ils n'occasionnent trop de dégâts. Par exemple, les molécules de vitamine E sont plongées dans la membrane de chaque cellule, prêtes à être mises à contribution pour éteindre les incendies qui pourraient se propager.

L'organisme utilise aussi des enzymes à minéraux, comme la glutathion-peroxydase, à base de sélénium. Ou la superoxyde-dismutase qui contient du zinc, du cuivre ou du manganèse.

Toutes ces substances, dont la localisation et le mode d'action sont différents, sont regroupées sous le terme d'**anti-oxydants**.

On pense aujourd'hui que la protection contre les radicaux libres est d'autant plus efficace que le niveau des anti-oxydants dans le corps est suffisamment élevé. Ce niveau est difficile à apprécier, mais il se situe de toute évidence nettement *au-delà des doses déterminées pour éviter une carence.* C'est une information importante pour tous ceux et celles dont le style de vie les expose à une oxydation accrue — fumeurs, citadins, stressés, pollués — et pour tous ceux et celles qui veulent reporter au plus tard possible l'apparition du déclin des fonctions physiologiques et la venue des maladies dégénératives associées au vieillissement.

Alors que la théorie des radicaux libres gagnait des adeptes, apparaissait mieux l'intérêt de certains minéraux, vitamines, acides aminés (ils peuvent jouer le rôle d'antioxydants), à des doses supérieures aux apports conseillés. Malheureusement, ce qui se passait dans nos assiettes n'allait pas dans la même direction.

CARENCES À FOISON

Par rapport à l'alimentation du début du siècle, la part des minéraux et des vitamines dans la nourriture a chuté, une conséquence de l'industrialisation de l'alimentation et de l'appauvrissement des sols. Plusieurs enquêtes, menées tant en France que dans d'autres pays, ont montré que la quasi-totalité de la population ne reçoit pas les apports conseillés, dont on a pourtant vu le faible niveau. Ainsi, l'écart se creuse-t-il entre le niveau réel des apports en vitamines et minéraux, et le niveau optimal que suggèrent les études menées en particulier sur les radicaux libres. Le recul de la part des légumes et fruits au profit des aliments industriels se traduit aussi par une diminution des apports en flavonoïdes et polyphénols.

Dans tous les pays développés, les maladies dites chroniques (cardiovasculaires, cancers, Alzheimer, allergies, diabète, ostéoporose) sont en progression fulgurante, au point que l'on peut aujourd'hui parler de véritable épidémie. L'incidence accrue des tumeurs du cerveau, que l'on constate dans les pays développés, décourage les médecins. Ils n'ont tout simplement pas les moyens médicamenteux ou chirurgicaux pour y faire face.

Existe-t-il une relation de cause à effet ? De très nombreux chercheurs pensent que la dégradation de la part des micronutriments dans notre alimentation **explique, en partie au moins, l'incidence de ces maladies chroniques.** Une baisse légère des apports en vitamines, minéraux, acides gras de qualité, substances phénoliques, si elle n'entraîne pas l'apparition franche de scorbut ou de pellagre, créerait des subcarences dont les effets à long terme seraient tout aussi dangereux. Des maladies rampantes en quelque sorte.

LES ANC EN QUESTION

Baisse des apports en vitamines et minéraux, et nouvelles découvertes scientifiques placent les autorités de la Santé dans une position délicate. Ou elles maintiennent les apports conseillés en l'état, ce qui revient à encourager les gens à prendre des compléments alimentaires pour atteindre les chiffres officiels. Ou elles augmentent les valeurs des apports conseillés, ce qui revient aussi à encourager la supplémentation. Ou elles *diminuent* les apports conseillés.

Les Etats-Unis ont choisi cette solution étonnante. Les apports conseillés étant calculés pour satisfaire 90 % de la population, les autorités américaines ont récemment entériné de la manière la plus étrange la chute progressive des doses de vitamines dans les assiettes, en *diminuant sur le papier les besoins* en plusieurs nutriments, afin de ne pas se trouver en porte-à-faux avec la réalité alimentaire américaine. Ainsi, alors que de nombreuses études plaident en faveur d'une augmentation de la part des vitamines et des minéraux, les Américains se voient recommander des quantités inférieures à ce qu'elles étaient il y a quinze ans !

La France a choisi le *statu quo*, une situation ambiguë

qui n'est plus tenable. Je vous ai dit plus haut que l'apport conseillé en vitamine E est de 18 UI par jour. Or, plusieurs études suggèrent que l'apport optimal, en prévention des maladies cardiovasculaires, se situerait autour de 100 UI.

En 1993, une équipe de Harvard a montré que les personnes qui consomment ces doses de vitamine E avaient un risque cardiovasculaire inférieur de 40 % à celles qui en consommaient peu[26].

La loi française donne à la DGCCRF les moyens d'attaquer les fabricants qui proposent des comprimés aux doses supérieures aux apports conseillés. Elle ne s'en prive pas. Cette situation ubuesque, qui conduit à faire de chiffres calculés pour prévenir des carences une limite à ne pas dépasser, est contraire à l'intérêt de la collectivité. Je sais que le CNERNA, qui est chargé de fixer les apports recommandés, se pose aujourd'hui des questions. J'espère que cette réflexion conduira à une remise à plat des chiffres des ANC. Et que ceux-ci seront considérés comme une valeur de référence souhaitable et non comme une limite au-delà de laquelle certains produits se trouvent en infraction.

Les doses suggérées dans ce livre se situent le plus souvent bien au-delà des apports recommandés. Ces doses sont basées sur les travaux de chercheurs et sur l'expérience clinique de médecins, américains en particulier. A ce stade de votre lecture, je vous dois quelques mots de présentation personnelle.

RENCONTRE À DALLAS, TEXAS

Je ne suis pas médecin. J'ai suivi des études qui ne me prédisposaient nullement à écrire un jour sur les thèmes de la nutrition, puisqu'elles m'ont conduit sur les bancs d'une Ecole supérieure de commerce. J'ai accompli l'essentiel de ma carrière dans le milieu de la presse et de l'édition.

En 1989, j'ai fait une rencontre qui allait décider de l'orientation que j'ai depuis donnée à ma vie professionnelle. Alors en transit à l'aéroport de Dallas, j'ai acheté par curiosité un livre signé du prix Nobel Linus Pauling. Dans ce livre, intitulé *How To Live Longer and Feel Better*, Pauling présentait vingt ans de travaux sur les vitamines, et la vitamine C en particulier. Aux yeux d'un Français, l'argument était étonnant, mais convaincant. Pauling, l'un des plus grands scientifiques de tous les temps, a le don de rendre simples les concepts les plus sophistiqués. Ma curiosité a été piquée : des vitamines, prises à des doses qui m'apparurent énormes, pouvaient-elles dans certains cas prévenir des maladies, voire les guérir ? J'avais dans le passé, comme beaucoup de Français, pris occasionnellement de la vitamine C, sans accorder à cette substance un grand crédit. J'ai voulu en savoir plus. Je me suis aperçu que, loin d'être une discipline fumeuse, la nutrition occupait les pages des revues médicales et scientifiques les plus prestigieuses. Partout dans le monde, des milliers de chercheurs s'intéressaient à cette discipline. J'ai eu le sentiment qu'une révolution se préparait, et que le grand public l'ignorait.

Les livres de biochimie ont commencé de s'accumuler dans ma bibliothèque. J'ai rencontré des gens remarquables, médecins, pharmaciens, neurobiologistes, nutritionnistes, qui m'ont fait partager leur passion.

Il m'est apparu nécessaire de rendre compte de leurs travaux, car **leurs implications sur la santé de chacun de nous sont considérables.** En 1990, j'ai réuni trois spécialistes. Ensemble nous avons écrit la première édition de ce livre. Pour la première fois, un ouvrage français popularisait la prise de compléments alimentaires et expliquait leur rôle. Depuis, les rayons des librairies se sont enrichis d'autres ouvrages, en particulier *La Bible des vitamines*, du docteur Rueff, ou le livre remarquable de Josette Lyon et Jean-Paul Curtay, *La Saga des vitamines*.

Après la parution de notre livre, j'ai ressenti le besoin de donner encore plus de corps à mes connaissances scientifiques fraîches. Je me suis rendu aux Etats-Unis et j'ai suivi pendant un an les cours de nutrition et biochimie d'une université californienne, tout en poursuivant mes rencontres.

De cette époque est née ma décision d'écrire *l'Encyclopédie pratique des vitamines et des minéraux*, mais aussi de reprendre l'écriture du livre que vous avez entre les mains, en l'enrichissant des développements scientifiques récents.

Mais voici la conclusion de cette digression. J'ai souhaité, en 1994, rencontrer Linus Pauling, celui auquel mes occupations doivent cet étrange zigzag. On m'apprit qu'à 93 ans, sa santé était fragile et qu'il ne recevait guère. Il a finalement accepté de me rencontrer dans son ranch de Big Sur, au sud de San Francisco. Malgré sa fatigue visible, il m'a offert trois heures d'une discussion étincelante qui nous a conduits de ses dernières recherches sur l'atome à son rôle dans la lutte contre les expériences atomiques il y a quarante ans, rôle pour lequel il reçut son deuxième prix Nobel. De cette rencontre, je lui suis reconnaissant.

Esprit libre et iconoclaste, Linus Pauling est décédé le 19 août 1994.

COMMENT VOUS SERVIR DE CE LIVRE

Il est divisé en cinq parties. Dans la première partie, vous trouverez des réponses aux questions que vous pouvez vous poser sur les compléments alimentaires. Dans la deuxième partie, vous trouverez des suggestions pour améliorer l'ensemble de vos fonctions mentales. La troisième partie traite de la forme et des performances physiques, du sport, des régimes et de la cosmétologie. La quatrième partie aborde les questions de sexualité, de fertilité et de grossesse. La cinquième partie fait le point sur quelques maladies, dont certaines sérieuses. Ce livre ne prétend pas apporter des remèdes miracles, mais vise à vous informer des résultats de la recherche. A tous les stades de sa lecture, le conseil et la collaboration d'un médecin nutrithérapeute sont recommandés.

La dernière partie sert de glossaire de référence pour se familiariser avec chacune des substances.

J'ai cité dans le cours du texte un certain nombre d'ouvrages, publications, travaux. Chaque numéro vous renvoie à une référence placée en annexe. Ce système est conçu comme une garantie donnée au lecteur que les informations qu'il lit ne sortent pas de l'imagination de l'auteur, mais sont basées sur des travaux sérieux. Il permet aussi au lecteur averti ou à son médecin de se procurer les ouvrages en référence et d'en étudier le contenu dans un but thérapeutique.

Au fil de votre lecture, vous rencontrerez de très nombreuses abréviations qui sont issues de l'anglais. La raison en est que l'anglais est la langue de référence en matière de médecine et de biochimie, et que c'est sous cette forme que les chercheurs connaissent et utilisent les abréviations. Je donne cependant leur signification en français.

Les dosages sont exprimés selon le cas en milligrammes (mg), microgrammes (μg) ou unités internationales (UI). Les UI ne sont plus guère maniées par les chercheurs, mais c'est un système de référence commode dans la mesure où les fabricants continuent de les utiliser.

En conclusion

La nutrithérapie est intéressante dans certaines conditions. Ce n'est ni la panacée ni une science figée dans ses convictions. Parfois, la nutrithérapie est inefficace. Aussi ne faut-il pas se muer en intégriste des suppléments, mais rester ouvert à d'autres approches thérapeutiques et aux développements constants qui caractérisent ce domaine.

Surtout, il convient de garder à l'esprit que seul un médecin est à même de poser un diagnostic et de juger de l'efficacité d'un traitement. Il faut également savoir que les doses suggérées dans ce livre sont parfois élevées, et que des interactions médicamenteuses, des contre-indications et des effets secondaires possibles existent. Pour toutes ces raisons, je vous encourage à n'entreprendre de traitement de ce type qu'avec l'accord d'un médecin, et sous sa surveillance. Vous trouverez en fin de livre un résumé des principales précautions liées à l'emploi de chaque nutriment, mais là encore, l'avis du médecin est irremplaçable.

LES RÉPONSES AUX QUESTIONS
QUE VOUS VOUS POSEZ

Les compléments alimentaires corrigent-ils une alimentation déséquilibrée et des habitudes à risques ?

Hélas ! non. C'est d'abord dans l'alimentation qu'il faut rechercher les nutriments qui nous sont nécessaires : faire de vrais repas, prendre des protéines au petit déjeuner, préférer le thé au café, consommer chaque jour au moins trois fruits et deux légumes, 2 cuillerées à soupe d'huile complète dans les assaisonnements, un yaourt, un litre d'eau riche en magnésium et calcium. Il convient aussi de manger un poisson gras au moins 3 fois par semaine. Les compléments alimentaires apportent une assurance supplémentaire, et une aide possible dans certains états pathologiques. Mais cette assurance a ses limites. Ce n'est pas parce que vous prenez un comprimé de vitamine C que vous pouvez continuer de fumer un paquet par jour en toute quiétude. La santé est une affaire de synergies.

Les vitamines apportent-elles des calories ?

Non, les vitamines n'ont aucune valeur énergétique.

J'envisage de prendre des compléments alimentaires pour améliorer ma santé ou ma forme. Quelle est la bonne stratégie ?

Si vos problèmes de santé ou de forme entrent dans le cadre de ce livre, lisez-le attentivement. Vous pouvez aussi vous orienter vers les livres dont je donne la liste en annexe. Avant de prendre des suppléments pour combattre tel ou

tel trouble, assurez-vous qu'il n'existe pas d'autres thérapeutiques mieux adaptées à votre cas. La bonne stratégie
consiste à consulter un médecin, et si possible un nutrithérapeute. Un nutrithérapeute n'est pas un diététicien. Le
terme de nutrithérapeute est réservé aux membres du corps
médical qui ont suivi une formation en nutrition. Un médecin saura apprécier l'intérêt de suppléments dans votre état.
Souvent, ceux-ci pourront être pris avec des médicaments
pour renforcer leur action ou atténuer leurs effets indésirables. Une association peut vous aider à trouver un spécialiste. Il s'agit de l'ADMO, BP 140, 06220 Vallauris.

**Une amie m'a conseillé de consulter un naturopathe.
Que dois-je en attendre ?**

En général, pas grand-chose. Il n'y a jamais eu autant de
« naturopathes » qu'aujourd'hui, un titre que n'importe qui
peut s'approprier. Si vous devez consulter un spécialiste,
adressez-vous de préférence à un médecin nutrithérapeute.

**Mon médecin ne croit pas à la nutrithérapie et refuse de
me donner des suppléments. Que dois-je faire ?**

C'est une situation que connaissent encore la plupart des
patients et même de nombreuses femmes enceintes. Les
suppléments sont extrêmement importants à ce moment de
la vie, comme vous pourrez le constater, mais les médecins
l'ignorent parfois. Entamez un dialogue avec votre médecin. Au besoin, apportez ce livre à votre médecin traitant.
Il pourra se référer aux études et aux travaux des chercheurs
que je cite. Si vous attendez un enfant, ne prenez pas de
suppléments sans en avertir votre médecin. Cette remarque
est valable pour tous les malades qui suivent un traitement
médicamenteux ou qui sont suivis médicalement. Si votre
médecin juge que votre condition ne permet pas l'emploi
de tel ou tel nutriment, rangez-vous à son avis.

**Sur quels critères dois-je choisir un complément alimen-
taire ?**

La composition des produits varie très sensiblement selon
les marques. Comparez avec la formule de base que je
donne en fin de section. Certains produits multivitaminés

que l'on trouve en grande surface sont séduisants du fait de leur prix faible. Malheureusement ils sont souvent très pauvres en vitamines et minéraux (ce qui explique leur prix). A mon sens, des formules multivitaminées du type Juvamine® ont peu d'intérêt, car les doses y sont trop faibles pour prétendre avoir un impact sur votre état de forme. Un repas normal fera aussi bien. Recherchez des produits exempts de conservateurs, colorants et additifs. Achetez de préférence les marques qui indiquent une date de péremption. Si vous achetez par correspondance, ne donnez pas votre argent à un distributeur qui n'indique pas de manière claire et détaillée la composition de ses produits.

Où trouver mes compléments ?

Pour les multivitamines, je vous conseille soit les magasins spécialisés, soit les entreprises de vente par correspondance. Vous avez plus de chances d'y trouver des produits bien équilibrés. En deuxième choix, je placerais la pharmacie. En dernier ressort, le supermarché. Pour une spécialité répandue comme la vitamine C, le supermarché me paraît le meilleur lieu d'achat. Les autres spécialités (vitamine E, zinc, etc.) se trouvent aussi bien en pharmacie qu'en boutique ou en vente par correspondance. Enfin, je vous conseille d'acheter vos acides aminés en pharmacie. Vous pouvez demander à votre pharmacien de vous confectionner des gélules (300 à 500 mg). Si vous êtes le premier à lui demander de la L-tyrosine depuis qu'il est installé, et qu'il ignore où se procurer ces produits, orientez-le vers la Coopération pharmaceutique française (Melun), ou Albrenor Pharma (Forbach) ou encore EPA Groupe (Morlaix), trois fournisseurs qu'il connaît. Vous pouvez aussi vous orienter vers des formules toutes prêtes, comme Bioptimum®.

Que faut-il penser des formules toutes faites, du type « spécial cheveux », ou « super-stress », « sportifs », « mémoire », « sexe », etc. ?

C'est un avis personnel, mais je suis dans 99 % des cas très déçu par la composition de ces produits à tout faire, dont la formulation est parfois déconcertante. Seule la gamme Bioptimum® de Boiron me semble échapper aux reproches. Je vous conseille plutôt de bâtir votre propre formule à partir de nutriments de base, en vous documentant et en prenant le conseil d'un médecin nutrithérapeute.

Les vitamines d'origine naturelle sont-elles préférables aux vitamines d'origine synthétique ?

Pas de différence pour les vitamines solubles dans l'eau (B et C). En revanche, la vitamine E et le bêta-carotène naturels sont supérieurs aux formules synthétiques.

Une fois que j'ai ouvert un flacon, dois-je le conserver au réfrigérateur ?

C'est souvent une bonne idée, car certaines vitamines se dégradent d'autant plus vite que la température est élevée. Elles craignent aussi la lumière. Enfin, les acides gras polyinsaturés et certains acides aminés soufrés sont sensibles à la chaleur. Si vous avez des enfants, et qu'ils ont accès au réfrigérateur, choisissez alors un endroit sombre et frais, hors de leur portée.

A quel moment de la journée prendre des compléments alimentaires ?

Prenez vitamines, minéraux et acides gras pendant ou juste après un repas. Prenez les acides aminés à jeun, 30 à 60 minutes avant un repas ou au coucher. Divisez les doses en 2 ou en 3 au cours de la journée.

Quelles doses prendre ?

En supplémentation quotidienne, vous pouvez prendre vos nutriments à des doses proches des apports recommandés, ce qui permet de compléter l'alimentation. Cependant ces doses sont insuffisantes pour les vitamines antioxydantes C et E, et le bêta-carotène.

Face à un déficit ou une circonstance particulière, les doses doivent être adaptées à l'intensité du problème. Le traitement d'attaque à forte dose a pour but de corriger ce problème ; le traitement d'entretien cherche la dose minimale avec laquelle les problèmes ne réapparaissent pas.

Combien de temps dois-je prendre des compléments ?

Les suppléments quotidiens et les antioxydants conçus pour compenser les insuffisances inévitables de l'alimentation doivent être pris à vie et de manière continue. Les suppléments conçus pour corriger des carences ou répondre à des problèmes particuliers doivent être pris pendant des durées variables précisées par le nutrithérapeute, le pharmacien et la notice du produit.

Depuis que je prends des vitamines, mon urine est jaune citron. Est-ce grave ?

Non. Cet effet est probablement dû aux propriétés colorantes de la structure flavinique de la riboflavine (vitamine B_2).

On m'a dit que les gens qui prennent des vitamines ont l'urine la plus chère du monde, puisque tout ce qui dépasse les apports habituels est éliminé.

Cet argument est popularisé par certains médecins et par des journaux supposés défendre les consommateurs. *Que Choisir ?, 50 Millions de consommateurs*, dont les motivations m'échappent, ont ainsi utilisé cet argument pour partir en guerre contre les compléments alimentaires. Je réponds de manière détaillée à ces accusations dans un autre ouvrage. Les malades, les personnes subcarencées, les consommateurs de médicaments, les femmes sous contraceptif, les personnes âgées, les fumeurs, les citadins, les sportifs ont des besoins qui dépassent les chiffres des apports conseillés. Leur corps tire parti des vitamines qui sont apportées par les compléments, comme l'ont montré de très nombreuses études. Je montre, dans *L'Encyclopédie*, que, même chez les personnes en excellente santé, une vitamine comme l'acide ascorbique (vitamine C) est stockée dans les globules blancs, y compris lorsque les doses quotidiennes sont supérieures de 10 à 20 fois aux apports recommandés.

Quelle serait la formulation idéale pour des multivitamines/multiminéraux ?

La question est difficile, dans la mesure où il n'existe pas de besoins standard. Recherchez un produit qui vous apporte au minimum 100 % des apports conseillés. Voici cependant une formulation quotidienne (pour adultes) qui a la faveur de plusieurs médecins nutritionnistes américains, dont le docteur Hendler, de San Diego :

Vitamine A	2 000 — 5 000 UI
Bêta-carotène	3 000 — 6 000 UI
Vitamine B_1	5 — 25 mg
Vitamine B_2	5 — 25 mg
Vitamine B_3	20 — 100 mg
Vitamine B_5	20 — 50 mg
Vitamine B_6	5 — 25 mg
Vitamine B_8	100 — 300 µg
Vitamine B_9	200 — 500 µg
Vitamine B_{12}	6 — 50 µg
Vitamine C	80 — 500 mg
Vitamine D	200 — 400 UI
Vitamine E	50 — 200 UI
Choline (ou lécithine)	10 — 50 mg
Inositol	10 — 50 mg
Flavonoïdes	20 — 100 mg
Calcium	200 — 1 000 mg
Cuivre	1 — 2 mg
Chrome	50 — 200 µg
Fer	0 — 10 mg (Hommes), 10 — 15 mg (Femmes pré-ménopausées)
Iode	75 — 150 µg
Magnésium	100 — 400 mg
Manganèse	5 — 10 mg
Molybdène	50 — 100 µg
Potassium	50 — 200 mg
Sélénium	50 — 200 µg
Zinc	10 — 15 mg

NUTRITION POUR LE MENTAL

C'est avec ce chapitre que j'ai choisi d'ouvrir la partie concrète du livre. Parce que les troubles anxieux, dépressifs, de concentration ou de mémorisation sont très répandus en France et dans les pays industrialisés. Parce qu'ils jouent un rôle important dans l'apparition d'autres pathologies. Dépression et stress ont des conséquences hormonales qui s'expriment sur le système immunitaire et la santé du système cardiovasculaire. Ce chapitre est révélateur de la manière dont j'ai conçu le livre. Plutôt que de vous proposer brutalement des formules toutes faites, il me paraît plus judicieux de vous faire comprendre les mécanismes biologiques qui sont à l'origine des problèmes que nous pouvons rencontrer. Ainsi, vous serez mieux « équipé » pour vous défendre, et pour dialoguer le cas échéant avec votre médecin. Vous allez pouvoir apprécier l'impact considérable de la nutrition sur les fonctions mentales. Et d'abord, laissez-moi vous guider dans les méandres des réseaux de neurones, là où interviennent les réactions chimiques qui façonnent nos émotions...

NAISSANCE DES ÉMOTIONS

Le cerveau est constitué de cent milliards de cellules nerveuses, les neurones. Le neurone se prolonge par des branches appelées dendrites et axones, qui permettent la communication avec les neurones voisins.

Au bout des branches, il y a de petites protrusions appelées terminaux synaptiques. Certains neurones contiennent des milliers de terminaux synaptiques. D'un côté, vous avez donc un neurone émetteur, avec son terminal synaptique. D'un autre côté, vous avez une dendrite ou le corps cellulaire d'un neurone receveur.

Entre les deux terminaux s'étend un espace infime que l'on appelle synapse. A vrai dire, les membranes des deux neurones sont quasiment au contact l'une de l'autre. La synapse est un espace d'échange. On peut la comparer à la zone de transmission du bâton, dans les relais d'athlétisme.

Pour communiquer avec un neurone récepteur, le neurone émetteur va le plus souvent utiliser une substance qu'il stockait jusqu'alors dans de petites vésicules ménagées dans son terminal synaptique, et la projeter à travers la synapse. Cette substance s'appelle un **neurotransmetteur**.

Le neurotransmetteur va traverser la petite distance qui sépare les deux neurones et venir se nicher dans des logements ménagés à cet effet sur la surface du neurone récepteur. Pour reprendre l'analogie avec le relais, les neurotransmetteurs peuvent être comparés au bâton. Cette intrusion du neurotransmetteur à la surface du neurone récepteur modifie le potentiel électrique de sa membrane (par un mécanisme complexe qui fait appel à des concentrations d'ions métalliques).

Une vague de dépolarisation est transmise le long de cette membrane, puis le long de l'axone. Un signal électrique se propage à ce moment dans le neurone récepteur. Celui-ci devient alors à son tour un neurone émetteur et diffuse un neurotransmetteur au neurone suivant. Ainsi se propage le signal électrique qui permet les émotions, la contraction musculaire, la mémorisation, le cycle veille-sommeil et bien d'autres mécanismes, y compris hormonaux.

LES NEUROTRANSMETTEURS

De nombreux neurotransmetteurs sont synthétisés dans les terminaux synaptiques. Ils sont ensuite, on l'a vu, stockés dans des vésicules.

Les neurotransmetteurs ont pour rôle de modifier suffisamment le potentiel des membranes pour créer un signal électrique. Mais ce mécanisme est soumis à une régulation stricte.

D'un côté, il faut éviter que l'action du neurotransmetteur ne se prolonge, au risque de créer une hyperexcitation néfaste au cerveau et à l'organisme tout entier. D'un autre côté, il faut que le neurotransmetteur ait le temps d'agir, pour que le signal soit correctement relayé.

Il existe deux mécanismes pour arrêter l'action d'un neurotransmetteur. Le premier, c'est la destruction par une enzyme. Par exemple, l'acétylcholine est dégradée par l'enzyme acétylcholinestérase, qui est contenue dans la membrane postsynaptique. Si elle n'était pas dégradée, le signal se prolongerait au-delà du temps normal. L'action du neurotransmetteur peut aussi être interrompue en repompant les molécules intactes à l'intérieur du terminal synaptique qui les a libérées. C'est ce qui se passe pour les catécholamines et pour la sérotonine. Une partie est restockée dans les vésicules ; le reste est dégradé par une enzyme appelée monoamine oxydase, qui est contenue dans le terminal synaptique.

Le cerveau des mammifères utilise une grande variété de substances pour transmettre des informations, parmi lesquelles des acides aminés, des monoamines, des peptides. Les mieux connues sont :

— les catécholamines : dopamine, adrénaline, noradrénaline, sérotonine — un groupe de monoamines ;
— l'acétylcholine.

Elles concernent le lecteur de ce livre doublement. D'abord parce qu'elles sont largement impliquées dans l'équilibre du comportement. En effet, il existe un lien étroit entre le niveau de ces neurotransmetteurs et les états dépressifs, anxieux ou la mémorisation. Cela signifie qu'en manipulant la quantité de ces neurotransmetteurs, grâce aux médicaments, par exemple, on peut en retour modifier l'humeur et les émotions, dans un sens ou dans l'autre.

Je vais vous donner un exemple. On pense que la sérotonine, un neurotransmetteur, joue un rôle dans certaines dépressions. Schématiquement, les personnes qui sécrètent peu de sérotonine sont plus souvent touchées par certaines formes de dépression, probablement parce que ce neurotransmetteur est émis en quantités trop faibles pour générer un signal. Le Prozac® et d'autres inhibiteurs sélectifs de la reprise de sérotonine (SSRIs) sont des antidépresseurs qui agissent en empêchant la sérotonine, une fois libérée dans la fente synaptique, d'être récupérée (à des fins de recyclage) par le neurone qui l'a sécrétée. Ainsi, le neurone récepteur baigne plus longtemps au contact de la sérotonine.

Très schématiquement, voici quelques effets connus des niveaux de certains neurotransmetteurs sur les fonctions mentales, le comportement et l'humeur :

— sérotonine haute : calme, patience, contrôle de soi, sociabilité, adaptabilité, humeur stable ;
— sérotonine basse : hyperactivité, agressivité, impulsivité, fluctuations de l'humeur, irritabilité, anxiété, insomnie, dépression, migraine, dépendance (drogues, alcool), boulimie ;

— dopamine haute : esprit d'entreprise, motivation, bonne humeur, désir sexuel ;
— dopamine basse : dépression, hypoactivité, baisse de la libido, démotivation, indécision ;

— adrénaline haute : état d'alerte ;
— adrénaline basse : dépression ;

— noradrénaline haute : facilitation émotionnelle de la mémorisation, vigilance, désir sexuel ;
— noradrénaline basse : inattention, baisse des capacités de concentration et mémorisation, dépression, baisse de la libido ;

— GABA haut : relaxation, sédation, sommeil, mémorisation ;
— GABA bas : anxiété, manie, attaques paniques ;

— acétylcholine haute : bonnes capacités de mémorisation, concentration, apprentissage ;
— acétylcholine basse : baisse des facultés de mémorisation, de concentration, d'apprentissage.

NEUROTRANSMETTEURS ET ACIDES AMINÉS

Les neurotransmetteurs dont je viens de parler ont une autre particularité. Ils sont fabriqués à partir de substances apportées par l'alimentation.

Les acides aminés sont, on l'a vu, les molécules dont sont faites les protéines. Quand vous avalez un morceau de poulet, riche en protéines, vous fournissez du même coup à votre corps un conglomérat d'acides aminés (il en existe 20) qu'il va se charger de séparer un à un avant de les réutiliser dans d'autres combinaisons pour synthétiser ses propres protéines.

Mais certains des acides aminés de l'alimentation ont aussi d'autres fonctions. Ils servent de précurseurs à des neurotransmetteurs ou servent eux-mêmes de neurotransmetteurs :
— le tryptophane donne naissance à la sérotonine ;
— la tyrosine et la phénylalanine donnent naissance à la dopamine et la noradrénaline ;
— l'acide glutamique donne naissance au GABA ;
— la glycine, l'aspartate, le glutamate sont eux-mêmes des neurotransmetteurs.

L'acétylcholine, un autre neurotransmetteur, n'est pas fabriquée à partir d'acides aminés, mais de choline, ou plus précisément de phosphatidyl-choline, une substance qui fut un temps classée dans le groupe des vitamines B (B_7).

Cela signifie qu'il est parfois possible de manipuler directement le niveau de vos neurotransmetteurs en agissant sur les substances à partir desquelles ils sont synthétisés. En clair, **la nutrition offre en psychiatrie une alternative à des traitements médicamenteux lourds**, aux effets secondaires parfois indésirables. Dans de très nombreux cas, l'approche nutritionnelle suffit à rééquilibrer un terrain anxieux ou

68

dépressif et à relancer les fonctions intellectuelles. Lorsque cela ne suffit pas, et dans les troubles psychiatriques plus prononcés, il est nécessaire d'associer des médicaments dont on essaiera de limiter les doses et la durée d'administration. La nutrithérapie rend possibles beaucoup de choses que le psychiatre ou le médecin n'envisagent même pas.

Le mécanisme d'action des précurseurs des neurotransmetteurs est complexe, et parfois inattendu. Dans le paragraphe qui suit, vous allez découvrir les effets étonnants de la composition des repas sur votre état de forme intellectuelle.

PROTÉINES, GLUCIDES ET NEUROTRANSMISSION

Richard Wurtman et son épouse, la jolie Judith — deux chercheurs du MIT —, ont cherché pendant des années la réponse à une question qui tracassait les nutritionnistes depuis le début des années 60 : *La composition d'un repas affecte-t-elle le comportement ?*

Dans une expérience célèbre, Richard Wurtman a montré qu'un repas contenant des glucides et des graisses, en l'absence de protéines, entraîne une augmentation significative du niveau de tryptophane dans le sang et le cerveau. Les participants à l'expérience étaient des rats de laboratoire, mais vous n'avez pas besoin d'être recouvert d'un pelage blanc et de traîner un appendice caudal pour vous sentir concerné. Le phénomène est le même chez l'homme.

Le tryptophane étant un précurseur de la sérotonine, le niveau de celle-ci augmentait également lorsque ces animaux recevaient des glucides et des graisses[28]. Ce résultat rendit longtemps les chercheurs perplexes, et vous allez comprendre pourquoi.

Le tryptophane est un acide aminé, donc présent dans les protéines. Comment un repas sans protéines, donc déficitaire en tryptophane, pouvait-il se traduire par une augmentation de ce dernier ?

Les chercheurs se sont aussitôt demandé ce qui se passait quand on donnait aux animaux des repas à base de protéines. Ils ont constaté que les taux de tryptophane et de sérotonine du cerveau ne bougeaient pas, voire diminuaient, si le repas était très riche en protéines[29]. Là aussi, surprise. Pourquoi ? Parce que les protéines contiennent du tryptophane, et que l'on pouvait s'attendre à retrouver ce tryptophane dans le cerveau.

On a trouvé l'explication un peu plus tard[30].

Certains des acides aminés présents dans les protéines ont la capacité de franchir la barrière hémo-méningée (*blood-brain barrier*, ou BBB) pour atteindre le cerveau. Ces acides aminés sont appelés acides aminés neutres (*large neutral amino acides*, ou LNAAs). Les LNAAs sont : le tryptophane et la tyrosine, on l'a vu, mais aussi la phénylalanine, l'histidine, la leucine, l'isoleucine, la valine, la thréonine, la méthionine. Pour passer dans le cerveau, les LNAAs empruntent un véhicule (macromolécule) ou, si vous voulez, un système de diffusion qui n'est pas extensible à souhait.

Imaginez une voiture à quatre ou cinq places, qui se présente à un carrefour où patientent neuf auto-stoppeurs. Le chauffeur choisira ceux dont la tête lui revient et laissera les autres sur le bord de la route. Pour les LNAAs, c'est un peu ce qui se passe. En l'occurrence, le transporteur a une affinité évidente avec certains acides aminés comme la phénylalanine, alors que le tryptophane a plus de mal à s'imposer. Ce dernier est d'autant plus désavantagé qu'il n'entre que pour 1 à 1,5 % dans la composition des protéines.

Quand vous prenez un repas riche en protéines, la compétition s'installe entre tous les LNAAs, le plus souvent aux dépens du tryptophane. Cela explique que, même si le taux de tryptophane dans le sang s'élève, la part du tryptophane dans le taxi-LNAAs chute.

D'autres acides aminés, comme la phénylalanine ou la tyrosine, profitent de cette défection. La phénylalanine parce qu'elle a, avec le transporteur, une affinité plus grande que le tryptophane. La tyrosine parce qu'elle est très présente dans les protéines alimentaires. Ces deux substances sont cousines. Dans l'organisme, la phénylalanine est transformée (hydroxylée) en tyrosine. A son tour, la tyrosine donne naissance à deux neurotransmetteurs, noradrénaline et dopamine.

Après un repas glucidique, en revanche, le taux de sucre sanguin s'élève, déclenchant la sécrétion d'insuline. Sous son action, les cellules musculaires captent les acides aminés en circulation, sauf le tryptophane, peu sensible à l'insuline. Débarrassé de cette concurrence, le tryptophane peut franchir la barrière hémo-méningée. Il sera transformé en sérotonine dans les neurones. Libérée dans la fente synaptique après excitation du neurone, la sérotonine favorisera la transmission de certains influx nerveux.

En quoi les expériences de Judith et Richard Wurtman nous intéressent-elles ? Tout simplement, un repas très riche en glucides *peut* modifier votre taux de sérotonine à la hausse. La sérotonine ayant un effet calmant ou sédatif, vous pouvez en déduire qu'un repas glucidique (pâtes, par exemple) pris le soir facilitera la relaxation et le sommeil. Et que le petit déjeuner « à la française », lui aussi chargé de glucides (pain, croissants), a de bonnes chances de provoquer des bâillements vers la fin de la matinée.

A l'inverse, noradrénaline et dopamine ont un effet excitateur sur le système nerveux. Elles favorisent le désir, le passage à l'acte, la mise en alerte des fonctions mentales. Avec une sérotonine en baisse, une noradrénaline et une dopamine en hausse, le repas protéiné est, lui, de nature à mettre le cerveau en alerte. De ce point de vue, le petit déjeuner anglo-saxon (œufs, bacon) répondrait mieux aux exigences d'une mise en action intellectuelle (et professionnelle) rapide et soutenue.

MANIPULATION DIÉTÉTIQUE :
GLUCIDES ET RELAXATION

« Pour schématiser, explique le docteur Jean-Paul Curtay, l'un des premiers nutrithérapeutes français, la tension pulsionnelle est modulée par la dopamine, qui joue un rôle d'accélérateur, et la sérotonine, qui joue un rôle de frein. Ainsi, un déséquilibre dans les rapports entre frein et accélérateur où le fonctionnement du système sérotoninergique est perturbé rend impossible le contrôle des pulsions et provoque de l'anxiété, de l'agressivité et rend très vulnérable aux risques de dépendance : tabac, alcool, drogue, voire suicide. » Les niveaux de ces neurotransmetteurs sont certainement fixés génétiquement, mais Judith Wurtman a émis l'hypothèse que certains d'entre nous utilisent l'alimentation comme régulateur psychique[31].

La sérotonine basse pourrait expliquer pourquoi certains enfants sont remuants, hyperactifs, et d'autres calmes et placides. Dans les années 70, on n'avait pas manqué de remarquer que les enfants hyperactifs et les délinquants consommaient beaucoup plus de sucre que les autres. On avait alors attribué au sucre des vertus excitantes[32], mais on confondait simplement la cause et l'effet. Plusieurs études menées au début des années 80 suggèrent une explication bien différente. Il ressort de ces études que les enfants hyperactifs et agressifs *qui ont aussi des problèmes d'attention* consomment beaucoup plus de sucre que les autres[33]. Mais ces enfants ne sont pas plus gros que leurs camarades moins portés sur le sucre, ce qui confirme bien qu'ils dépensent plus de calories qu'eux.

En fait, si ces enfants ont tellement d'attrait pour le sucre, c'est qu'ils cherchent peut-être à tempérer de cette manière leur hyperactivité. Le sucre, on l'a vu, fait grimper la sérotonine et exerce un effet sédatif. De la même manière que les adultes ne manquent pas de faire le rapprochement entre la tasse de café du matin et le coup de fouet qui suit, ces enfants utilisent le sucre comme un calmant.

Votre enfant manque-t-il de sérotonine ? Pour le docteur Curtay, le diagnostic est rapide. « Ces enfants s'énervent facilement, tolèrent mal la frustration, s'endorment difficilement. Ils sont calmés par le sein, l'alimentation, le sucré. » Pour diminuer les risques d'impulsivité et, plus tard, de dépendances diverses, explique le docteur Curtay, « il faut diriger ces enfants vers l'automédication non toxique et le sport ». Le magnésium et certaines vitamines, le massage, le contact physique, les bains prolongés, la natation, l'expression artistique sont particulièrement efficaces pour aider un enfant nerveux et anxieux à se rééquilibrer. Une étude a montré qu'au cours d'un jogging de deux heures le niveau de tryptophane cérébral était multiplié par deux[34]. Au plan diététique, plutôt que les sucres rapides (confiseries) par lesquels ces enfants peuvent être attirés, Judith Wurtman conseille une alimentation riche en glucides complexes, « tout aussi efficaces pour maintenir des niveaux élevés de tryptophane et donc de sérotonine ».

On peut alors donner un coup de pouce à la sécrétion de sérotonine quand celle-ci est trop basse et favoriser ainsi la relaxation ou l'arrivée du sommeil. Pour atteindre ce but, le docteur Curtay recommande un repas du soir riche des mêmes glucides complexes, d'autant, ajoute-t-il, que l'on accompagne ainsi un cycle naturel : le niveau de tryptophane plasmatique libre est plus élevé le soir que le matin. « L'ordre dans lequel les aliments sont consommés a un léger effet sur la digestion, et donc sur le niveau des acides aminés plasmatiques, précise Judith Wurtman. Si vous commencez votre repas avec du pain et une bonne assiette de pâtes, suivis 30 minutes plus tard d'un peu de viande, vous serez plus léthargique, puisque les glucides seront digérés en premier. » Dans une étude menée par Texas Tech University, on a donné à sept jeunes femmes un repas composé de protéines exclusivement, de glucides exclusivement, ou mixte. Celles qui prirent le repas glucidique furent deux fois plus sujettes que les autres à la somnolence[35]. Les aliments suivants peuvent constituer un repas glucidique : pain complet au levain, pommes de terre, haricots, pâtes, riz, céréales, maïs, lentilles, bananes, dattes, fruits secs.

MANIPULATION DIÉTÉTIQUE :
DYNAMISME ET ÉNERGIE

L'objectif dans ce cas n'est plus la sécrétion de sérotonine, mais bien de dopamine. « De ce point de vue, estime le docteur Curtay, le petit déjeuner glucidique français est à réviser complètement. » Les enseignants connaissent bien le problème : en fin de matinée, une bonne partie de la classe pique du nez. En 1985, une expérience intéressante a été menée avec un groupe de cinquante enfants[36]. Une partie des enfants prit un petit déjeuner glucidique, une autre un petit déjeuner à base de protéines, et les enfants restants furent privés de petit déjeuner. Ensuite, tous les enfants furent invités à répondre à un test destiné à évaluer la performance intellectuelle et la vigilance. Les enfants qui avaient pris le petit déjeuner glucidique eurent les plus mauvais résultats. Les enfants qui n'avaient pas pris de petit déjeuner obtinrent des résultats sensiblement meilleurs, à égalité avec ceux qui avaient mangé des protéines. Les chercheurs constatèrent que la baisse des performances chez les « glucidiques » s'étendait de 30 minutes jusqu'à quatre heures après le repas.

Personne ne suggère de partir à l'école ou au travail le ventre vide. En revanche, ces expériences, et ce que l'on sait sur le rôle des acides aminés, peuvent vous aider à aménager vos repas en fonction du but recherché.

Si vos enfants accusent un « coup de barre » vers 11 heures, **c'est peut-être que leur petit déjeuner est trop riche en glucides**. De la même manière, les routiers ou les représentants de commerce qui ont tendance à piquer du nez sur leur volant après un repas devraient être très attentifs à ce qu'ils mangent. C'est bien sûr aussi valable pour tous les professionnels et les étudiants.

Exit les glucides, place nette aux protéines, riches en L-tyrosine, un acide aminé qui minimise l'action du tryptophane et augmente le niveau de dopamine. « Pour être énergétique, confirme Curtay, on a intérêt à prendre un petit déjeuner plus protéique qu'il ne l'est d'ordinaire, et à poursuivre par un déjeuner relativement protéique. » Judith Wurtman, qui semble avoir un faible pour la cuisine italienne, conseille d'avaler les protéines d'un repas en premier : « Si vous mangez le veau (protéines) *avec* les pâtes (glucides), il y aura une prise nette de tyrosine par le cerveau. » Dopamine en hausse, sérotonine en baisse : toutes les conditions sont réunies pour être alerte, voire saignant.

Pour tester cette hypothèse, des chercheurs suédois ont donné à des athlètes engagés dans une course de 30 km, soit une boisson placebo sucrée, soit un cocktail à base d'acides aminés branchés (constituants des protéines). Les deux groupes ont subi des tests psychotechniques avant et après la course. Alors que le groupe placebo voyait ses fonctions mentales décliner de 15 à 25 % après l'exercice (comme on l'a vu plus haut, l'exercice physique se traduit par une augmentation de la sérotonine), le groupe « protéines » les maintenait ou les améliorait de 3 à 7 %. Ces résultats confirment bien que les protéines peuvent améliorer certains aspects de la performance mentale[37].

Certains entraîneurs sportifs malins, qui se tiennent au courant des questions de nutrition, ont vu l'intérêt de ce type de manipulation. Le docteur Robert Nataf — médecin et biochimiste parisien —, qui m'a apporté une aide précieuse pour l'écriture de ce livre, me confiait récemment que l'entraîneur d'un club de football célèbre du Midi de la France l'avait consulté sur les compositions des repas les jours de match. L'objectif avoué était de « rendre les joueurs plus mordants ». Il découle de ce que je viens de vous exposer qu'un repas constitué exclusivement de protéines peut, en faisant chuter la sérotonine, exacerber l'agressivité sur un terrain ou dans d'autres formes de compétition.

En effet, une sérotonine basse est souvent liée à un comportement agressif[38]. Le docteur Markku Linnolla, des National Institutes of Health américains, pense qu'un homme sur cinq a un déficit génétique en sérotonine, et que ce déficit est fréquemment observé chez les criminels. « Une sécrétion de sérotonine faible, dit Linnolla, ne fait pas d'un individu un criminel, mais c'est un facteur prédisposant[39]. »

Les aliments suivants peuvent constituer un repas protéique : spiruline, soja (farine ou lait), viandes blanches, fromage, yaourt maigre, poissons, crustacés, viandes rouges, abats, charcuterie, œufs. Avec ça, la prochaine saison de football s'annonce musclée !

MAIS ÇA NE MARCHE PAS POUR TOUT LE MONDE

A ce stade, et avant que vous ne vous précipitiez sur vos fourneaux et vos livres de recettes, il faut que j'introduise un bémol.

Les expériences montrent incontestablement que les valeurs des acides aminés varient réellement selon le type de l'alimentation, à condition toutefois que les repas soient fortement déséquilibrés dans un sens ou dans l'autre : glucides exclusivement ou protéines exclusivement[40, 41, 42]. Ces taux d'acides aminés sont *censés* prédire le niveau de sécrétion des neurotransmetteurs mais, encore une fois, cette transformation est mal documentée.

Au quotidien, la composition normale d'un repas, le déjeuner, par exemple, est telle que l'influence sur les neurotransmetteurs est probablement minime[43]. Un repas moyen comprend en effet des glucides, des graisses et des protéines. On peut formuler l'hypothèse que si l'être humain favorise des repas équilibrés de ce type, c'est entre autres pour éviter les conséquences d'un comportement en forme de montagnes russes. De la même manière, il semble qu'il existe un mécanisme régulateur à long terme. Par exemple, on a montré que chez les rats des repas systématiquement riches en protéines, et en protéines exclusivement, ne modifient pas, sur la durée, le niveau de tryptophane de manière significative[44].

La conclusion, c'est que *pour certains d'entre vous, mais pas tous*, la composition d'un repas a une influence sur le comportement. Cette sensibilité est très variable[45]. Les effets sur le cerveau sont d'autant plus grands que les repas sont fortement déséquilibrés, et que l'on respecte une alternance : petit déjeuner riche en protéines, par exemple, dîner *exclusivement* glucidique.

J'insiste sur l'exclusivité : si vous recherchez un effet sédatif par une élévation du taux de tryptophane (et donc de la sérotonine), votre repas du soir ne doit quasiment pas comporter de protéines. Il suffit de très peu de protéines, 4 % environ, pour bloquer les effets des glucides sur le taux de tryptophane dans le cerveau[46]. Le meilleur moyen de savoir si vous êtes candidat à une manipulation de la sorte, c'est d'essayer et de noter les résultats. Je vous conseille de prendre pendant une semaine un repas exclusivement protéique au petit déjeuner, par exemple, du blanc de poulet (je sais, ça paraît bizarre, mais dites-vous que c'est pour faire avancer la science !), et un repas essentiellement glucidique le soir, par exemple un plat de pâtes. Notez vos sensations : êtes-vous particulièrement éveillé dans la matinée ? Vous endormez-vous plus vite le soir ?

La semaine suivante, inversez. Je n'irai pas jusqu'à vous recommander les pâtes au petit déjeuner, mais un croissant et de la confiture feront l'affaire (attention, ni lait ni beurre). Cette fois, prenez le poulet le soir. Notez vos sensations. Si vous êtes sensible, vous devriez vous sentir plus somnolent le matin, et plus alerte dans la soirée, par rapport à la semaine précédente.

Il existe d'autres moyens, plus radicaux, de jouer sur les taux de neurotransmetteurs, et je vais vous les présenter maintenant.

DORMIR SANS SOMNIFÈRES :
TRYPTOPHANE ET SOMMEIL

Les effets du tryptophane sur le sommeil sont connus depuis plus de trente ans. Le tryptophane, parce qu'il est un précurseur direct de la sérotonine, est, dans les cas d'insomnies peu sévères, aussi efficace que les somnifères médicamenteux, sans en avoir les effets secondaires. Pourquoi, direz-vous, n'est-il pas aussi prescrit ? D'abord parce qu'il présente peu d'intérêt pour le lobby pharmaceutique. C'est un produit peu cher. Là encore, les enjeux financiers ont une influence sur les substances qui vous sont proposées, aussi bien en pharmacie que dans le cabinet du médecin.

L'autre raison, c'est que, depuis janvier 1990, vous ne pouvez plus vous procurer de tryptophane. En 1989 et 1990, plus de 1 500 cas d'un empoisonnement lié à la prise de tryptophane ont été recensés aux Etats-Unis et dans d'autres pays. Cette maladie s'appelle syndrome d'éosinophilie-myalgies, et elle a provoqué la mort de plus de 26 personnes.

Le tryptophane est-il pour autant un produit dangereux ? Non, mais le principal fabricant de ce produit, le laboratoire japonais Showa-Denko, a changé cette année-là son procédé de fabrication et une condensation anormale s'est produite entre les molécules de tryptophane et l'aldéhyde toxique qui est responsable du syndrome (Showa-Denko assurait 75 % de l'approvisionnement mondial). Le trypto-phane qui provenait d'autres sources, par exemple celui qui est vendu au Canada sur ordonnance, n'a provoqué aucun trouble chez ceux qui le prenaient[47].

Cet état de fait est connu des autorités de la Santé de plusieurs pays, dont la France, mais elles ont tout de même choisi d'interdire le tryptophane, d'où qu'il vienne, le temps de « clarifier la situation ». Plusieurs années ont passé, la situation est on ne peut plus claire, et le tryptophane reste interdit.

Cette interdiction est proprement scandaleuse, et me laisse penser que d'autres considérations que celles de pré-server la santé des consommateurs entrent en ligne de compte.

Aux Etats-Unis, la Federal Drug Administration ne ménage pas ses efforts pour interdire à la vente libre *tous* les acides aminés, une démarche qui s'inscrit dans la vieille tradition anti-suppléments alimentaires de l'Administration américaine. Or, les acides aminés sont sans danger : en trente ans d'utilisation par les consommateurs du monde entier, aucun acide aminé n'a jamais été impliqué dans un problème de santé (sauf le tryptophane pour des raisons, on l'a vu, qui n'ont rien à voir avec le produit lui-même). On peut craindre que si la FDA parvient à ses fins, d'autres pays comme la France, tentés par les mêmes fantasmes, ne suivent le mouvement.

Les consommateurs américains se mobilisent aujourd'hui pour défendre leur droit à l'accès aux compléments nutri-tionnels, relayés en cela par plusieurs sénateurs et députés. Ainsi, au terme d'une empoignade qui a passionné le pays, le parlement américain a, à l'automne 1994, refusé à la FDA le contrôle qu'elle entendait exercer sur les ventes de compléments alimentaires. La fronde a été conduite par le sénateur Orrin Hatch (Colorado), soutenu par des milliers de professionnels de la Santé, l'ensemble des industriels du secteur et deux millions de consommateurs outrés qui ont inondé de lettres leurs représentants. Les Français devraient faire preuve de la même combativité pour obtenir la liberté d'accès — aujourd'hui limitée — aux vitamines, minéraux et acides aminés, et faire lever l'interdiction sur le tryptophane.

Le tryptophane, lorsqu'il est donné sous la forme de suppléments, augmente la sécrétion de sérotonine. Les études montrent qu'une dose de 3 000 mg de tryptophane multiplie par deux le taux de ce neurotransmetteur[48]. Or, une sérotonine basse prédispose à l'insomnie et à certains types de dépression. Le tryptophane, en tant que précurseur de la sérotonine, peut à la fois favoriser la venue du sommeil et améliorer certaines composantes des états dépressifs. Dès 1962, on a noté que les personnes auxquelles on donnait des suppléments de tryptophane (90 mg par kg) passaient par des périodes alternatives de somnolence et d'euphorie[49].

Comment le tryptophane peut-il vous aider, et dans quelles circonstances ? Le tryptophane est très efficace pour diminuer la période de latence[50]. En clair, si vous avez du mal à trouver le sommeil, le tryptophane sera un allié de choix. Le sommeil peut être obtenu avec des doses de 1 000 mg, mais l'efficacité augmente avec le volume de tryptophane que vous prenez : généralement, 2 000 à 5 000 mg sont nécessaires[51].

Le moment de la prise est un autre facteur important : l'effet maximal est obtenu environ une heure après la prise[52]. N'oubliez pas que le tryptophane entre en compétition avec les autres acides aminés, aussi les suppléments doivent-ils être pris suffisamment loin des repas si ceux-ci contiennent des protéines. Si vous prenez à 20 heures un dîner équilibré, avalez votre tryptophane deux heures plus tard, ce qui vous met en condition pour trouver le sommeil vers 23 heures.

Le tryptophane est a *priori* moins efficace que les médicaments traditionnels chez ceux qui souffrent d'insomnie grave, mais plusieurs études montrent que, dans ce cas, il suffit d'un peu de patience. Au bout d'une semaine de supplémentation (une dose le soir), même les insomniaques commencent à en ressentir les effets bénéfiques[53, 54]. Certains chercheurs recommandent, pour un effet maximal, d'alterner les périodes de supplémentation avec des périodes sans suppléments, une semaine sur deux par exemple[55].

Si cette démarche vous intéresse, quelques remarques :

Le tryptophane étant interdit en France, il faut, pour se le procurer, franchir des frontières et, le plus souvent, persuader un médecin de vous le prescrire (lorsqu'il est encore disponible, c'est sur ordonnance). Par ailleurs, il convient de souligner qu'il existe de nombreuses contre-indications. Ce produit est en effet contre-indiqué chez les personnes avec antécédent d'infarctus, angine de poitrine, artérite, dyslipidémie, accident vasculaire cérébral, antécédent d'accident ischémique transitoire, antécédent de phlébite, antécédent d'embolie pulmonaire, diabète, hypertension artérielle, surpoids, migraine. Il est aussi déconseillé aux femmes qui prennent la pilule et aux personnes âgées de plus de 65 ans.

Le tryptophane ne pouvant pas être facilement utilisé de par son interdiction et ses contre-indications, la marche à suivre est la suivante lorsqu'il s'agit de relever la sécrétion de sérotonine :

1. Identifier si l'on relève d'une dysfonction sérotoninergique : impatience, nervosité, agressivité, anxiété, fluctuation de l'humeur, attirance pour le sucré, tendance à la boulimie, tendance aux dépendances (affection, tabac, alcool, drogues), parfois tendance à la violence et/ou au suicide, difficultés à s'endormir.

2. Résoudre un problème de constipation chronique éventuel qui peut réduire la disponibilité du tryptophane de l'alimentation (augmenter dans ce cas fruits et légumes, pain complet au levain, vitamine C).

3. Eliminer la possibilité d'un déficit en vitamine B_6 qui est indispensable à la synthèse de la sérotonine et du GABA (80 % de la population française ne reçoit pas les apports recommandés en B_6).

4. Réduire le degré de stress. Le stress entraîne une destruction accélérée du tryptophane dans le foie. Envisager massages, techniques de relaxation (yoga, taï chi, biofeed-back, etc.), sport régulier, magné-

sium, lithium, éventuellement psychothérapie. Toutes ces mesures augmentent par ailleurs la synthèse de sérotonine.

5. Consulter un nutrithérapeute qui prescrira du lithium à dose intermédiaire entre les doses de l'oligothérapie (insuffisantes) et les doses psychiatriques (excessives dans ce cas et délicates à manipuler), du nicotinamide (vitamine B_3) à forte dose et un complexe magnésium, taurine, vitamine B_6 du type Bioptimum Stress®.

Enfin, vous savez maintenant que les repas glucidiques purs favorisent l'accès du tryptophane au cerveau. Mais cette pratique ne doit pas être poursuivie systématiquement, car le corps a besoin de protéines et d'acides gras pour les synthèses qu'il doit effectuer.

Un dernier mot sur le tryptophane. Plusieurs auteurs[56, 57] ont repris à leur compte une vieille croyance, selon laquelle un verre de lait sucré le soir au coucher est tout ce dont vous avez besoin pour dormir. Ces auteurs justifient un tel effet en rappelant que le lait est une bonne source de tryptophane, et que le sucre favorise son transport au cerveau. Malheureusement, le lait est aussi riche en acides aminés autres que le tryptophane, une concurrence qui, au contraire, fait baisser le niveau de tryptophane et, donc, de sérotonine. Le verre de lait sucré du soir est peut-être tout simplement la cause de vos insomnies[58] !

Ne prenez pas de tryptophane avec des suppléments de L-phénylalanine, un autre acide aminé. Ces deux substances utilisent le même système de transport pour pénétrer dans le cerveau, et l'effet du tryptophane risque d'être perturbé[59].

TRYPTOPHANE, MÉLATONINE ET SOMMEIL

Pour certains chercheurs, les effets du tryptophane sur le sommeil ne sont pas dus directement à l'augmentation de la sécrétion de sérotonine, mais à l'influence de cet acide aminé sur une autre hormone, la mélatonine.

La mélatonine est l'hormone qui animerait notre horloge interne et rythmerait ainsi le cycle veille-sommeil. Le taux de mélatonine dans le sang monte à partir du coucher du soleil, atteint un maximum un peu après minuit, chute avec l'aube pour atteindre une valeur proche de zéro quand le jour est levé[60]. La mélatonine a cette particularité d'être sensible à la lumière du jour[61]. Mais si la lumière du jour fait chuter la sécrétion de mélatonine, l'obscurité n'entraîne pas toujours son apparition. Par exemple, tirer les rideaux d'une chambre pendant la journée ne permet pas une augmentation de la mélatonine[62]. La mélatonine est donc sécrétée pendant les douze heures les moins éclairées de la journée.

On a vérifié le rôle de la mélatonine dans le cycle veille-sommeil de deux manières. D'une part, la prise de mélatonine provoque le sommeil tant chez les personnes normales que chez les insomniaques[63]. D'autre part, l'exposition à une lumière vive fait chuter le taux de mélatonine et retarde l'apparition du sommeil. Ces propriétés de la mélatonine sont très intéressantes, car elles peuvent conduire à un traitement du décalage horaire, ce dernier n'étant rien d'autre qu'un trouble du cycle veille-sommeil (voir plus loin)[64].

On est aujourd'hui certains que le tryptophane a une influence très nette sur la sécrétion de mélatonine[65]. Ainsi, dans une expérience, la prise de suppléments de tryptophane (à partir de 3 g) a entraîné une augmentation nette de mélatonine pendant la nuit[66]. Pour certains chercheurs, c'est dans cet effet du tryptophane qu'il faut voir les conséquences sur le sommeil.

On trouve de la mélatonine en vente libre aux USA. La mélatonine ne doit pas être prise par les personnes atteintes de leucémie, lymphome, myélome multiple, maladie de Hodgkin. Les femmes enceintes ou qui souhaitent avoir un enfant ne doivent pas prendre de mélatonine.

Le GABA est fabriqué par le cerveau à partir d'acide glutamique, de vitamine B_6 et de vitamine C. Le GABA est un neurotransmetteur inhibiteur : il se fixe sur les sites récepteurs d'un neurone et en ralentit la fréquence de décharge, ou si vous préférez son excitabilité. Le GABA a donc pour effet de diminuer l'activité électrique de certaines régions du cerveau (en fait, le GABA semble être le neurotransmetteur qu'on trouve le plus dans le cerveau puisqu'il serait présent dans 30 à 40 % des neurones). Le GABA est un sédatif naturel. Il existe des suppléments de GABA sur le marché américain, mais la FDA tente actuellement d'en soumettre la vente à une ordonnance médicale. A l'heure où j'écris ces lignes, cependant, le GABA reste en vente libre. Il n'est pas recommandé de prendre plus de 500 mg de GABA par jour.

CHOLINE ET SOMMEIL

L'activation des systèmes cholinergiques par administration favorise la phase de sommeil paradoxal (REM)[67]. La choline et les substances riches en choline (lécithine à teneur élevée en phosphatidyl-choline) participent à la synthèse d'acétylcholine, en présence d'acide pantothénique (vitamine B_5), de vitamine B_6 et de vitamine C. La vitamine B_{12} à dose élevée semble augmenter la synthèse d'acétylcholine. Vous pouvez prendre de la choline à des doses allant de 500 à 1 000 mg par jour.

DORMIR SANS SOMNIFÈRES

Dans de nombreux cas, les difficultés d'endormissement et les réveils nocturnes sont liés au stress. Le magnésium, associé à un magnésio-fixateur, suffit parfois à les corriger. Lorsqu'il y a dysfonctionnement sérotoninergique, il faut ajouter les éléments décrits plus haut (lithium et nicotinamide). Le nicotinamide à forte dose favorise la sécrétion d'insuline, qui a un effet hypnotique. On peut également ajouter du calcium, qui stimule aussi la sécrétion d'insuline.

Si le sommeil est agité et associé à une dépression à type ralentissement, démotivation, qui fait suite à des stress aigus ou prolongés, il faut associer de la tyrosine.

S'il s'agit d'un trouble du rythme veille-sommeil, avec décalage ou allongement du cycle, il faut utiliser la vitamine B_{12} à forte dose, et si cela ne suffit pas, la mélatonine.

Pour résumer :

1. En première intention ou s'il existe un facteur de stress :

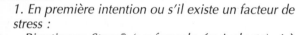

- *Bioptimum Stress® (ou formule équivalente), 4 à 6 comprimés par jour.*

2. Si ça ne suffit pas :
- *magnésium, par exemple Mag 2®, 2 à 4 ampoules par jour.*

3. Si dysfonction sérotoninergique, ajouter :
- *lithium (10 mg élément) que seul un médecin est habilité à prescrire.*
- *nicotinamide : 1 000 à 1 500 mg le soir.*

4. Si cela ne suffit pas :
- *calcium : 500 à 1 500 mg au dîner.*

5. Si dépression à type ralentissement :
- *Bioptimum Mémoire-Concentration® (ou formule équivalente) : 4 comprimés avant le petit déjeuner.*

6. Si trouble du rythme veille-sommeil :
- *vitamine B_{12} : 1 000 mg (1 ampoule dans de l'eau à la fin du dîner).*

7. Si ça ne suffit pas :
- *mélatonine : 6 mg à l'heure du coucher.*

PRÉCAUTIONS : Consulter la liste des contre-indications au magnésium, au calcium, au nicotinamide, à la vitamine B_{12} en fin d'ouvrage. Une formule comme Bioptimum Mémoire-Concentration contient de la vitamine B_{12} et de la tyrosine, pour laquelle il existe aussi des contre-indications. Le lithium peut potentialiser l'effet de l'alcool, entraîner des somnolences (ne pas prendre dans la journée), augmenter la dépression chez une personne ralentie (il faut alors donner de la tyrosine) ; si vous souffrez d'hypothyroïdie, l'endocrinologue sera peut-être amené à réajuster les doses d'extrait thyroïdien. Contre-indications à la mélatonine : grossesse, lactation, lymphomes.

TRYPTOPHANE, MÉLATONINE ET DÉCALAGE HORAIRE

De ce que j'ai dit plus haut sur la relation tryptophane/mélatonine, vous avez compris que l'on peut utiliser les propriétés du tryptophane, celles propres de la mélatonine, et l'effet de la lumière du jour sur cette dernière pour atténuer les méfaits du décalage horaire.

Comment ? Je vais prendre un exemple concret. Vous quittez à 10 heures du matin Paris pour Los Angeles. Le voyage prend en moyenne douze heures. A l'arrivée, compte tenu du décalage horaire négatif de neuf heures, il est donc 13 heures, heure locale. Mais votre horloge interne, elle, indique 22 heures. Votre mélatonine monte, vous avez sommeil. L'erreur serait de vous coucher à ce moment, car vous ne feriez que reporter ce décalage au lendemain. Le meilleur conseil que je puisse vous donner est d'aller faire un tour sur la plage ; la Californie est réputée pour son soleil quasi permanent et, en vous exposant à la lumière vive du jour, vous retarderez la montée de la mélatonine jusqu'au coucher « local ». Si le temps est couvert, installez-vous pendant une ou deux heures dans une pièce violemment éclairée. Vous pouvez aussi prendre de la tyrosine (30 minutes avant le repas, afin de relancer l'éveil). Lorsqu'il sera 21 ou 22 heures heure locale, vous pouvez prendre un comprimé de mélatonine (avec un repas glucidique et vitamines B_6 et C). Le lendemain matin, si vous le pouvez, prenez un nouveau bain de soleil pour faire chuter la mélatonine. Prenez aussi de la tyrosine. En agissant ainsi, vous réduirez le temps d'adaptation aux nouvelles conditions locales et vous souffrirez moins du décalage horaire.

C'est précisément ce qu'a vérifié le département de psychiatrie de l'Université de Californie (San Diego). On a donné des suppléments de tryptophane à un groupe de marines de l'armée américaine qui voyageait de San Diego à Okinawa (huit fuseaux horaires, sens est-ouest), tandis qu'un autre groupe recevait un placebo. Dans ce cas précis, des suppléments ont été donnés pendant le trajet (car les soldats voyageaient de nuit) et au début des trois premières nuits sur place. Le groupe « tryptophane » dormit plus longtemps que le groupe placebo pendant le voyage et la première nuit. Les membres de ce groupe montrèrent aussi une meilleure condition physique et mentale au cours des tests effectués le lendemain de l'arrivée[68].

Supposons maintenant que vous rentriez de Los Angeles vers Paris après une ou deux semaines. Vous quittez la Californie à 10 heures heure locale, pour un vol de onze heures en moyenne. A l'arrivée à Paris, il est donc 6 heures du matin, mais 19 heures seulement pour vous. Alors qu'à l'aller vous aviez dû faire patienter votre organisme neuf heures seulement, cette fois vous devez le tenir éveillé pendant plus de douze heures. Cela explique que les voyages ouest-est sont souvent plus pénibles que les trajets inverses.

Le meilleur moyen de venir à bout du décalage horaire est d'abord de dormir dans l'avion, pour amorcer le cycle d'adaptation. Prenez de la mélatonine à l'heure du coucher correspondant au cycle veille-sommeil de Paris, c'est-à-dire si vous vous couchez normalement à 22 heures, 3 heures après le décollage. A l'arrivée à Paris, plutôt que de vous précipiter dans votre lit, exposez-vous à la lumière pendant une heure ou deux et prenez de la tyrosine. Le soir venu, reprenez de la mélatonine. Le lendemain matin, renouvelez votre cure de lumière vive et de tyrosine et ainsi de suite.

La piste mélatonine/lumière/tyrosine peut offrir une solution simple et sans risque à tous ceux qui voyagent, en particulier les hommes d'affaires.

Suppléments pour lutter contre le décalage horaire

- *Mélatonine : 3 à 6 mg*
- *Tyrosine : 1 à 3 g par jour (30 minutes avant le repas)*

NUTRITION ET ÉTATS DÉPRESSIFS

Cela pourra vous paraître bizarre, mais l'idée que certains acides aminés sont les précurseurs directs des neurotransmetteurs impliqués dans les troubles du comportement n'a guère aiguisé l'intérêt des chercheurs, avant les travaux de Fernstrom et Wurtman, qui datent du début des années 70.

On sait pourtant depuis le début des années 50 que la clé de nombreux états dépressifs passe par la variation de la quantité de dopamine, noradrénaline et sérotonine dans certaines zones du cerveau. Les antidépresseurs sont efficaces parce qu'ils augmentent la quantité de ces trois neurotransmetteurs (ou de l'un d'eux).

Par exemple, les tricycliques, qui sont les premiers antidépresseurs à avoir vu le jour, freinent la reprise des neurotransmetteurs par le neurone qui vient de les délivrer. En temps normal, ce processus permet de recycler une partie de la neuro-hormone, épargnant ainsi au neurone la tâche d'avoir à le refabriquer entièrement.

Les inhibiteurs de la monoamine oxydase (MAOI ou IMAO) agissent différemment. Ils empêchent une enzyme, la monoamine oxydase précisément, de détruire le neurotransmetteur après qu'il a été utilisé pour transmettre son message. Cette enzyme a pour mission de dégrader les catécholamines et de réduire ainsi la durée du message qu'elles transmettent. Malheureusement, certains d'entre nous ne sécrètent pas suffisamment de ces trois neurotransmetteurs. Du coup, le processus physiologique de reprise ou celui de dégradation ne font que diminuer encore la quantité de neurotransmetteurs, et donc la qualité de celle-ci. Trop peu de ces neurotransmetteurs, et la dépression s'installe. Les médicaments augmentent donc la durée pendant laquelle le neurone-cible baigne au contact des neurotransmetteurs, d'où leur efficacité.

Les tricycliques et les MAOI avaient un problème : leurs effets secondaires. En effet, ces médicaments agissaient sans discernement sur les trois neurotransmetteurs. S'ils amélioraient la dépression, ils influençaient aussi d'autres voies du système nerveux central, moins agréables. Ils occasionnaient souvent des nausées, des troubles digestifs, voire des hallucinations et des psychoses (par leur effet d'augmentation de la dopamine, entre autres).

Les tout nouveaux antidépresseurs, comme le Prozac®, sont plus sélectifs. Ils ne « touchent » qu'à un ou deux neurotransmetteurs, généralement sérotonine, ou noradrénaline et sérotonine. Conséquences : les effets secondaires sont réduits, mais le domaine d'action est plus restreint. Par exemple, le Prozac®, des laboratoires Elli Lily, empêche le neurone émetteur de récupérer sa sérotonine. Il fait donc partie des inhibiteurs sélectifs de la reprise sérotonine (SSRIs). Mais il n'est efficace que dans le cas des dépressions sévères, qui sont liées à un déficit majeur de la seule sérotonine. Effexor®, fabriqué par Wyeth Ayerst, est un inhibiteur de la reprise de la sérotonine et de la noradrénaline. Il aurait donc un domaine d'action sensiblement moins réduit et serait efficace dans d'autres formes de dépression qui ne répondent pas aux SSRIs.

Une autre voie, théorique, consisterait à jouer directement sur le niveau de ces neurotransmetteurs, **en augmentant la dose des acides aminés précurseurs**. C'est la voie suivie par Fernstrom et Wurtman, en 1971.

C'est une approche intéressante. D'abord parce qu'elle est moins agressive. On ignore aujourd'hui les effets à long terme des antidépresseurs de la nouvelle génération. Par exemple, Solomon Snyder, un neurobiologiste américain qui, avec Candace Pert, a mené des travaux remarquables sur les neuropeptides — une autre classe de transmetteurs —, rappelle que les antidépresseurs ont pour effet de diminuer à la longue le nombre des récepteurs aux catécholamines dans les neurones. C'est un peu comme si le neurone s'adaptait physiologiquement à une situation nouvelle pour lui. Il avait l'habitude de baigner dans un neurotransmetteur pendant un temps t. Dans un souci d'efficacité maximale, il avait, à sa surface, un nombre n de récepteurs destinés à récupérer les messagers qu'on lui adressait. Voilà qu'un médicament multiplie, disons par deux, la durée d'exposition de ces récepteurs. Que fait le neurone ? Il s'adapte en réduisant le nombre des récepteurs. On ne sait pas très bien ce qui se passe lorsque l'on arrête de prendre le médicament. Le neurone ouvre-t-il de nouveaux récepteurs, ou ceux-ci sont-ils éliminés à jamais ? Cette deuxième hypothèse pourrait expliquer les dépressions sévères qui accompagnent souvent l'arrêt du médicament. Le neurone n'aurait plus suffisamment de récepteurs pour lire le message qui lui est transmis. Du coup, le phénomène d'accoutumance que les laboratoires nient aujourd'hui serait bel et bien réel.

Vous voyez l'intérêt qu'il y a à explorer la voie de la nutrition. Où en est-on aujourd'hui ?

Des suppléments de tyrosine, un acide aminé, entraînent une augmentation des niveaux de dopamine et noradrénaline (NA) ; des suppléments de tryptophane, un autre acide aminé, ou de nicotinamide et lithium provoquent une augmentation de sérotonine (5-HT)[69].

MÉLANCOLIE, MANQUE D'INITIATIVE : DOPAMINE BASSE

La dopamine est impliquée dans une forme de dépression, dite mélancolique ou vitale. Les personnes qui ne sécrètent pas suffisamment de dopamine ont du mal à passer à l'action et manquent d'initiative, même en présence d'une stimulation extérieure forte[70].

L'imminence d'un test scolaire, d'un examen professionnel, d'une réunion importante, conduira la plupart d'entre nous à se préparer activement, en révisant ses cours, en se rendant à la bibliothèque, ou en sollicitant les autres départements de l'entreprise pour compléter un dossier. Lorsque la dopamine est basse, ce processus est perturbé. Le dépressif à composante dopaminergique n'entreprend pas ces démarches ou les reporte à l'infini. Il ne trace pas cette ligne imaginaire entre but à atteindre et initiatives à prendre. La dopamine pourrait être le moteur qui nous fait avancer dans la vie, de réalisation en réalisation, une sorte de carotte biochimique qui nous laisse entendre que si nous nous mettons en branle, la récompense est au bout de l'action. La dopamine est le message publicitaire que vous recevez au courrier : « Répondez dans les deux semaines et vous pouvez gagner un voyage. »

On connaît, pour les avoir mesurés, les taux de plusieurs neurotransmetteurs chez les dépressifs. A ma connaissance, on n'a jamais cherché à mesurer ces taux de manière statistique chez des personnes entreprenantes, une suggestion que je fais aux biochimistes. On trouverait certainement un niveau élevé de dopamine chez les entrepreneurs, hommes politiques ou chefs d'entreprise.

Un exemple. Parfois, la dopamine s'élève de manière anormale. Vous est-il arrivé de vous réveiller à 5 heures du matin, plusieurs fois de suite, avec le besoin irrépressible de vous lever et vous mettre en action ? Pour Robert Nataf, il s'agit d'un « éveil dopaminergique précoce[71] ». Votre dopamine s'élève plus tôt qu'elle ne devrait. Les hyperactifs, les cadres qui brassent plusieurs affaires à la fois, travaillent le week-end, ont certainement un taux de dopamine élevé la plupart du temps.

TYROSINE ET HÉDONISME

La dépression est un état de tristesse chronique dans laquelle plusieurs aspects de la personnalité peuvent être affectés : humeur, hédonisme, initiative, anxiété. L'humeur peut être sombre. L'hédonisme, c'est-à-dire la recherche du plaisir, peut être absent. Le niveau d'initiative est souvent bas. L'anxiété peut être forte. Lorsque l'ensemble de ces sentiments est dans le « rouge », on parle de dépression grave.

La tyrosine est un précurseur de la dopamine et de la noradrénaline.

Le problème des suppléments de tyrosine est le suivant : une enzyme du cerveau, la tyrosine hydroxylase, a pour fonction de transformer la tyrosine en L-dopa. La L-dopa sera ensuite transformée (décarboxylée) en dopamine. Dans les neurones qui contiennent une autre enzyme, la dopamine-bêta-décarboxylase, la dopamine est convertie en noradrénaline.

Mais l'enzyme clé, la tyrosine hydroxylase, est moins efficace que son homologue qui convertit le tryptophane en sérotonine. Elle est conduite assez rapidement à un seuil proche de la saturation, si bien que des doses importantes de tyrosine ne parviennent à augmenter les synthèses de dopamine et noradrénaline que de 10 à 25 %[72].

A l'état normal, la tyrosine qui circule dans le plasma est à son niveau le plus élevé le matin, vers 11 heures. Mais ce pic n'existe pas chez les personnes dépressives[73]. On en a déduit que le cerveau des dépressifs ne recevait pas suffisamment de tyrosine, et que des suppléments pourraient être bénéfiques.

Une étude en double-aveugle de quatre semaines a été conduite avec quatorze personnes souffrant de dépression. Six reçurent des suppléments de tyrosine (100 mg/kg/jour), et huit autres un placebo[74]. Une amélioration très sensible fut observée chez 67 % des malades du groupe « tyrosine » (contre 38 % du groupe « placebo »).

Lorsqu'on analyse l'action de la tyrosine sur les composantes de la dépression, on s'aperçoit que l'effet le plus net concerne l'hédonisme. Une expérience récente a montré que cet aspect de la personnalité était affecté de manière positive lorsque les dépressifs prenaient des suppléments de tyrosine (100 mg/kg/jour)[75]. Une autre composante de la dépression, l'anxiété, est aussi diminuée par les suppléments de L-tyrosine, mais de manière moins spectaculaire.

Le docteur Herman van Praag, auquel on doit des recherches passionnantes sur les précurseurs des neurotransmetteurs, a émis l'hypothèse que la noradrénaline, fabriquée à partir de la tyrosine, jouerait le rôle de « mémoire émotionnelle[76] ». Les neurones noradrénergiques viendraient compléter l'effet « carotte » des neurones dopaminergiques en ajoutant un élément émotionnel à l'idée de récompense. Dans les expériences avec les rats, les neurones noradrénergiques semblent permettre à l'animal de faire le lien entre une activité et sa récompense ou l'espoir de récompense[77].

Si l'on suit cette ligne de pensée, on peut imaginer que les dépressifs, par manque de noradrénaline, ont perdu la capacité de greffer la notion de plaisir à l'idée de récompense : « J'adorais amener les enfants au match de football, docteur, mais ça ne m'excite plus. » Comme le suggérait le docteur Stein, la dépression pourrait être un « trouble du renforcement positif ou de la fonction de récompense[78] ».

La tyrosine est un bon antidépresseur qui renforce l'anticipation des plaisirs, la motivation, la concentration et la capacité de décision.

Des suppléments de tyrosine peuvent être obtenus en pharmacie, sans ordonnance. Le pharmacien vous préparera à la demande des gélules. Le dosage le plus pratique est de 300 à 500 mg par gélule. Vous pouvez prendre 3 à 4 gélules par jour, loin des repas pour éviter la compétition avec les autres acides aminés. Vous pouvez aussi vous orienter vers des formules comme Bioptimum Mémoire-Concentration®.

> *Commencer par :*
> - *L-tyrosine : 1 000 à 3 000 mg ou*
> - *Bioptimum Mémoire-Concentration® : 4 comprimés, 20 minutes avant le petit déjeuner.*
>
> *Si c'est insuffisant :*
> - *Vitamine C : 2 à 4 g répartis en fin de repas.*
>
> *Si c'est insuffisant :*
> - *Ajouter un médicament qui potentialise l'effet de la tyrosine comme Trivastal retard® (sur ordonnance).*

Le tryptophane est un précurseur direct de la sérotonine. Contrairement à ce qui se passe pour la tyrosine, l'enzyme chargée de la transformation du tryptophane en sérotonine (tryptophane hydroxylase) est rarement saturée, et peut donc continuer son activité même lorsqu'on prend des doses importantes de tryptophane.

Comme la sérotonine est impliquée dans certaines formes de dépression, on peut envisager, en théorie, que des doses importantes de tryptophane soient efficaces pour soigner les troubles associés à de l'anxiété, de l'impulsivité, de l'irritabilité, de l'agressivité, une attirance pour le sucré, une tendance aux dépendances et parfois des comportements suicidaires.

Plusieurs études ont été menées, avec des résultats contrastés. La plus longue s'est déroulée sur 12 semaines ; une trentaine de personnes ont été suivies[79]. Les malades étaient atteints de dépression légère. L'efficacité du tryptophane a été testée contre un placebo, contre l'amitriptyline (Elavil®, Laroxyl®) — un antidépresseur qui inhibe la recapture de la noradrénaline — et contre un mélange amitriptyline/tryptophane. La dose quotidienne de tryptophane était de 3 000 mg. Le traitement au tryptophane s'est révélé sensiblement meilleur que le placebo, et *équivalent à l'amitriptyline*. Mieux, le tryptophane n'a pas les effets secondaires indésirables d'un antidépresseur comme l'amitriptyline.

Cette étude laisse penser que **le tryptophane est un traitement de choix pour les dépressions légères**. Ses résultats sont confirmés par d'autres études où l'efficacité du tryptophane était comparée à celle de l'imipramine[80, 81, 82, 83, 84, 85], de l'amitriptyline[86] ou de la miansérine[87]. Dans toutes ces études, le tryptophane ne s'est certes pas révélé supérieur aux médicaments traditionnels, mais il a fait jeu égal avec eux, sans effets secondaires notables !

D'autres études suggèrent que le tryptophane est efficace dans les cas de dépression bipolaire (syndrome maniaco-dépressif). Par exemple, dans une expérience, on a donné 9 à 10 g de tryptophane à seize dépressifs unipolaires (syndrome dépressif) et à huit maniaco-dépressifs. Sur les seize malades du premier groupe, seul un fut soulagé par le traitement. En revanche, cinq des huit malades maniaco-dépressifs répondirent positivement aux suppléments de tryptophane, et trois sur cinq rechutèrent lorsqu'on leur donna un placebo. Sachant que les antidépresseurs traditionnels sont efficaces dans 40 % des cas, le score réalisé par le tryptophane dans cette étude est extrêmement intéressant[88]. D'autres études ont confirmé ces résultats[89, 90].

Sur la base de la relation entre sérotonine basse et comportement agressif, on a essayé d'évaluer l'effet du tryptophane sur cet aspect de la personnalité. On a donné des suppléments et un placebo à douze schizophrènes particulièrement agressifs (il s'agissait de meurtriers !), sur lesquels les neuroleptiques n'avaient aucun effet. Le tryptophane a entraîné une diminution très nette des incidents, qu'il s'agisse d'agressions verbales ou physiques[91]. Comme l'agressivité s'accompagne souvent d'une anxiété importante, cette expérience laisse supposer que le tryptophane agit sur l'aspect « anxiété » de la dépression[92].

Le tryptophane semble efficace à des doses de 3 à 6 g par jour. Mais ces doses devraient être réparties dans la journée, contrairement aux recommandations que je vous ai données pour la recherche du sommeil. En effet, en donnant une dose unique de 6 g, on assiste à un retour à un taux normal de tryptophane dans le plasma après douze heures[93]. Mais lorsqu'on fractionne les doses (3 fois 2 g), le taux de tryptophane reste élevé[94]. Le tryptophane, dans ce cas, peut être pris avec les repas, même si ceux-ci comportent des protéines : compte tenu de la dose quotidienne totale, il y a peu de chances de perturber le transport de cet acide aminé au cerveau.

Compte tenu de la difficulté d'accès au tryptophane, et de ses contre-indications, les remarques faites plus haut sur le nicotinamide et le lithium à propos des troubles du sommeil s'appliquent aussi ici.

L'apparition du lithium dans le traitement des dépressions unipolaires et bipolaires est due aux travaux du psychiatre australien John Cade. Malgré son efficacité, le lithium n'a pas réussi à s'imposer comme traitement de choix de ces troubles psychiatriques, peut-être parce que ce métal ne peut faire l'objet de brevet de la part des compagnies pharmaceutiques et qu'il est donc infiniment moins rentable que des médicaments comme les inhibiteurs de la monoamine oxydase, les tricycliques ou les inhibiteurs de la recapture de la sérotonine. Le lithium est surtout efficace pour traiter les épisodes maniaco-dépressifs[95]. Longtemps, son mécanisme d'action est resté inconnu. Récemment, des chercheurs de la société Merck Sharp & Dohme ont montré qu'il interagissait avec une enzyme du cerveau (inositol monophosphatase), bloquant un mécanisme de recyclage de l'inositol. L'inositol, un messager cellulaire, affecte le degré de réaction des cellules nerveuses ; un recyclage rapide de l'inositol augmenterait la réponse de ces cellules aux stimuli extérieurs, d'où les changements d'humeur observés chez les maniaco-dépressifs[96].

Seul le lithium à dose oligo est en vente libre.

MÉLATONINE ET SAD

Les qualités propres de la mélatonine permettent de traiter un type de dépression très courant pendant l'hiver. Chez certaines personnes sensibles, à cette saison, un décalage se crée entre le rythme social (travail/repos) et le rythme biologique interne. L'aube apparaissant plus tard, la sécrétion de mélatonine reste haute au moment où elle devrait décroître, ce que l'organisme traduit comme un prolongement de l'état de repos. A la longue, ce décalage peut entraîner un état dépressif (désordre affectif saisonnier ou SAD). On obtient d'excellents résultats en exposant ces personnes à une lumière forte, au petit matin (vers 6-8 heures). Cette exposition fait chuter la mélatonine, et améliore l'état des malades[97]. La prise de comprimés de mélatonine au coucher peut donner un résultat comparable.

ACIDE FOLIQUE ET DÉPRESSION

Une alimentation pauvre en folates (par suite notamment de l'emploi de médicaments ou de contraceptifs) peut entraîner de la dépression[98]. Cet effet est dû à l'intervention des réactions de méthylation nécessaires à la synthèse des neurotransmetteurs. Ces réactions dépendent des vitamines B_6, B_9, B_{12} et de la méthionine, un acide aminé.

VITAMINE B_{12}, MANIE ET DÉPRESSION

A de très nombreuses occasions, on a pu rattacher un trouble du comportement, appelé manie, à une carence en vitamine B_{12}[99,100]. Aux Etats-Unis, il est maintenant conseillé aux médecins de pratiquer systématiquement un dosage de cette vitamine en présence de troubles neuropsychiatriques, en particulier chez les adolescents[101] et les personnes âgées de plus de 65 ans. De nombreux médecins et chercheurs recommandent aux médecins de contrôler le taux de vitamine B_{12} lorsqu'il y a manifestement atteinte neuropsychiatrique. Les dépressions qui s'accompagnent de carence en vitamine B_{12} répondent de manière exceptionnelle à ces suppléments. On pourrait, par ce simple dosage de contrôle, suivi d'une supplémentation, éviter des traitements médicamenteux coûteux, souvent inefficaces et parfois dangereux.

CHOLINE ET MANIE

Des suppléments de choline ont, dans certains cas, aggravé les symptômes de la dépression chez certains malades. A l'inverse, choline et phosphatidyl-choline semblent bien améliorer l'état de ceux qui souffrent de manie. Dans une étude, on a donné des suppléments de phosphatidyl-choline (15 à 30 g de phosphatidyl-choline à 90 %) à quatre patients. Deux d'entre eux ont reçu en plus du lithium, les deux autres du lithium et un médicament. Les quatre malades ont vu leur état s'améliorer, mais, lorsque les suppléments de phosphatidyl-choline furent retirés, leurs symptômes réapparurent[102]. La choline (1 à 1,5 g par jour) ou la phosphatidyl-choline (10 à 15 g) peuvent aider à contrôler ce type de symptômes.

VITAMINE B_1 ET TROUBLES DU COMPORTEMENT

La thiamine est essentielle pour « gérer » les glucides alimentaires, et un régime riche en glucides et en sucre exige que cette vitamine soit apportée en quantités importantes. Les adolescents et les jeunes adultes sont souvent de gros consommateurs de sucre (barres chocolatées, confiseries, sodas, glaces).

Le docteur Derrick Lonsdale, un pédiatre américain de Westlake (Ohio), a noté que les troubles du comportement étaient de plus en plus fréquents chez les enfants qui constituaient sa clientèle. Lonsdale s'intéressa à un groupe d'adolescents « à problèmes ». Ces enfants étaient irritables, voire agressifs[103]. Un examen sanguin révéla que la plupart manquaient de vitamine B_1. Après une période de supplémentation, leur état s'améliora très nettement.

Un grand nombre d'études ont établi un parallèle entre une carence en thiamine et des troubles nerveux[104,105]. Chez l'animal, une carence en thiamine dans l'alimentation se traduit par une chute du taux de thiamine dans le cerveau de 70 %[106]. Les carences en thiamine sont fréquentes chez les personnes âgées, les troubles du comportement aussi. Trop souvent, la confusion mentale est considérée comme une conséquence logique de l'âge avancé, ou traitée à grandes rasades de médicaments du système nerveux central. De très nombreux chercheurs pensent que le premier geste du médecin devrait être de pratiquer un dosage de la thiamine (et de la B_{12}, la B_6, la B_9)[107].

Il n'existe pas de raison de penser que des suppléments de thiamine puissent être efficaces sur des troubles neuro-psychiatriques en dehors d'une carence avérée.

Les travaux sur l'influence des vitamines du groupe B dans le traitement des troubles psychiatriques sont surtout dus au médecin canadien Abram Hoffer. Pendant des années, Hoffer a suivi une piste, celle qui conduit la niacine ou vitamine B$_3$ à la schizophrénie.

Le point de départ était le suivant : la vitamine B$_3$ guérit une maladie, la pellagre. La pellagre se manifeste par une série de troubles physiques divers (inflammations des muqueuses) et par des dépressions, des hallucinations, des psychoses. De la même manière, des carences légères en B$_3$, si elles ne provoquent pas la pellagre, se traduisent par des maux de tête, de l'irritabilité et des périodes de confusion mentale. Lorsque la vitamine B$_3$ fut employée systématiquement pour traiter la pellagre, elle guérit aussi bien les manifestations physiques que psychiques de la maladie.

Dans les années 40, des médecins américains rapportèrent que des suppléments d'acide nicotinique (300 à 1 500 mg par jour) guérissaient des malades atteints de troubles psychiatriques[108]. Après la guerre, Hoffer et son confrère Osmond reprirent ces travaux. Ils soignèrent ainsi des dizaines de schizophrènes et de dépressifs avec des doses de 3 à 9 g de vitamine B$_3$ (niacinamide ou acide nicotinique) par jour, prises en 3 fois, accompagnées de doses égales de vitamine C et d'un régime hyperprotéiné[109]. Malheureusement, les symptômes ont tendance à réapparaître lorsque le traitement est interrompu. Les études effectuées par la suite n'ont pas trouvé que les améliorations étaient importantes.

Pour expliquer l'effet antidépressif de la vitamine B$_3$, on a émis plusieurs hypothèses. Il est possible que la vitamine B$_3$ freine la dégradation de la noradrénaline, un neurotransmetteur du cerveau. D'autre part, le tryptophane étant susceptible d'être transformé en nicotinamide, l'administration de cette substance en quantités importantes ralentirait cette

Dépression : les habitudes qui préparent le terrain

Tous les aliments dont la liste suit ont tendance à épuiser les réserves de l'organisme en nutriments essentiels (en particulier, vitamines du groupe B) qui combattent généralement la dépression. Evitez donc : sucres raffinés, pâtisseries, barres chocolatées, chewing-gums, friandises, chocolat, café, thé, sodas, crèmes glacées, hamburgers, hot dogs...

Les molécules (entre parenthèses, nom des médicaments) dont la liste suit peuvent affecter votre psychisme et déclencher ou aggraver un état dépressif par l'épuisement de certains nutriments essentiels (vitamines B, vitamine C, calcium, magnésium) :

— adrénocorticoïdes ;
— antiacides (Maalox®, Gelusil®) ;
— antihistaminiques (Phénergan®) ;
— aspirine ;
— baclofène (Liorésal®) ;
— barbituriques (Phénobarbital®, Gardénal®, Epanal®, Butobarbital®, Imménoctal®, Neurinase®, Neurobore®, Optanox®, Supponéryl®, Vériane®) ;
— bêta-bloquants (Artex®, Avlocardyl®, Bêtapressine®, Célectol®, Corgard®, Detensiel®, Kerlone®, Lopressor®, Mikelan®, Sectral®, Seloken®, Soprol®, Sotalex®, Ténormine®, Timacor®, Trandate®, Trasicor®, Visken®) ;
— chloramphénicol (Tifomycine®) ;
— chlorure d'ammonium (certains sirops contre la toux), contraceptifs oraux ;
— diurétiques (Lasilix®, Burinex®, Esidrex®) ;
— indométacine (Indocid®) ;
— isoniazide (Rimifon®, Dexambutol-INH®) ;
— méthylprednisolone (Médrol®, Solprédone®) ;
— méthotrexate (Ledertrexate®) ;
— nitrofurantoïne (Furadantine®, Microdoïne®) ;
— pénicillamine (Trolovol®) ;
— phénylbutazone (Btazolidine®, Mégazone®) ;
— phénytoïne (Di-Hydan®) ;
— prednisone (Cortancyl®) ;
— propoxyphène (Di-Antalvic®, Propofan®) ;
— pyriméthamine (Malocide®, Fansidar®) ;
— sulfamides (Bactrim®, Eusaprim®, Supristol®) ;
— tétracyclines (Amphocycline®, Chymocycline®, Mestacine®, Mynocine®) ;
— triamtérène (Tériam®, Cyclotériam®).

voie de transformation du tryptophane et l'orienterait vers la production de sérotonine. Cette approche présente un intérêt pour les femmes qui prennent des médicaments œstroprogestatifs (contraceptifs, traitement hormonal de la ménopause), car leurs réserves de tryptophane s'épuisent plus rapidement.

Des doses plus faibles de vitamine B$_3$, 100 mg à chaque repas, permettent souvent de faire disparaître les sensations d'anxiété et de stress[110] en particulier chez les lycéens et les étudiants, à l'approche des examens.

De son côté, le docteur Pfeiffer rapporte plusieurs cas d'individus à tendance suicidaire, soignés et guéris par des suppléments de nicotinamide[111], ce qui semble confirmer l'intérêt de cette vitamine pour rétablir certains déséquilibres psychiques.

LA BIOCHIMIE DU STRESS

Au départ, le stress n'est rien d'autre qu'un cadeau de la nature. Biologiquement parlant, il s'agit d'un mécanisme complexe qui rendait nos lointains ancêtres capables de réagir à une situation nouvelle par le combat ou la fuite. Sans lui, la race humaine aurait probablement disparu. Le stress est la forme qu'utilise l'organisme pour mobiliser l'énergie emmagasinée et la rendre immédiatement disponible, qu'il s'agisse de dévaler les escaliers du métro avant que la rame ne s'ébranle, ou de prendre la parole en public. Le stress vous permet tout simplement de faire face ou de vous adapter aux innombrables demandes de l'existence.

Les connaissances actuelles sur le stress sont très largement nourries des travaux et des recherches du docteur Hans Selye, qui se passionna pour ce phénomène dès les années 20 et publia en 1956 le célèbre livre *The Stress of Life*. Pour Selye, le stress agit en trois phases, selon un modèle qu'il baptisa Syndrome d'adaptation général (GAS). Les trois phases du GAS sont successivement : 1. l'alarme, 2. la résistance, 3. la récupération.

Chacun d'entre nous connaît bien les symptômes de la phase 1, dite d'alarme : respiration et pouls accélérés, bien sûr, mais aussi transpiration abondante (paumes moites en particulier). Le facteur de stress peut être psychologique tout autant que physique (chute, virus, intoxication alimentaire, coup de froid...).

Pourquoi ces symptômes ? Le responsable s'appelle hypothalamus, une glande de petite taille qui se trouve à la base du cerveau. Là se tient le centre de contrôle d'un grand nombre de mécanismes inconscients : température corporelle, rythme cardiaque, respiration, tension artérielle. Par exemple, l'hypothalamus maintient la température dans une fourchette constante en déclenchant la sudation lorsque la chaleur est excessive et les frissons (chair de poule) dans le cas contraire. L'hypothalamus est une sorte de chef d'orchestre, chargé de préserver l'intégrité de l'organisme qui l'abrite.

Lorsque vous percevez un facteur de stress, des impulsions nerveuses stimulent l'hypothalamus. Cette glande adresse à son tour des messages tant à l'hypophyse qu'aux glandes surrénales. Selye a montré que divers types de stress (exposition au froid, blessure) provoquaient chez les animaux une série de réponses stéréotypées : augmentation du volume des glandes surrénales, diminution du volume du foie et de la rate, perte de graisses, baisse de la température corporelle, apparition d'ulcères.

Ces manifestations sont dues à un afflux d'hormones dans le sang et dans les terminaisons nerveuses : adrénaline dans un premier temps, puis cortisol. Les effets de l'adrénaline sont les plus perceptibles : augmentation du rythme cardiaque, augmentation de la pression sanguine, relaxation des muscles digestifs et ralentissement de la digestion (voilà pourquoi des douleurs gastriques peuvent apparaître lorsque l'on tente de se nourrir en situation de stress), relaxation des muscles respiratoires (et bronchodilatation, ce qui explique l'emploi de dérivés dans le traitement de l'asthme), contraction du muscle radial de l'iris (d'où dilatation de la pupille, et meilleure accommodation de la vision éloignée). Toutes ces manifestations sont bien caractéristiques d'un état d'alerte, au cours duquel les sens sont en éveil maximal et l'organisme prêt à l'action.

La phase 2, ou phase de résistance/vigilance, est censée permettre au corps de s'adapter à la situation à laquelle il vient d'être confronté. L'organisme agit comme si sa survie même était menacée. Cette phase se prolonge aussi long-temps qu'une action ou une réaction sont jugées nécessai-res (une appréciation qui dépend largement de facteurs psychologiques).

Au cours de la phase 2, l'organisme se met dans le « rou-ge ». Comme c'est le cas dans la dépression essentielle[112], la sécrétion de corticotrophine (ACTH) par la glande pituitaire augmente, ce qui déclenche la sécrétion par les glandes surrénales de corticostéroïdes comme le cortisol[113]. D'au-tres hormones, telles l'hormone de croissance (hGH)[114] ou les hormones thyroïdiennes[115], voient aussi leur production s'élever.

Il s'ensuit une cascade de réactions physiologiques. Le système cardiovasculaire est sévèrement mis à contribu-tion : la tension artérielle grimpe, le sang quitte les régions périphériques pour affluer vers les organes essentiels, cœur, poumons et foie (c'est la raison pour laquelle la peau devient pâle après un choc physique ou émotionnel). Le sang quitte aussi certaines régions du cerveau, ce qui affecte la capacité de jugement et de concentration. Le foie maintient un niveau élevé de sucre sanguin en pompant littéralement sur les protéines des tissus musculaires et osseux. La production d'hormones sexuelles comme la tes-tostérone est réprimée (afin de ne pas « gaspiller » de pré-cieuses énergies). Le système immunitaire est déprimé par la sécrétion de cortisol, ce qui rend l'organisme moins résis-tant aux infections.

Pour cette raison, et par suite de la tension extrême que nous faisons peser sur nos organes clés, dont le cœur, c'est bien au cours de la phase 2 que nous sommes le plus vulné-rables. Malheureusement, nombreux sont ceux qui restent dans cette phase de résistance bien après que le challenge auquel ils étaient confrontés fut passé. Les chefs d'entreprise, les policiers, les pilotes de ligne sont coutumiers des séjours prolongés en phase 2. Incapables de se relaxer, certains sont en permanence sur la brèche, qu'ils le veuillent ou non.

Mais les « accros » ne sont pas seuls à être concernés par la phase 2. L'entreprise des années 90 est un lieu où les séjours en phase de résistance sont fréquents. L'ampleur des licenciements et la manière dont ils sont décidés ont donné au personnel l'impression d'être trahi, d'être incapable de prévoir quand et pourquoi une nouvelle « restructuration » aurait lieu. D'un environnement sûr, on est passé à un environnement incertain, et le stress a augmenté. Résultat : des millions de travailleurs vivent en permanence en phase de résistance. Eric Albert, cofondateur de l'Institut français de l'anxiété et du stress, met lui en cause le fonctionnement interne de l'entreprise : « Un cadre est dérangé en moyenne toutes les sept minutes. On lui demande de zapper en permanence entre la poursuite des objectifs à moyen et long terme et la réponse à l'urgence[116]. » Les gros consommateurs de café, de nicotine, voire de cocaïne, font appel à ces stimulants pour prolonger la phase de résistance bien après que leur organisme a dit « assez ».

RELÂCHEMENT EN PHASE 3

La phase 3 commence au moment où vous avez le sentiment que la situation stressante a disparu. Le corps saisit cette opportunité pour se détendre et récupérer. Les sécrétions hormonales diminuent, le sang reflue vers la périphérie, le système digestif et le cerveau. C'est typiquement le relâchement que l'on ressent après avoir fait l'amour, l'acte sexuel étant lui aussi stressant. De longs séjours en phase 2 nécessitent de longues périodes de récupération. Dans la réalité, combien sommes-nous à respecter cette alternance ? Un adulte sur deux ne dort pas suffisamment. Ceux d'entre nous qui ont du mal à se relaxer après une expérience stressante, ceux qui font des séjours prolongés en phase de résistance ont recours à des drogues diverses : alcool, anxiolytiques, pour favoriser le passage à la phase de récupération. Ainsi 20 % de la population française consomme-t-elle des calmants. Ne pas savoir couper le « thermostat » du stress, c'est gaspiller de l'énergie en vain, une énergie qui manquera cruellement au moment où l'on en aura réellement besoin. Plus grave, cette permanente mise sous tension affecte certainement à long terme les systèmes immunitaire et cardio-vasculaire, ouvrant la voie aux infections et aux troubles cardiaques.

Il existe de nombreuses manières de favoriser le passage à la phase 3. Les effets relaxants du yoga et de la méditation transcendantale sont aujourd'hui bien documentés, ne serait-ce que parce que cette dernière est utilisée régulièrement par les services médicaux de l'armée US, à l'intention des soldats de retour de mission. Les bénéfices sont nombreux : réduction du stress et de l'anxiété, amélioration de l'état psychologique général, réduction de la tension artérielle, diminution de la dépendance (nicotine, caféine, drogues). L'exercice devrait également faire partie de votre arsenal anti-stress. Plusieurs études ont montré que l'exercice, qu'il soit aérobie (vélo, natation, jogging) ou anaérobie (musculation), agissait comme un vaccin contre les formes importantes de stress. L'exercice favorise la sécrétion des catécholamines, noradrénaline et dopamine, de la sérotonine, des endomorphines, de l'hormone de croissance, et inhibe la sécrétion de cortisol. Biochimiquement, ces changements expliquent le mieux-être psychologique que l'on ressent juste après s'être dépensé physiquement.

LE TRAITEMENT MÉDICAL
DU STRESS ET DE L'ANXIÉTÉ

La réponse médicale à l'anxiété et au stress, c'est en général la prescription de benzodiazépines, la plus connue des molécules tranquillisantes. En France, la consommation de benzodiazépines n'a cessé de croître : 20 % de la population a pris ce médicament en 1992, contre 7 % de la population américaine. Plus grave, un tiers environ des personnes traitées consomment des benzodiazépines depuis plus d'un an.

Les anxiolytiques à base de benzodiazépines sont nombreux : Valium®, Librium®, Tranxène®, Lexomil®, Lysanxia®, Séresta®, Xanax® et d'autres. Les benzodiazépines entrent également dans la composition de plusieurs somnifères : Halcion®, Havlane®, Mogadon®, Rohypnol®, pour ne citer qu'eux.

<h3>LES BENZODIAZÉPINES À L'ACTION</h3>

Les benzodiazépines augmentent l'action du GABA, un neurotransmetteur du cerveau. Le GABA est un sédatif naturel qui ralentit l'activité électrique de certaines régions cérébrales. Les benzodiazépines se lient à des récepteurs des cellules nerveuses, qui sont différents des récepteurs GABAergiques. Mais leur présence potentialise les effets du GABA. Pour vous faire une idée du mécanisme d'action des benzodiazépines, imaginez que le GABA soit une clé, que le récepteur au GABA soit la serrure, et que la molécule de benzodiazépine soit le lubrifiant.

Ces anxiolytiques ne sont que des « masques », des médicaments qui se contentent de gommer les manifestations de l'anxiété, mais n'agissent pas sur le système nerveux autonome. Leurs effets sont temporaires et il existe toujours un risque de dépendance : un traitement à long terme semble diminuer la sensibilité nerveuse aux effets du GABA et induit des changements au niveau des sites récepteurs des molécules de benzodiazépines, qui pourraient expliquer les mécanismes de dépendance. Par exemple, 80 à 100 mg de Valium® par jour peuvent entraîner une dépendance en l'espace de six semaines. Les personnes âgées et ceux qui ont dans le passé abusé de drogues sont particulièrement sensibles à ce phénomène de dépendance. Xanax® est actuellement sous les projecteurs, suite à un procès intenté par une patiente américaine au laboratoire (Upjohn) qui le fabrique. Le docteur Peter Breggin, célèbre psychiatre américain, a expliqué, lors de ce procès, que : « Xanax® (...) peut provoquer une dépendance aux doses habituellement prescrites, en un laps de temps court. Une fois que cette dépendance s'est installée, les patients peuvent ressentir (...)

le désir de prendre des doses accrues de ce médicament. (...) Xanax® provoque une dépendance et un sevrage plus sévère que d'autres benzodiazépines[117]. »

A cause de ces phénomènes de dépendance, certains patients traités aux benzodiazépines ont d'énormes difficultés à renoncer à leur médication. L'arrêt des benzodiazépines peut déclencher une série de manifestations désagréables : insomnie, anxiété, irritabilité, fatigue, migraines, douleurs musculaires, tremblements, troubles de la concentration, nausées, perte de l'appétit, dépression. Par exemple, l'arrêt du médicament Halcion® (un somnifère) lorsqu'il intervient après plusieurs semaines d'utilisation déclenche une insomnie sévère. Un document interne de la Federal Drug Administration (FDA), daté du 19 septembre 1989 et cité par la Life Extension Foundation, rappelle que « la FDA a reçu de nombreux rapports d'un syndrome spécifique de comportement agressif associé au triazolam (Halcion®) et à l'alprazolam (Xanax®). (...) Ce syndrome se manifeste par de la colère ou de la rage, de l'agressivité et quelques authentiques agressions ou meurtres. (...) Quatre patients qui avaient reçu de l'alprazolam ont tué au total six personnes. (...) Ces réactions ont une importance pour la Santé publique, vu leur sévérité, avec un comportement occasionnellement fatal, dans un contexte de large exposition de la population, puisque la popularité de ces deux médicaments augmente. (...) En fonction de l'évaluation de l'intérêt médical de Xanax® et Halcion® par rapport à d'autres alternatives, ces médicaments pourraient être retirés du marché[118] ».

« SORTIR » DES BENZODIAZÉPINES

Vous trouverez dans ce livre des suggestions à base de suppléments de vitamines, acides aminés et minéraux pour combattre efficacement le stress et certaines formes d'anxiété. Si cette approche vous intéresse, il est recommandé de l'envisager avec votre médecin traitant.

Pour ceux qui sont déjà sous traitement médicamenteux, le traitement nutritionnel doit être installé avant d'essayer de « sortir » des benzodiazépines, une démarche à accomplir avec l'accord et sous la surveillance de votre médecin :

— Ne réduisez pas brutalement vos doses. Diminuez-les de 10 % par jour.

— Si vous prenez un médicament qui agit à court terme (Xanax®), il est conseillé de changer pour un médicament qui a une action à long terme (Valium®), car le sevrage est plus facile. Puis commencez de diminuer les doses de ce médicament de 10 %.

Tyrosine, stress et anxiété

Il n'est pas toujours facile d'éviter une situation stressante, c'est-à-dire le passage en phase 1. Cette phase, on l'a vu, n'est d'ailleurs pas celle qui fait peser le plus de risques sur l'organisme. Dans certains cas, elle est même salutaire. En revanche, les manifestations hormonales qui accompagnent la phase 2 ne sont pas désirables. La sécrétion d'ACTH déclenche un afflux de cortisol, lequel peut avoir des effets désastreux sur les fonctions immunitaires et l'activité de plusieurs organes, sans parler des troubles du comportement, baisse de la libido en particulier. Lutter contre le stress, c'est donc limiter le séjour en phase 2. Sur le plan biologique, c'est rechercher un moyen de diminuer les sécrétions d'ACTH, et donc de cortisol, qui suivent un événement stressant.

Les mécanismes hormonaux sont complexes, mais je vais tenter de résumer les connaissances accumulées en matière de stress et de neurotransmission, car elles sont passionnantes et peuvent déboucher sur une piste dans laquelle la nutrition tient un rôle particulièrement important. Je vous demande donc de faire l'effort de me suivre encore quelques lignes.

Dans une situation stressante (phase 1), les neurones dopaminergiques et surtout noradrénergiques (ceux qui synthétisent, stockent et utilisent la noradrénaline comme neurotransmetteur) sont activés, ceux de l'hypothalamus en particulier. Mais cette stimulation provoque l'épuisement rapide des réserves de noradrénaline[119].

Ce phénomène peut expliquer en partie les symptômes qui apparaissent en phase 2. La chute brutale et persistante de la noradrénaline serait ainsi responsable de certaines lésions que l'on observe après des stress prolongés : ulcères de la muqueuse gastrique ou troubles cardiovasculaires. On comprend aussi pourquoi des situations stressantes répétées débouchent sur des états dépressifs, puisque de nombreuses dépressions sont caractérisées précisément par une baisse des taux de noradrénaline et dopamine.

Certains chercheurs ont ainsi émis l'hypothèse qu'il existerait de fait un axe de régulation reliant l'hypothalamus et ses neurones noradrénergiques d'une part, et l'hypophyse d'autre part, dont vous vous souvenez qu'elle contrôle la sécrétion d'ACTH. Selon cette théorie, l'épuisement de la noradrénaline entraînerait une augmentation de la sécrétion d'ACTH et donc de cortisol, caractéristiques des stress de phase 2.

Pour résumer :
— stress de phase 1 : activation puis épuisement du système noradrénergique, d'où :
— activation de l'hypophyse avec sécrétion d'ACTH, d'où :
— activation des surrénales avec sécrétion de cortisol, d'où :
— stress de phase 2.

Voilà la théorie. Si elle a quelque valeur, elle offre de vastes perspectives. On peut en effet imaginer qu'en évitant aux neurones noradrénergiques d'atteindre l'épuisement, on tiendrait un moyen de diminuer les sécrétions d'ACTH et de cortisol, donc de basculer en phase 2.

Or, vous n'avez pas oublié que la noradrénaline est synthétisée à partir de tyrosine, un acide aminé. Des suppléments de tyrosine pourraient-ils, lorsqu'ils sont pris pendant la phase 1, faire précisément cela : maintenir la noradrénaline à un niveau suffisant et éviter qu'elle ne s'effondre ? Ou si vous préférez : La tyrosine peut-elle diminuer les manifestations du post-stress caractéristiques de la phase 2 ?

Le docteur Hendrik Lehnert a montré que chez l'animal soumis à un stress (chocs électriques), des suppléments de tyrosine prévenaient effectivement l'épuisement de la noradrénaline dans plusieurs régions du cerveau[120]. En fait, la conversion de noradrénaline à partir de la tyrosine se révèle alors particulièrement significative, bien supérieure à ce qu'elle est habituellement. On l'explique par les réactions qui ont lieu à l'intérieur du neurone même. En effet, en période de stress, l'enzyme qui transforme la tyrosine en dopamine et en noradrénaline (tyrosine hydroxylase) se découvre une puissance de travail qu'on ne lui connaissait pas. Elle qui est proche de la saturation en temps normal, se montre dans ces conditions capable de produire ces deux neurotransmetteurs en quantités sensiblement supérieures[121]. Du coup, pour peu que le carburant, tyrosine en l'occurrence, soit apporté en doses suffisantes, **il est possible de prévenir l'épuisement de la noradrénaline.**

Mais Lehnert a conforté encore la théorie que j'esquissais plus haut, en prouvant que les suppléments de tyrosine sont capables, toujours chez l'animal soumis à un stress, d'atténuer les sécrétions d'ACTH et de cortisol[122].

La tyrosine peut donc aider à tenir le choc, mais elle peut aggraver une dysfonction sérotoninergique. Il faut donc toujours commencer par rééquilibrer le terrain (lithium, nicotinamide, magnésium, vitamine B_6).

DES MOYENS NATURELS POUR « DÉSTRESSER »

↬ Faites de l'exercice régulièrement. Selon l'Arizona State University, les personnes qui font du sport présentent une réponse faible aux situations de stress : elles ont tendance à sécréter moins d'adrénaline que les sédentaires. Le sport étant un facteur de stress pour le corps, des séances répétées agiraient comme des « vaccins » et augmenteraient les capacités du sportif à faire face aux autres formes de stress. D'après le docteur Farquhar, de l'Université de Stanford, « il semble que les neuro-hormones soient modifiées par l'activité physique, ce qui peut se traduire par un changement psychique. Après l'exercice, les muscles sont aussi décontractés que si l'on avait administré une dose de tranquillisant. Le niveau de contraction musculaire est un indice majeur du niveau de tension psychique ». On a montré que l'exercice physique se traduit par une augmentation du tryptophane cérébral, donc de la sérotonine, dont on connaît les effets relaxants[123].

✛ Riez ou souriez le plus fréquemment possible. Le rire, la gaieté activent la sécrétion de substances chimiques dans le cerveau qui agissent comme calmants et augmentent la réponse immunitaire.

✛ Essayez les techniques de relaxation (yoga, méditation) et de visualisation. La visualisation est pratiquée par de nombreux médecins.

✛ Avec votre partenaire, apprenez l'art du massage et faites comme les couples californiens qui se prodiguent mutuellement un massage au coucher (ce qui a en plus l'avantage de favoriser la fréquence des relations sexuelles, voir ci-dessous).

✛ Enrichissez au maximum votre vie sexuelle : ayez des rapports fréquents, réguliers et aussi intenses que possible.

✛ Evitez le sucre, la caféine, l'alcool, le tabac et les drogues.

✛ Buvez beaucoup d'eau minéralisée, riche en calcium et en magnésium.

Caféine :
DERRIÈRE LE COUP DE FOUET, LE COUP DE BAMBOU

Le stress, l'anxiété dont vous vous plaignez pourraient bien se cacher derrière les 2 à 3 tasses de café que vous buvez chaque jour. La caféine est un alcaloïde proche de la morphine, la nicotine, la quinine et la strychnine. Elle agit comme stimulant du cerveau en interférant avec l'action de l'adénosine, un neurotransmetteur. L'adénosine se fixe naturellement dans le cerveau autour de certaines cellules nerveuses et calme l'activité du cerveau. Lorsque vous buvez du café, la caféine entre au niveau cérébral en compétition avec l'AMP cyclique, le second messager de l'adrénaline et de la noradrénaline. Elle augmente temporairement la vigilance et peut procurer une sensation d'euphorie et de force pendant quelques heures. A la longue, cependant (et au-delà de 3 tasses de café par jour), la sensation de vigilance s'accompagne de manifestations négatives, parmi lesquelles irritabilité, anxiété, troubles du sommeil, dépression sont fréquents.

7 bonnes raisons supplémentaires de réduire votre consommation de caféine :

— c'est un diurétique, qui peut provoquer une déminéralisation. Une étude a établi un lien entre la consommation de café et la fréquence des fractures chez la femme[124] ;
— elle peut déclencher une hypertension passagère ;
— elle peut entraîner une stérilité chez la femme, des malformations du fœtus, et des avortements spontanés si elle est consommée pendant la grossesse[125] ;
— elle peut induire des palpitations et de la tachycardie ;
— chez l'homme, elle est néfaste à la santé de la prostate ;
— chez la femme, elle peut entraîner l'apparition de tumeurs mammaires bénignes ;
— elle peut être à l'origine de troubles gastro-intestinaux, réveiller des ulcères ;
— elle entraîne l'excrétion de vitamine B_1, potassium et zinc, et interfère avec l'assimilation du fer.

Stratégie anti-caféine :

— réduisez graduellement votre consommation de café, puis passez au décaféiné ;
— préférez le café instantané (ou filtré) au café « percolateur » ;
— ne buvez pas de café après 17 heures ;
— évitez les analgésiques qui contiennent de la caféine.

Quelques boissons et médicaments qui contiennent de la caféine
(au-delà de 250 mg par jour, la caféine peut nuire à votre santé)

boissons :

tasse de café (15 cl)	100 mg
café instantané (15 cl)	60 mg
café décaféiné (15 cl)	2 mg
tasse de thé (15 cl)	60 mg
thé instantané (15 cl)	30 mg
tasse de chocolat (15 cl)	5 mg
Coca-Cola (33 cl)	45 mg
Pepsi-Cola (33 cl)	38 mg

médicaments (par comprimé) :

Guronsan®	50 mg
Migralgine®	62 mg
Optalidon®	25 mg
Actron®	40 mg
Rumicine®	32 mg
Asthmalgine®	30 mg

L'acétylcholine est l'un des neurotransmetteurs majeurs du cerveau, et il est impliqué dans certaines formes de mémorisation. Les médicaments qui s'opposent à l'action de l'acétylcholine (antagonistes) se traduisent par une baisse de la mémoire à court terme. A l'inverse, les substances qui potentialisent l'action de l'acétylcholine (physostigmine, par exemple) améliorent la mémorisation. L'acétylcholine est synthétisée à partir de choline ou de phosphatidyl-choline (lécithine pure) et d'acétyl-CoA.

On a donc cherché à évaluer l'effet de suppléments de choline ou de phosphatidyl-choline sur la mémorisation. Ces essais ont jusqu'ici donné des résultats décevants. On a certes mis en évidence l'élévation du taux de choline dans le sang après une supplémentation (la phosphatidyl-choline semble du reste plus efficace de ce point de vue que les sels de choline). Cette élévation du taux plasmatique, qui peut atteindre un facteur trois ou quatre, se traduit aussi par une augmentation du transport de la choline au cerveau et de la synthèse d'acétylcholine[126]. Il semble, en fait, que le cerveau n'utilise pas directement le surplus de choline fourni par l'alimentation, mais au contraire le « stocke » pour y faire appel dans les conditions où les neurones cholinergiques sont mis à contribution, par exemple lorsqu'un médicament épuise la sécrétion d'acétylcholine ou lorsque la consommation de choline devient insuffisante[127].

Mais si les suppléments de choline n'améliorent pas toujours sensiblement la mémorisation immédiate, ils doivent être considérés comme une assurance à long terme contre les pertes de mémoire liées au vieillissement. En effet, lorsque la consommation de choline est insuffisante, et que cette situation se prolonge sur plusieurs années, les neurones ont tendance à pallier ce manque en puisant leur « carburant » dans leurs propres membranes (lesquelles sont constituées entre autres de phosphatidyl-choline), et en se faisant du même coup « hara-kiri »[128] ! Il est donc primordial de maintenir un *pool* élevé de choline dans le cerveau, en particulier lorsque les habitudes alimentaires sont déséquilibrées ou qu'il y a prise au long cours de médicaments qui épuisent la choline. Les expériences animales montrent du reste que les suppléments de choline préviennent la baisse des performances mentales associées au vieillissement et préservent l'intégrité des cellules nerveuses[129].

DMAE, CHOLINE, MÉMOIRE ET CONCENTRATION

Le 2-diméthylaminoéthanol (DMAE ou déanol) est une molécule naturelle que l'on trouve dans les organismes de poissons comme les anchois et les sardines, et qui existe en petites quantités dans le cerveau[130]. Le DMAE optimise le taux plasmatique de choline[131] et a, dans quelques études, favorisé une augmentation de la synthèse d'acétylcholine. Le docteur Carl Pfeiffer a testé les effets du DMAE sur les troubles de l'attention et de l'apprentissage auprès d'un groupe de 83 garçons et 25 filles. Les enfants qui ont reçu des suppléments de cette substance ont vu leur comportement s'améliorer dans près de 70 % des cas, avec pour quelques-uns d'entre eux une augmentation du QI[132].

A doses élevées, le DMAE peut entraîner des maux de tête et de l'insomnie. Il est donc conseillé de commencer avec des doses faibles, de l'ordre de 50 à 100 mg. Les enfants ne devraient pas prendre plus de 500 mg par jour, les adultes 1000 mg. Le DMAE n'est pas recommandé dans les cas d'épilepsie. Le DMAE peut présenter un intérêt dans les situations d'activité cérébrale intense (périodes d'examens) au cours desquelles on recherche un effet à court terme. En tout état de cause, le traitement, qui pourra s'accompagner de suppléments de vitamines B et de lécithine, ne doit pas dépasser trois mois[133]. Le déanol est un médicament vendu en France sous la marque Clérégil®.

VASOPRESSINE ET MÉMOIRE

La vasopressine semble faciliter le stockage de l'information dans certaines régions du cerveau tout en améliorant l'accès à cette information. De nombreuses études attestent l'effet positif de cette hormone sur la capacité d'apprentissage, la mémoire et la rapidité des réflexes. Le docteur Legros, de l'Université de Liège (Belgique), a montré que des patients voyaient leur mémoire et leur attention augmentées après avoir reçu de la vasopressine. Une autre étude, menée par les National Institutes of Health des Etats-Unis, a testé les effets de cette hormone sur un groupe d'étudiants en bonne santé. Les participants se sont montrés capables de retenir des séquences de mots plus longues après avoir pris de la vasopressine[134]. Des chercheurs hongrois ont constaté que la vasopressine améliorait tant la mémorisation à court terme qu'à long terme[135].

La vasopressine peut présenter un intérêt chez les personnes âgées, dont les capacités mentales déclinent. Elle peut aussi être utilisée pour améliorer de manière rapide la mémoire à court terme. Ce produit ne doit pas être pris pendant la grossesse, et il est préférable de l'utiliser sous contrôle médical.

NUTRITION ET MÉMOIRE

Chez la personne âgée, il est important d'augmenter la consommation de poisson gras (au moins 3 fois par semaine), afin de régénérer les membranes neuronales. Le poisson sera mariné, cuit à la vapeur, ou poché à feu éteint. On accompagnera ce régime d'antioxydants (par exemple, Biogardol®, 2 à 4 capsules par jour, et Granions de sélénium®, 1 ampoule un jour sur deux).

Les substances, dont la liste suit, peuvent améliorer certains aspects de la mémorisation :
— Ginkgo biloba : une étude en double-aveugle a montré qu'une dose élevée de ginkgo (600 mg) améliorait de manière significative la mémorisation à court terme chez des volontaires en bonne santé[136] ;
— Vitamines B_1, B_5, E, potassium : nécessaires à la synthèse d'acétyl-CoA, l'un des précurseurs de l'acétylcholine.

- *Complexe de vitamines B : 1 comprimé 2 à 3 fois par jour*
- *Vitamine E : 100 à 400 mg*
- *Complexe de vitamines B : 50 mg*
- *Potassium : 100 à 500 mg*
- *Choline : 1 000 à 3 000 mg par jour*
- *Lécithine : 1 cuillerée à soupe à chaque repas*
- *Ginkgo : 100 à 200 mg par jour en 3 prises, aux repas*

MALADIE D'ALZHEIMER

Cette maladie reste un mystère. Elle est caractérisée par une détérioration lente et irréversible de la mémoire, et survient le plus souvent chez des personnes âgées (elle touche 5 % de la population au-dessus de 65 ans), bien que l'on ait rapporté des cas de maladie chez des personnes jeunes et d'âge moyen.

On pense généralement — bien que cela reste à démontrer — que la maladie est due à l'agglutination autour des neurones de dépôts d'une protéine, la bêta-amyloïde (ainsi dénommée car ses dépôts ressemblent à des amas d'amidon). Ces dépôts forment des plaques séniles qui empêcheraient les neurones de répondre aux stimulations. Récemment, une équipe américaine a avancé l'idée que le zinc pouvait favoriser l'agglomération de cette protéine[137]. Mais ces résultats ont été obtenus in vitro, c'est-à-dire dans une éprouvette, et avec une forme de zinc (ions libres) que l'on ne retrouve pas dans le cerveau, où ce minéral est lié à d'autres protéines. Des travaux complémentaires sont nécessaires et il ne serait pas raisonnable d'éliminer totalement le zinc de l'alimentation des patients, car son rôle, dans l'immunité notamment, est crucial. En revanche, on peut conseiller aux malades d'éviter les suppléments de zinc dans l'attente de résultats complémentaires.

Un autre métal, l'aluminium, fait l'objet de soupçons répétés et convergents. On sait depuis longtemps que les malades qui reçoivent des dialyses contenant de l'aluminium sont atteints d'une forme de démence (réversible). Récemment, trois études épidémiologiques ont établi une relation entre exposition à l'aluminium et troubles de la mémoire ou dépression. De plus, lorsqu'on injecte de l'aluminium dans le cerveau de lapins, on crée des désordres neurologiques comparables à ceux que l'on observe dans la maladie d'Alzheimer. Enfin, sept études au moins ont été publiées, qui montrent que les malades d'Alzheimer ont dans le cerveau des taux d'aluminium très élevés[139]. La consommation d'aluminium a considérablement augmenté depuis que ce métal est utilisé pour fabriquer des instruments de cuisine. Lorsqu'on fait bouillir un litre d'eau pendant 15 minutes dans une casserole en alu, on « récupère » 14 mg d'aluminium, alors que la dose maximale admise est de 0,2 mg par litre. Les records sont atteints avec des aliments acides comme la rhubarbe, qui « boivent » jusqu'à 170 mg par kg d'aliment (dose normale : 20 mg par kg). En Finlande, les autorités de la Santé ont officiellement demandé aux fabricants d'ustensiles en aluminium d'avertir les consommateurs du risque que représente ce métal lors de la cuisson d'aliments acides[140]. Il semble donc préférable de bannir l'aluminium de la cuisine, tant chez les malades que chez les personnes en bonne santé (les ustensiles en alu recouverts de Téflon sont inoffensifs). Il convient aussi d'éviter de prendre des antiacides du type Maalox®, qui contiennent de grandes quantités d'hydroxyde d'aluminium.

La choline est un nutriment très important pour le cerveau. Elle entre dans la composition de la phosphatidylcholine, une classe de lipides que l'on retrouve dans toutes les cellules cérébrales. Elle permet aussi la synthèse d'acétylcholine, un neurotransmetteur impliqué dans le mécanisme d'acquisition et de stockage de la mémoire. Les taux d'acétylcholine et le nombre de neurones qui utilisent cette substance sont généralement très bas dans le cas de la maladie d'Alzheimer. On a donc tenté de ralentir la progression de la maladie en donnant des doses élevées de choline aux malades. Plusieurs études ont été conduites, avec des résultats souvent décevants. A cela, plusieurs raisons. D'abord, il est souvent trop tard pour agir : les malades n'ont plus assez de neurones à acétylcholine pour tirer tout le parti des suppléments qui leur sont apportés. D'autre part, les doses utilisées dans ces études étaient généralement peu élevées, trop peu pour avoir une chance d'induire une amélioration[141]. Enfin, pour synthétiser de l'acétylcholine, il ne suffit pas d'apporter de la choline. D'autres substances doivent être présentes, en particulier vitamines B_1, B_5, E et potassium. Aucune de ces substances n'était proposée dans les études dont je viens de parler.

Des suppléments de choline permettent de retarder l'apparition de la maladie d'Alzheimer : une étude de la National Academy of Sciences américaine, publiée en 1992, a montré que les personnes dont le taux de choline sanguin est bas ont un risque plus élevé d'être atteintes par cette maladie[142]. Cela devrait inciter les personnes âgées en bonne santé à consommer de la lécithine (riche en choline) sur une base régulière. Les malades, quant à eux, devraient aussi chercher à améliorer leur condition avec des suppléments. Une forme injectable de choline, la CDP-choline est disponible dans certains pays (Japon et Italie, par exemple).

Un autre lipide membranaire, la phosphatidylsérine, est tout aussi digne d'intérêt. Une expérience menée en Italie a conclu à une amélioration de la mémorisation et à un recul des manifestations de démence chez des malades auxquels on avait donné cette substance. Cependant, seuls les patients les plus touchés ont semblé retirer un bénéfice des suppléments de phosphatidylsérine[143].

Une vitamine, la B_{12}, mérite une attention toute particulière. On a montré qu'une carence prolongée en B_9 ou B_{12}, même marginale, exposait à un risque accru de maladie d'Alzheimer. Plus de 70 % des personnes âgées carencées en B_{12} ont aussi la maladie d'Alzheimer, et le taux de cette vitamine dans leur sang est plus bas que dans celui de patients qui souffrent de troubles cérébraux et de mémorisation[144].

Une supplémentation de thiamine peut avoir aussi un effet bénéfique sur l'ensemble des fonctions cérébrales. Il existe peu d'études sur les effets de cette supplémentation, hormis celle publiée en 1988 dans *Archives of Neurology*[145]. Des suppléments de thiamine avaient été administrés massivement contre placebo à des malades souffrant de maladie d'Alzheimer, avec des résultats impressionnants sur les fonctions de mémorisation.

D'autres pistes restent à explorer, qui pourraient confirmer le rôle crucial de la nutrition dans la prévention des maladies dégénératives, comme la maladie d'Alzheimer.

LE RÔLE DES ANTIOXYDANTS

Dans un exposé à la fois surprenant et visionnaire, tenu en octobre 1994 lors de la première rencontre organisée par la Fondation mondiale recherche et prévention SIDA, le professeur Luc Montagnier de l'Institut Pasteur, pionnier de la recherche sur le SIDA, a esquissé un lien entre des maladies a *priori* très différentes : « On est à l'heure actuelle, a-t-il déclaré, de plus en plus confronté à des maladies lentes et dégénératives qui vont de la maladie d'Alzheimer à l'artériosclérose en passant par la maladie de Creutzfeldt-Jakob. J'ai proposé des recherches communes à leur sujet car elles semblent toutes concernées par des processus parallèles de dégénérescence[146]. » Selon cette hypothèse — étonnante dans la bouche d'un membre de la médecine conventionnelle —, ces maladies auraient en commun d'être déclenchées par des phénomènes de stress oxydatif, à la fois élevés et précoces.

Or, on considère que les stress oxydatifs sont dus aux ravages des radicaux libres, lesquels s'attaquent tant à la cellule (enveloppe membranaire) qu'à son patrimoine génétique (ADN, ARN). Les radicaux libres s'en prennent aussi à des protéines présentes dans l'organisme, qui subissent une altération et s'accumulent. Lors du quatrième symposium de médecine orthomoléculaire qui s'est tenu les 16 et 17 septembre 1993 au Brésil, des chercheurs du département de biologie de l'Université de Buenos Aires ont expliqué que « l'oxydation des protéines a été mise en évidence dans plusieurs conditions pathologiques comme la maladie d'Alzheimer (...)[147] ».

Les conditions de vie modernes, qui entraînent une exposition accrue aux polluants et aux substances toxiques, pourraient expliquer l'augmentation de la fréquence de ces maladies. Dans le cas de la maladie d'Alzheimer, des états de subcarences prolongés peuvent favoriser son apparition. Quelles que soient les causes de stress oxydatifs, la nutrition reste en effet la seule ligne de défense connue et efficace, puisqu'elle apporte les antioxydants dont se sert l'organisme pour se défendre contre les radicaux libres. Les antioxydants les plus efficaces sont la vitamine C, la vitamine E, les caroténoïdes, le sélénium, mais aussi l'énorme cohorte de substances polyphénoliques et flavonoïdes que renferment les végétaux. Il paraît judicieux de donner à tous ceux qui sont touchés par la maladie d'Alzheimer (ou par d'autres maladies chroniques) une alimentation très riche en fruits et légumes frais, de pair avec des suppléments d'antioxydants. On sait déjà que les malades qui souffrent de démence et d'autres états caractérisés par un déficit de mémoire grave sont le plus souvent carencés en vitamines E, C, en niacine et acide folique[148]. Ces malades doivent éviter tout ce qui peut contribuer à intensifier le processus d'oxydation, en particulier fer et cuivre que contiennent souvent les suppléments multivitaminés.

Parmi les autres antioxydants naturels, il faut citer l'extrait de feuilles de ginkgo biloba, un arbre particulièrement résistant puisqu'il peut vivre un millier d'années. Un très grand nombre de publications scientifiques ont montré que l'extrait de ginkgo neutralisait une cohorte de radicaux libres, parmi lesquels le radical hydroxyl, et qu'il ralentissait du même coup les manifestations du vieillissement dans de très nombreux organes, dont le cerveau[149]. Pour ces raisons, le ginkgo devrait être proposé aux malades d'Alzheimer. On le trouve en pharmacie sous les noms Ginkogink®, Tanakan® et Tramisal®. Hors pharmacie, assurez-vous que le produit qu'on vous vend contient 24 % de ginkgo et 6 % de terpènes lactones.

Ce livre a pour objet de vous proposer des alternatives aux médicaments. Cependant, une fois n'est pas coutume, je me dois de citer les effets de médicaments qui peuvent apporter une aide aux malades :

🕭 L'acétyl-L-carnitine : il s'agit en fait d'une substance naturelle, que l'on trouve en petites quantités dans le lait et qui semble protéger les cellules nerveuses de la dégénérescence. L'ALC peut ralentir le cours de la maladie d'Alzheimer[150]. L'ALC n'est pas disponible en France, mais on peut en trouver en Italie sous la marque Alcar®.

🕭 La déhydro-épiandrostérone (DHEA) est une hormone produite par les glandes surrénales, dont le taux diminue avec l'âge. Certaines études ont montré que des taux élevés de DHEA protégeaient du risque de tumeurs, d'athérosclérose, de diabète et d'autres manifestations de la vieillesse. Les malades d'Alzheimer sont souvent très nettement déficitaires en DHEA, et cette substance pourrait permettre de freiner la progression de la maladie[151]. La DHEA est un médicament expérimental, dont on connaît mal les effets à long terme, et la surveillance d'un médecin est conseillée, notamment dans les cas de lésions cancéreuses ou précancéreuses. Vous pouvez vous en procurer auprès de Alzheimer's Buyers'Club, postfach CH-8911 O. Rifferswil, Suisse.

✌ La sélégiline : de nombreuses études montrent qu'elle peut améliorer l'état de ceux qui souffrent de la maladie d'Alzheimer[152]. En France, la sélégiline est vendue sous le nom de Déprényl® et elle est proposée (sur ordonnance) pour le traitement de la maladie de Parkinson, pas celle d'Alzheimer.

Le conseil d'un médecin est nécessaire pour la prise de ces trois substances.

- *Multivitamines/multiminéraux (sans fer ni cuivre) : 1 comprimé à chaque repas*
- *Complexe de vitamines B : 1 comprimé 2 à 3 fois par jour*
- *Vitamine C : 1 000 mg, 3 fois par jour*
- *Vitamine E : 400 à 800 mg*
- *Vitamine B_1 : 500 mg, 2 fois par jour*
- *Vitamine B_9 : 10 à 50 mg par jour*
- *Vitamine B_{12} : en injections*
- *Sélénium : 100 à 200 µg*
- *Choline : 1 000 à 3 000 mg par jour*
- *Lécithine : 1 cuillerée à soupe à chaque repas*
- *Ginkgo : 100 à 200 mg par jour en 3 prises, aux repas*

ANOREXIE ET BOULIMIE

La plupart des anorexiques et des boulimiques sont des femmes. Elles ont une peur panique de devenir obèses. Les anorexiques refusent de s'alimenter, ou se font vomir après un repas. Certaines se lanceront dans une activité physique intense, jusqu'à l'épuisement. D'autres abuseront de laxatifs. L'anorexie est une maladie grave : dans 6 % des cas, elle conduit à la mort.

Si les anorexiques sont généralement maigres (poids inférieur de 15 % à la normale), les boulimiques ont souvent un poids normal. Elles sont capables d'ingurgiter des quantités massives de nourriture, avant de se faire vomir ou de s'abstenir de manger pendant quelque temps.

On a longtemps pensé que ces troubles étaient essentiellement dus à des facteurs d'ordre psychologique. Cependant, plusieurs chercheurs ont récemment avancé l'idée que l'anorexie pouvait être due à une carence en zinc ou à un trouble dans le métabolisme du zinc.

Le zinc joue un rôle central dans le mécanisme de régulation de l'appétit, probablement par l'action qu'il exerce sur la régulation de plusieurs neurotransmetteurs (sérotonine, catécholamines). Des rats maintenus à un régime carencé en zinc diminuent spontanément leur prise alimentaire ou régurgitent une partie de leur repas. Chez l'homme, les symptômes de carences en zinc évoquent de manière frappante les symptômes de l'anorexie. Et on a pu démontrer que les anorexiques et les boulimiques ont des taux de zinc plus bas que la normale[153]. Récemment, une équipe de médecins japonais a traité avec succès une adolescente anorexique que l'on avait hospitalisée, en lui administrant du zinc (supplémentation intraveineuse pendant sept jours, puis sous forme de comprimés à raison de 15 mg par jour pendant deux mois). La jeune fille avait un taux de zinc très bas en arrivant à l'hôpital[154].

D'autres nutriments sont importants pour traiter ces désordres :

— multivitamines/multiminéraux : à prendre en mégadoses, notamment par les anorexiques, dans la mesure où des carences sont probables (prise alimentaire restreinte ou déséquilibrée, transit rapide, assimilation insuffisante) ;
— acidophilus : nécessaire pour renforcer l'activité bactérienne des intestins, perturbée par l'usage des laxatifs ou les vomissements ;
— acides aminés : indispensables à la synthèse des protéines et à la synthèse de plusieurs neurotransmetteurs ;
— vitamines B : indispensables au bon fonctionnement du système nerveux.

*

- *Multivitamines/multiminéraux (très dosés) : 3 à 6 comprimés*
- *Vitamine C : 1 000 à 3 000 mg*
- *Complexe de vitamines B : 50 à 100 mg, 3 fois par jour*
- *Vitamine B$_{12}$ (injections) : 1 cc 3 fois par semaine*
- *Zinc : 50 mg*
- *Potassium : 100 à 500 mg*
- *Calcium : 1 000 mg*
- *Magnésium : 500 mg*
- *Sélénium : 200 µg*
- *Acides aminés : suivre les instructions du fabricant*
- *Acidophilus : suivre les instructions du fabricant*

NUTRITION POUR LIGNE, FORME ET BEAUTÉ

Pour maigrir, vous avez tout essayé : Montignac, Slim Fast, l'extrait de papaye, la croix aztèque, les poulets vaudous. Mais les kilos sont revenus. Je ne vous propose pas un régime miracle. Je voudrais simplement vous expliquer comment on gagne du poids et comment le corps utilise l'énergie et mobilise ses réserves. De là découle une stratégie simple et de bon sens pour rester svelte. Suivent des conseils à l'usage de ceux qui pratiquent un sport, et bien d'autres informations qui traitent de la plastique. Vous trouverez aussi mon analyse sur les états de fatigue, qui constituent l'une des causes principales de consultation médicale.

Chère lectrice, cher lecteur, si vous cherchez à perdre du poids, ne donnez votre argent ni aux auteurs de méthodes miraculeuses, ni aux fabricants de produits qui vous promettent la lune. Ce chapitre vous dit pourquoi.

VERS LA LIGNE IDÉALE :
LES SOLUTIONS SIMPLISTES, DANGEREUSES ET INEFFICACES

Les médias véhiculent des images d'éternelle jeunesse : mannequins filiformes, cadres au ventre plat, vedettes de l'écran musculeuses, qui représentent pour la plupart d'entre nous un idéal à atteindre. Ce rêve collectif n'a cessé, depuis des décennies, de stimuler la créativité (et les comptes en banque) des industriels, gourous de la forme et autres magazines féminins. Slim Fast fait virevolter sur le petit

écran la silhouette d'une Clémentine Célarié — provisoire-
ment — amincie. Michel Montignac est fier d'annoncer
qu'un million de Français ont acheté son *Je mange, donc je
maigris*. Pour n'être pas en reste, Paul-Loup Sulitzer, en
veine d'imagination romanesque, nous propose sa méthode
pour fondre.

Si l'on interrogeait ceux qui ont prêté leur corps aux
manipulations de ces « spécialistes » (une suggestion pour
les organismes de sondage), on relèverait probablement un
score de satisfaction digne des grandes consultations des
défuntes démocraties populaires. Les « Montignac » en particulier sont d'infatigables prosélytes : ils ont suivi la
méthode, et ça a marché. Plusieurs de mes connaissances
m'ont ainsi assuré avoir perdu un nombre de kilos significa-
tifs, ce que je crois volontiers. Hélas ! leur ligne aujourd'hui
n'est guère différente de celle que je leur connaissais
« avant ». Oui, les méthodes miracles marchent.

Un temps.

Au terme d'une étude très documentée, un comité des
National Institutes of Health, l'équivalent américain de
l'INSERM, a récemment examiné l'efficacité des méthodes
de régime. Conclusions ? Les participants perdent parfois du
poids, mais ils en regagnent 30 à 60 % en un an. Au bout
de cinq ans maximum, ils ont tout repris[155]. Au total, ces
régimes, programmes et autres substituts de repas ne font
pas mieux que des personnes livrées à elles-mêmes, sans
aucun conseil ni produit miracle[156] ! Si le grand public prêtait plus l'oreille à ces études, des milliers de francs seraient
économisés chaque année.

Les régimes et méthodes miracles n'ont pas l'ombre
d'une chance de vous faire perdre durablement et saine-
ment du poids. Vous êtes sceptique ? Lisez ce qui suit.

MONTIGNAC :
LE CHARME SUBTIL DE LA PSEUDO-SCIENCE

Je n'ai rien contre Michel Montignac. Certains des conseils alimentaires qu'il prodigue (réduction des sucres raffinés, intérêt des fibres alimentaires) vont dans le sens des

recommandations que je développe dans ce livre. Si Michel Montignac s'en était tenu à des recommandations de pure diététique dans un but préventif, tous les nutritionnistes lui en auraient su gré.

Mais il n'aurait pas vendu un million d'exemplaires.

Michel Montignac a eu l'habileté de « cibler » le marché de la minceur, en maquillant ses thèses sous un vernis pseudo-scientifique. C'est ce qui a fait sa crédibilité aux yeux du public. C'est aussi ce qui rend son argument bien fragile. Comme beaucoup de mes compatriotes, j'ai lu Montignac. Non pour perdre des kilos superflus, mais pour m'imprégner de sa démonstration, et tenter d'y trouver une base sérieuse.

Je voudrais vous faire partager mes découvertes.

Les « secrets de la nutrition » étaient bien gardés

Le livre *Je mange, donc je maigris* porte comme sous-titre « Les secrets de la nutrition »[157].

Des secrets bien gardés, si l'on considère qu'ils remettent tout simplement en cause quelques-uns des mécanismes fondamentaux du métabolisme.

L'essentiel de la méthode Montignac tient en cinq pages : 49, 50, 51, 52 et 53, et tourne autour du rôle de l'insuline. Selon l'auteur :

1. Le stockage des graisses est directement lié à la sécrétion d'insuline.
2. L'ingestion de glucides seuls (pain) fait monter le glucose du sang, ce qui provoque une sécrétion d'insuline, laquelle favorise la pénétration du glucose dans les tissus de l'organisme.
3. L'ingestion de glucides avec des graisses (pain beurré) entraîne une sécrétion d'insuline. Si le pancréas est en « parfait état », la dose d'insuline sera « exactement en rapport avec la quantité de glucose à traiter. Si en revanche le pancréas est défectueux, la quantité d'insuline qu'il libère sera supérieure à celle qui était nécessaire pour traiter le glucose, et

ainsi une partie de l'énergie du lipide sera anormalement stockée en graisses de réserve. (...) C'est
l'état du pancréas qui fait la différence entre l'individu ayant tendance à l'embonpoint, et celui qui
peut manger n'importe quoi sans grossir, le premier
étant sujet à l'hyperinsulinisme ».
4. L'ingestion de lipides seuls (fromage) ne donne lieu
à « aucune libération de glucose dans le sang. En
conséquence le pancréas ne sécrète pratiquement
pas d'insuline. S'il y a peu d'insuline, il n'y a pas
de stockage d'énergie ».

Si vous avez bien suivi la démonstration, tant qu'il n'y a
pas sécrétion d'insuline, il n'y a pas de risque de stockage
d'énergie. Vous pouvez donc avaler tout le beurre que vous
voulez : vous ne prendrez pas un gramme, aussi longtemps
qu'il ne vous viendra pas l'idée saugrenue de l'accompagner d'un morceau de pain.

Au passage, Montignac établit une distinction entre bons
glucides et mauvais glucides. Les premiers ont un index glycémique bas, c'est-à-dire qu'ils s'accompagnent en théorie
d'une élévation modérée du glucose sanguin. Les seconds
ont un index élevé[158].

L'argument n'a l'apparence de la nouveauté que pour les
non-spécialistes. Il s'agit en réalité d'un serpent de mer,
dont les apparitions les plus saisissantes datent de 1972.

LES MYTHES FONDATEURS :
LA RÉVOLUTION DIÉTÉTIQUE DU DOCTEUR ROBERT ATKINS

En 1972, le docteur Robert Atkins publie aux Etats-Unis
un livre modestement intitulé *Dr. Atkins' Diet Revolution*[159].
Cet ouvrage propose une méthode originale pour perdre du
poids, puisqu'elle consiste à supprimer tous les glucides de
l'alimentation. L'argument développé par Atkins est que les
glucides favorisent la sécrétion d'insuline, laquelle provoque un stockage des graisses. Moralité : Vous pouvez man-

Bizarre, bizarre...

L'hypothèse développée par Atkins-Montignac est que la sécrétion d'insuline seule explique la prise de poids. Montignac nous affirme par exemple que le morceau de fromage seul (riche en lipides) n'entraîne pas de stockage de l'énergie. Cette affirmation est l'une des plus étranges relevées dans son livre. Je tiens à la disposition de Michel Montignac une bonne dizaine d'études cliniques qui attestent l'efficacité des régimes lipidiques pour... stocker des kilos supplémentaires. De la même manière, je suis prêt à étudier les documents sur lesquels il s'est appuyé pour faire son affirmation. Je me permets simplement de lui rappeler ici que :

— 1 g de glucose fournit 3,8 calories ;
— 1 g d'amidon fournit 4,2 calories ;
— 1 g de protéines fournit 4,3 calories ;
— 1 g de lipides fournit... 9,4 calories.

Autre bizarrerie, la référence à « la » vitamine B. Montignac écrit : « (...) il faut savoir que le sucre provoque un déficit en vitamine B. Cette vitamine est, en effet, nécessaire en grande quantité pour l'assimilation de tous les glucides. »
Les vitamines sont un sujet que j'ai la grande immodestie de prétendre connaître un peu mieux que la moyenne de mes confrères. Je ne connais pas « la » vitamine B. S'agit-il d'une nouvelle vitamine ? Ou, au choix de :

— la vitamine B_1
— la vitamine B_2
— la vitamine B_3
— la vitamine B_5
— la vitamine B_6
— la vitamine B_8
— la vitamine B_9
— la vitamine B_{12} ?

ger graisses et protéines à volonté ; tant que vous ne leur associerez pas de glucides, vous perdrez du poids.

Cela vous rappelle-t-il quelque chose ?

Le livre d'Atkins devient un best-seller immédiat, atteignant les six millions d'exemplaires vendus.

Cela évoque-t-il d'autres succès de librairie ?

La filiation Atkins-Montignac est un secret de polichinelle. Le lecteur attentif s'amusera, du reste, des similitudes entre les deux livres.

Montignac s'est largement inspiré de la théorie développée par Atkins — que j'examine en détail ci-après — mais il a eu l'intelligence de se démarquer du caractère extrémiste de celle-ci. Là où Atkins bannissait tout glucide, Montignac propose de n'exclure que certains « mauvais » glucides (pain blanc, carottes, maïs, pommes de terre), et de ne pas mélanger lipides et glucides dans un même repas. Il faut dire que les ennuis rencontrés par ce pauvre Atkins après la publication de son livre incitaient ses fils spirituels à la prudence. On y viendra.

Le seul moyen de valider (ou pas !) la théorie Atkins-Montignac est de l'examiner sous un angle scientifique. Comme mes deux confrères n'ont pas jugé nécessaire de détailler dans leurs ouvrages respectifs les mécanismes sur lesquels ils s'appuient pour revendiquer le succès de leur méthode, je vais — une fois n'est pas coutume — faire le travail qu'ils n'ont pas fait. C'est-à-dire vous présenter les fondements biochimiques de leur hypothèse tels que j'ai pu les décortiquer, afin que vous en compreniez bien le mécanisme.

Insuline, glucose et acides gras

A première vue, la théorie Atkins-Montignac repose sur une bonne base biochimique. Le point de départ est qu'en réduisant la part des glucides, il est possible d'ingérer des doses importantes de protéines et de lipides sans prendre de poids.

Lorsque vous avalez de la nourriture, vous ingérez la plupart du temps des glucides, des protéines, et des lipides. Chacun des constituants de base de ce bol alimentaire, à savoir glucose, acides aminés ou acides gras, peut être transformé en graisses.

Le glucose et les acides aminés, lorsqu'ils excèdent les besoins énergétiques ou protéiques, sont transformés par le foie en VLDL (*very low density lipoproteins*), une association de graisses et de protéines. Les VLDL sont ensuite mises en circulation dans le sang.

De leur côté, les graisses alimentaires arrivent dans le corps principalement sous la forme de triglycérides (les biochimistes disent plutôt : « triacylglycérols »). Les triglycérides sont constitués d'un alcool, le glycérol, auquel viennent s'attacher trois acides gras. Les acides gras sont ensuite séparés de leur alcool par des enzymes digestives. Une partie des acides gras (ceux qui comprennent 6 à 10 carbones) passent directement dans le sang, avant d'être véhiculés jusqu'au foie. Les autres (plus de 12 atomes de carbone) sont à nouveau regroupés sous la forme de triglycérides, puis passent à leur tour dans le sang.

Tout ce petit monde, VLDL d'une part, triglycérides de l'autre, se balade dans le sang. Leur périple les conduit d'abord aux poumons, puis dans les tissus périphériques, avant de revenir au foie. Au cours de leur voyage, ils rencontrent une enzyme, la lipoprotéine-lipase, qui est attachée à la paroi des vaisseaux capillaires, en particulier ceux des tissus adipeux. Que fait la lipoprotéine-lipase ? Elle réagit avec VLDL et triglycérides et libère les acides gras qu'ils contenaient. Ces acides gras sont alors captés par les cellules graisseuses (adipocytes). Là, on les marie à nouveau à du glycérol pour reconstituer des triglycérides, et c'est sous cette forme que les graisses seront stockées autour de vos hanches ou de vos fesses.

Il faut maintenant introduire l'insuline dans ce schéma.

L'insuline favorise la capture du glucose par les cellules. Comme une partie du glucose peut être transformée en graisses, on comprend qu'Atkins-Montignac s'en prennent à la sécrétion d'insuline. Mais l'insuline a d'autres effets, qui vont dans le sens de la théorie développée par Atkins-Montignac. Par exemple, elle augmente la lipoprotéine-lipase, cette enzyme qui facilite la pénétration des acides gras dans les tissus adipeux.

Ce n'est pas tout. Pourquoi Atkins-Montignac affirment-ils que, sans sécrétion d'insuline, les lipides alimentaires ne sont pas transformés en graisses de réserve ? Je vous ai dit plus haut que les acides gras à chaîne moyenne (6-10 carbones) gagnaient directement le foie. Ils y seront rejoints par les triglycérides de retour de voyage, qui n'auront pas été pris en charge par la lipoprotéine-lipase. Tous ces acides gras sont donc regroupés dans le foie. Le foie est une extraordinaire usine de recyclage. Imaginez une usine de récupération qui recevrait des carcasses de voitures et aurait pour rôle d'en récupérer les composants les plus précieux. C'est un peu ce que va faire le foie dans l'exemple qui nous intéresse. Il va réceptionner des acides gras, les démonter (ou les dégrader) consciencieusement, de manière à obtenir une substance qui revêt pour lui une grande importance.

Cette substance, c'est l'acétyl-CoA. Pourquoi est-elle importante ? Parce qu'elle sert à fournir de l'énergie, donc des calories aux cellules (dans le cadre d'une réaction appelée cycle de Krebs). Mais pour être brûlé, l'acétyl-CoA a besoin d'un partenaire, l'oxalacétate. Et d'où provient l'oxalacétate ? Du métabolisme du glucose !

L'acétyl-CoA sert aussi à fabriquer d'autres acides gras. Là encore, cette synthèse n'est possible qu'en présence de glucose, qui fournit deux substances nécessaires à la réaction : oxalacétate une nouvelle fois, et glycérophosphate.

Conclusion : Moins il y a de glucose, moins il y a d'oxalacétate, moins il y a d'acétyl-CoA disponible pour la cellule. Que devient l'acétyl-CoA dans un régime pauvre en glucose ? Il est transformé en corps cétoniques (acétone) et éliminé par l'organisme.

Moralité : Supprimons le glucose, et l'organisme, au lieu de les métaboliser et de les stocker, évacuera les graisses sous forme de corps cétoniques.

Dans ce schéma, l'insuline peut, à plus d'un titre, apparaître comme néfaste puisque :

— elle augmente la disponibilité du glucose ;
— elle active une enzyme, la citrate-lyase, impliquée dans la synthèse des acides gras à partir d'acétyl-CoA.

Voilà donc — telles que je les conçois — les bases biochimiques, un peu complexes, de la théorie Atkins-Montignac. Selon ce modèle, il faudrait effectivement réduire au maximum la sécrétion d'insuline, notamment en présence de graisses, pour :

— éviter le stockage des acides gras ;
— éviter la synthèse de nouveaux acides gras ;
— favoriser l'élimination des graisses.

Qu'en est-il dans la réalité ? Ce modèle scientifique tient-il la route ?

De profundis :
L'ENTERREMENT DE LA MÉTHODE ATKINS-MONTIGNAC

Désolé pour les aficionados de Montignac, mais ce modèle séduisant pose plusieurs problèmes.

Premièrement, le concept d'indice glycémique qu'utilise Montignac pour distinguer les bons glucides des mauvais glucides est une fausse piste. Cet index peut présenter un intérêt dans la préparation des repas pour les diabétiques, mais il ne veut plus dire grand-chose dans le cadre d'une alimentation normale, puisque les aliments sont mélangés : l'index glycémique d'un glucide est alors affecté par celui des autres nutriments[160]. La combinaison steak-pommes de terre a un index glycémique plus bas que celui du « mauvais » glucide qu'est la patate (90).

L'index glycémique n'est en réalité qu'un élément parmi d'autres pour apprécier le rôle d'un aliment dans la génération du glucose sanguin. Ainsi, la banane, avec un index de 60, est-elle considérée par Montignac comme un « mauvais » glucide. C'est ignorer que la nature des glucides de cet aliment varie considérablement, une remarque qui s'applique du reste aux nombreux végétaux riches en amidon. Ainsi, l'amidon de la banane n'est pratiquement pas affecté par la digestion, et passe dans le côlon. Seul le propionate de ce fruit est transformé en glucose. Les bananes peu mûres provoquent donc une réponse glycémique faible. A l'inverse, dans les bananes trop mûres, l'amidon a été transformé en sucrose ou fructose, et la réponse glycémique est élevée[161].

Deuxièmement, Atkins-Montignac supposent que seuls les glucides génèrent une sécrétion d'insuline, et qu'en prenant des protéines ou des lipides cette sécrétion n'a pas lieu. Ce point est même l'un des arguments fondateurs de leur méthode. Or, il est faux. Voici ce qu'écrit Pierre Freychet, de l'INSERM, dans un livre qui fait référence : « La plupart des acides aminés [constituants des protéines] stimulent la sécrétion d'insuline. (...) Les acides gras et les corps cétoniques sont aussi capables de stimuler la sécrétion d'insuline (...)[162]. »

Troisièmement, le modèle Atkins-Montignac suppose que seul le glucose est capable de générer l'oxalacétate nécessaire à la réaction qui transforme l'acétyl-CoA. Or, cette substance peut être, en l'absence de glucose, fournie par les protéines[163].

Quatrièmement, sauf trouble pathologique sérieux (glycémie élevée avec hyperinsulinémie), la synthèse d'acides gras chez l'homme a une importance marginale, même lorsque les glucides représentent la source majeure d'énergie alimentaire[164].

Cinquièmement, l'hypothèse selon laquelle les corps cétoniques se trouvent simplement éliminés par l'organisme est fausse. On a vu que non seulement ils pouvaient eux-mêmes déclencher une sécrétion d'insuline, mais on sait aussi que de très nombreux tissus les utilisent comme source d'énergie, parfois même de préférence au glucose[165].

Sixièmement, l'élimination urinaire de ces mêmes corps cétoniques, présentée par Atkins comme suffisamment massive pour induire une perte de poids significative, ne se traduirait en fait que par un amaigrissement de l'ordre de... 450 g par mois, au mieux[166].

Au total, la méthode Atkins-Montignac repose sur des arguments biaisés, qui ne résistent pas à l'analyse scientifique.

Pourtant, rétorquerez-vous, la méthode vous a fait maigrir. C'est qu'elle doit bien fonctionner malgré tout ?

La principale raison pour laquelle les régimes à faible teneur glucidique se traduisent dans un premier temps par une perte de poids est que le corps se voit dépouillé de ses réserves de glycogène[167]. Le glycogène est le carburant de réserve des muscles et du foie. Dans les muscles, il sert de réserve d'énergie ; dans le foie, il sert de réserve de glucose. Le glycogène, vous l'avez compris, est synthétisé à partir du glucose. Or, le glycogène est lié à des molécules d'eau (3 grammes d'eau par gramme de glycogène). Ainsi, les régimes qui provoquent une baisse du glycogène se manifestent aussi par une déperdition du volume d'eau corporel, donc par une baisse de poids. Cette baisse est généralement rapide, suffisamment pour être un encouragement à poursuivre le régime[168].

Mais ce que vous cherchiez à perdre, ce sont des graisses superflues, pas de l'eau...

Quand le glucose n'est pas là

Le réflexe qui consiste à se méfier des glucides conduit à les écarter peu à peu de la composition du repas. Sans pâtes, pain, riz, pommes de terre, les réserves de glycogène et l'apport de glucose, on l'a vu, se réduisent. Or, vous avez besoin de glucose.

Si vous faites de l'exercice, vos muscles en réclament. En effet, le glycogène peut être mobilisé très rapidement, ce qui n'est pas le cas des autres sources d'énergie. L'exercice intensif épuise les réserves de glycogène musculaire, qui doivent être reconstituées. C'est la raison pour laquelle les cyclistes du Tour de France consomment d'aussi grandes quantités de glucides. Sans ces glucides, ils ne pourraient reprendre le départ le lendemain. En effet, si les graisses fournissent l'essentiel de l'énergie au cours d'un effort prolongé, l'organisme a besoin de glucides pour les mobiliser. Une fois les réserves de glycogène épuisées, le corps se fatigue, même si ses réserves lipidiques sont importantes. Les régimes pauvres en glucides rendent très difficiles tout effort physique ou entraînement sportif. Or, nous verrons plus loin que l'exercice physique est crucial pour acquérir et conserver la minceur. La pratique de l'exercice, dont les effets sur la ligne sont attestés par des dizaines d'études scientifiques, est incompatible avec un régime du type Atkins-Montignac, dont les pseudo-effets positifs ne sont étayés par aucune étude sérieuse, au contraire. A vous de choisir.

Le glucose est aussi le carburant privilégié du cerveau ; ce dernier en consomme 200 à 300 g par jour. En réalité, les deux tiers du glucose dont nous avons besoin sont destinés au système nerveux. L'approvisionnement du cerveau en glucose est lié à un mécanisme insulino-dépendant[169]. Les manipulations diététiques qui visent à diminuer la sécrétion d'insuline empêchent le cerveau d'avoir accès à son carburant privilégié. Sans carburant, le cerveau ne peut pas accomplir les tâches que vous lui imposez. Vous devenez irritable, fatigué, vous manquez de concentration.

Enfin, on connaît bien les effets à long terme des régimes hypoglucidiques. L'organisme finit par se trouver une source d'énergie plus facilement mobilisable que les graisses : les protéines. Il va tout simplement puiser dans ses propres tissus les acides aminés qu'il dégradera ensuite pour fournir de l'énergie[170]. Vous finissez donc par perdre du poids. Le poids le plus stupide et le plus dangereux qu'il soit donné de perdre : celui des muscles et des os[171].

Les « bienfaits » des repas sans fruits

Michel Montignac nous explique en détail combien les fruits sont néfastes à la digestion. Selon lui, ils devraient être consommés seuls, loin des repas[172].

Sur le plan nutritionnel, c'est de la sottise. D'abord, si Montignac était cohérent avec lui-même, il devrait encourager la consommation de fruits au repas, puisque les fruits contribuent à ralentir l'absorption du glucose[173].

Ensuite, les fruits contiennent des micronutriments (caroténoïdes, vitamines B) qui ne sont efficacement absorbés qu'en présence d'un peu de graisses. Sans les graisses qui accompagnent un repas normal, l'absorption de ces micro-nutriments est incomplète.

Les fruits sont aussi une source très importante de vitamine C. La vitamine C a la particularité de bloquer la formation de nitrosamines. Les nitrosamines sont des substances carcinogènes qui sont libérées par la digestion de certains aliments (charcuterie, poissons fumés, viandes grillées). La vitamine C n'est efficace que lorsqu'elle est apportée de pair avec la formation des nitrosamines. Manger des fruits « deux à trois heures après la fin du dîner[174] », comme le conseille Montignac, est donc un moyen très efficace de laisser le champ libre à la toxicité des nitrosamines.

Les fruits sont, plus généralement, bourrés de micronutriments (polyphénols, flavonoïdes) qui s'opposent à la toxicité des sous-produits de la digestion. Ainsi, un grand nombre d'aliments sont-ils dégradés par des enzymes dites de phase 1 ou (P 450), dont les sous-produits peuvent être cancérigènes. Certaines substances contenues dans les fruits (et les légumes) ont la propriété d'activer d'autres enzymes, dites de phase 2, qui détoxifient en quelque sorte les substances dangereuses que je viens d'évoquer. Pas de fruits pendant la digestion, moins d'enzymes de phase 2.

Les fruits contiennent aussi des vitamines et des caroténoïdes qui piègent les radicaux libres, ces molécules instables nées des mécanismes physiologiques normaux. Les radicaux libres seraient responsables d'un grand nombre de maladies chroniques et dégénératives, dont le cancer ou l'athérosclérose. En écartant les fruits d'un repas normal, vous diminuez d'autant la protection anti-radicaux libres.

Croyez-moi, si l'homme mélange depuis des millions d'années glucides, protéines, lipides dans son bol alimentaire, c'est pour de bonnes raisons.

LES DÉBOIRES D'ATKINS

A l'échelle des Etats-Unis, la parution du livre de Robert Atkins a été saluée par un succès équivalent à celui qu'a connu plus tard Montignac en France. A une différence près. Atkins était médecin, et cette caution médicale à un régime pour le moins saugrenu allait émouvoir tant les médecins que les représentants du peuple.

En 1973, le Sénat américain réunit un comité chargé d'évaluer les conséquences du régime Atkins (et d'autres méthodes miracles) sur la santé. Plusieurs représentants de l'American Medical Association (AMA) furent invités à témoigner. L'AMA qualifia le régime Atkins de « bizarre », sans aucun mérite scientifique ni preuve expérimentale de sa validité. Les rapporteurs soulignèrent que les références scientifiques introduites par Atkins dans son ouvrage étaient soit tronquées et détournées de leur sens, soit, ce qui est plus grave, travesties. Certaines des publications citées étaient même totalement fantaisistes, dans la mesure où elles se rapportaient à des travaux qui n'avaient rien à voir avec le métabolisme.

Voici quelques-unes des remarques faites par les représentants de l'AMA à l'encontre des régimes à faible apport glucidique, et plus particulièrement du régime Atkins :

— « Ce régime est pour l'essentiel non scientifique. »
— « Dans de nombreux pays, une majorité d'êtres vivants restent minces en consommant une alimentation extrêmement riche en glucides et faible en graisses. »
— « Aucun régime ne peut défier la première loi de la thermodynamique et être efficace sauf à fournir une diminution de l'apport énergétique ou une augmentation des dépenses énergétiques. »
— « Les recommandations du régime Atkins sont potentiellement dangereuses. »

Sur ce dernier point, l'AMA précisait que les régimes du type Atkins peuvent élever le taux d'acide urique dans le sang, favoriser l'élimination de nombreux minéraux par déshydratation, dont le sodium et le potassium, ce qui risque d'entraîner des troubles du rythme cardiaque, favoriser l'athérosclérose par augmentation des lipides dans le sang, entraîner des états de fatigue par épuisement des réserves de glycogène, provoquer une perte des tissus musculaires[175].

Quant au président du comité sénatorial, il qualifia simplement la méthode Atkins de « frauduleuse[176] ».

Poursuivi par plusieurs de ses patients, dont la santé s'était détériorée, Atkins devait, dans les années qui suivirent, renoncer à défendre sa méthode amaigrissante. Mieux inspiré, il publia d'autres ouvrages visant à populariser et à défendre l'usage des... vitamines et suppléments nutritionnels.

Atkins avait peut-être réalisé que le mécanisme par lequel on gagne ou on perd du poids ne peut pas être réduit à une théorie fumeuse centrée autour de la sécrétion d'insuline. Le corps est une machine d'une extrême complexité. Il faut avoir peu de respect pour les lecteurs qui n'ont aucune connaissance en biologie pour leur faire croire que la solution à leur problème de poids se résume à une dissociation alimentaire entre glucides et lipides. Je vais tenter de faire le point sur les connaissances actuelles en matière de métabolisme. Cet éclairage scientifique vous donnera des pistes pour mieux gérer votre masse corporelle. Je n'essaierai pas de vous vendre une méthode miracle, mais de convaincre les plus rationnels d'entre vous d'exploiter ces informations pour construire un corps plus ferme et plus sain. Pour les autres, les rayons des librairies sont une source inépuisable de régimes miracles.

RÉGIMES HYPERPROTÉINÉS : INEFFICACES ET DANGEREUX

Les régimes riches en protéines et pauvres en glucides sont à la mode. Mais ces régimes ne sont pas sans danger :

❋ Le corps a besoin de glucides pour le métabolisme des graisses et des protéines. Un régime sans glucides peut se traduire à long terme par des atteintes cellulaires et des troubles nerveux.

❋ Une fois absorbées, les protéines donnent naissance à des sous-produits toxiques. Un excès de protéines peut se traduire par un excès d'acide urique, que le corps ne sera plus capable d'éliminer. Les sels de cet acide se logent alors dans les articulations et constituent la cause principale des arthrites et de la goutte. Par ailleurs, de nombreux aliments riches en protéines contiennent des nitrites ou des nitrates (viandes, charcuteries, poissons fumés) qui se transforment en nitrosamines dans l'estomac. Les nitrosamines peuvent contribuer à l'apparition du cancer de l'estomac.

❀ Les protéines d'origine animale contribuent à faire grimper l'acidité du sang. Lorsque celle-ci s'élève trop, le corps puise dans ses réserves de base pour rétablir l'équilibre d'origine. Le calcium des os constitue la plus accessible de ces réserves. On soupçonne ces régimes de provoquer une déminéralisation qui peut déboucher sur l'ostéoporose.

Dans son livre, Michel Montignac s'en prend aux régimes basses calories, lesquels, après tout, font de l'ombre à sa propre méthode. Mais il a raison de souligner que **de tels régimes ne marchent pas** — pas plus du reste que le sien.

En apparence, pourtant, les choses paraissent simples. Pour perdre du poids, il suffit de réduire le nombre de calories apportées par l'alimentation. Malheureusement, le corps interprète cette réduction comme une menace pour sa propre survie. Du coup, il va se battre pied à pied pour conserver les réserves qu'il avait constituées. Dès le moment où vous allez diminuer son approvisionnement en énergie, le corps réduit son train de vie, c'est-à-dire le nombre de calories qu'il brûle pour maintenir l'activité physiologique. Ces calories qui servent à alimenter les dépenses des battements cardiaques, de la respiration, de la température corporelle, du renouvellement des tissus, s'appellent taux métabolique de base (en anglais *basal metabolic rate*, ou BMR). Les fonctions du BMR brûlent environ les deux tiers des calories apportées à l'organisme. Le reste est utilisé pour l'activité physique (20 à 30 % des dépenses) et la digestion (10 à 15 % des dépenses)[177].

Au fur et à mesure que le BMR diminue, le corps apprend à se débrouiller avec une ration calorique plus basse. Et votre tentative de perdre du poids devient de plus en plus hasardeuse. Après 2 à 3 semaines, vous ne perdez plus un gramme. Dans de nombreuses études, on a pu montrer que beaucoup de femmes parvenaient à maintenir leur poids avec une alimentation n'apportant que 1 500 calories[178]. On a calculé qu'une restriction calorique sévère pouvait diminuer de 45 % le métabolisme au repos !

Vous comprenez donc pourquoi les régimes hypocaloriques sont voués à l'échec :

— ils réduisent le BMR, donc la dépense d'énergie liée à l'activité physiologique ;

— ils réduisent aussi le nombre de calories consommées par la digestion, puisque les repas sont moins
nombreux et moins copieux.

Les régimes basses calories ont un autre effet pervers. Ils
se traduisent souvent par une chute des réserves de sucre
(glycogène), laquelle entraîne souvent fatigue et léthargie,
ce qui conduit la personne qui suit le régime à diminuer
son activité physique quotidienne, avec comme résultat une
diminution du nombre de calories brûlées...

Ils ont d'autres conséquences néfastes. A ces niveaux
d'apport calorique, il est impossible, sauf à prendre des suppléments, de se procurer suffisamment de vitamines et de
minéraux. Le docteur Paul LaChance, un spécialiste de la
nutrition de Rutgers University, a établi que les régimes très
basses calories entraînaient des subcarences en vitamines
du groupe B, en calcium et en oligo-éléments.

Dans ces régimes, l'organisme est souvent amené à puiser
dans ses réserves pour se procurer l'énergie qu'on lui refuse par
l'alimentation. Comme les réserves de glycogène sont insuffisantes, le corps détruit ses propres tissus pour transformer en
glucose les acides aminés qui les constituent. Le résultat le plus
visible se lit sur la balance. Elle montre effectivement qu'on a
perdu du poids. La balance ne dit pas où ce poids a été perdu.
Cela, on l'apprend des années plus tard, cruellement.

Les Américains consomment aujourd'hui 10 % de calories en moins qu'il y a vingt ans. Si les régimes basses calories étaient efficaces, les Américains devraient être plus
minces. En réalité, ils pèsent en moyenne 2 kg de plus...

La première stratégie pour perdre du poids consiste non
pas à diminuer les calories de l'alimentation, mais à augmenter les dépenses énergétiques, donc le BMR.

LE RÔLE CRUCIAL DE L'HYPOTHALAMUS

Le BMR semble sous la commande d'une petite zone de
contrôle, située dans le cerveau et qui s'appelle l'hypothalamus.

L'hypothalamus est le centre de régulation de nombreuses fonctions physiologiques, dont la température corporelle, la soif, le désir sexuel, l'appétit : c'est l'hypothalamus qui déclenche le désir de s'alimenter, ou au contraire de mettre un terme à un repas. On pense aussi qu'il donne au corps l'ordre de maintenir un niveau donné d'adiposité. Les restrictions alimentaires sont autant de tentatives de piéger l'hypothalamus. En ce sens, elles sont vouées à l'échec, car l'hypothalamus semble réagir très vite à ce genre de manipulations. Dès que les graisses corporelles s'abaissent en deçà d'un certain seuil, l'hypothalamus ordonne un ralentissement des fonctions physiologiques pour reconstituer ces réserves. On reprend du poids. L'exercice physique, en plus de brûler des calories, a un effet positif sur l'hypothalamus, car il l'amène à se satisfaire d'un volume de graisses moindre.

Le rôle de l'hypothalamus reste du domaine de l'hypothèse, car on est aujourd'hui bien en peine de décrire dans le détail les mécanismes physiologiques qui régulent le poids du corps. Mais il semble bien que, d'une manière ou d'une autre, le cerveau soit très concerné par la quantité de graisses qui compose l'organisme. Comment cette information parvient-elle au cerveau, et comment y réagit-il ? C'est la question que se sont posée des chercheurs américains. Voici ce qu'ils ont trouvé.

TISSUS ADIPEUX-CERVEAU :
UN DIALOGUE PERMANENT

Les découvertes sur le rôle de l'hypothalamus et le BMR ont amené le docteur Jules Hirsch, du Rockefeller University Hospital à New York, à formuler la théorie selon laquelle il existe un mécanisme de contrôle du poids, sous la forme d'un dialogue entre cellules adipeuses et cerveau.

Hirsch pense que les cellules graisseuses, lorsqu'elles voient leur taille diminuer, s'empressent de signaler au cerveau le triste état dans lequel elles se trouvent. Ce signal pourrait être déclenché par le niveau des graisses ou du glycérol circulants. Lorsque l'organisme brûle plus de calories qu'il n'en absorbe, les cellules adipeuses se débarrassent de leurs acides gras afin de fournir de l'énergie. Pour ce faire, elles « démontent » les triglycérides qu'elles contiennent, lesquels, vous vous en souvenez, sont formés par l'association de glycérol et de trois acides gras. Une fois rendus à leur liberté, acides gras et glycérol passent dans le sang. Un afflux de ces substances dans le sang pourrait être le signal que les cellules adipeuses se vident, et devrait déclencher alors un nouveau stockage par une diminution du métabolisme de base ou une augmentation de l'appétit.

Mais le système semble marcher dans l'autre sens, à savoir qu'un mécanisme régulateur empêcherait le corps de se charger de beaucoup plus de graisses que nécessaire. En 1989, le docteur Bruce Spiegelman, du Dana-Farber Cancer Institute de Boston, a découvert une protéine, l'adipsine, qui serait sécrétée par les cellules adipeuses. Chez les rats obèses, la concentration d'adipsine est 100 à 200 fois moins élevée que chez les rats normaux. L'adipsine est la seule enzyme fabriquée par les cellules graisseuses capable de circuler librement dans l'organisme jusqu'au cerveau. La présence d'adipsine pourrait donner à l'hypothalamus le signal de réduire l'appétit et d'augmenter le métabolisme de base.

LES FACTEURS QUI INFLUENCENT LE BMR

Les scientifiques ont mis en évidence plusieurs facteurs capables d'influencer le BMR.

Certaines substances agissent sur le BMR. C'est le cas de la nicotine, et vous tenez là en partie la raison pour laquelle l'arrêt de la cigarette entraîne souvent une prise de poids. C'est aussi le cas des amphétamines.

D'autres facteurs entrent en compte. La DHEA (déhydro-épiandrostérone) est une hormone qui stimule le métabolisme. Les sécrétions de DHEA diminuent avec l'âge. Chez l'homme, la DHEA est à son maximum entre 20 et 30 ans, puis décline lentement. A 80 ans, le corps ne synthétise que 10 % de la DHEA observée chez les adultes jeunes. Cette diminution pourrait expliquer la baisse concomitante du métabolisme et la prise de poids chez les hommes d'âge moyen, même lorsque le régime alimentaire reste inchangé. En 1988, une étude a montré que des suppléments de DHEA donnés à un groupe de volontaires avaient entraîné une augmentation de la masse musculaire, de pair avec une diminution de 30 % de la masse graisseuse[179]. La DHEA semble agir en augmentant le niveau de sérotonine dans l'hypothalamus, ce qui déclenche la sécrétion de cholécystokinine, l'hormone de la satiété. Mais la DHEA aurait d'autres modes d'action sur la lipogenèse, la synthèse des protéines, ou encore la fonction thyroïdienne. La DHEA existe sous une forme expérimentale, et je ne vous en conseille pas l'usage dans ce cas précis.

Une autre hormone mérite une attention toute particulière. Il s'agit de l'hormone de croissance ou somatotrophine (*human growth hormone*, hGH), qui est sécrétée par l'hypophyse. L'hormone de croissance est impliquée dans le processus de croissance des tissus. Elle augmente l'incorporation des acides aminés pour la synthèse des protéines. Elle favorise aussi la lipolyse, c'est-à-dire la dégradation des tissus graisseux. Pendant l'enfance et l'adolescence, la hGH permet la croissance. Comme c'est le cas pour la DHEA, la sécrétion d'hormone de croissance diminue rapidement après 30 ans, ce qui expliquerait en partie la fonte musculaire et les gains de poids. Pendant la vieillesse, le faible niveau de la hGH se traduit par une cohorte de troubles, dont une cicatrisation difficile et une baisse de l'immunité. En 1990, le docteur Daniel Rudman, du Medical College of Wisconsin, a mené une expérience auprès d'un groupe d'hommes âgés de plus de 60 ans. Les membres du groupe se sont injecté des extraits d'hGH synthétique 3 fois par semaine pendant 6 mois, tandis qu'un groupe comparable ne prenait rien. Les résultats furent saisissants. Alors que les membres du groupe placebo voyaient leur masse musculaire continuer de baisser, les personnes qui prenaient la hGH gagnaient 10 % de muscles en plus et voyaient leur masse adipeuse fondre de 14 %, ce qui correspond à un « rajeunissement » de l'ordre de dix à vingt ans. Je vous dirai plus loin comment vous pouvez, par manipulation nutritionnelle, faire remonter la sécrétion de votre hormone de croissance après 30 ans.

L'un des moyens d'augmenter naturellement le BMR est à la portée de chacun d'entre vous. Le BMR dépend largement de la quantité de tissu maigre constitué par les muscles. **Plus vous avez de tissu musculaire, plus le BMR est élevé**. En revanche, le BMR est peu sensible à la quantité de graisses corporelles, car les tissus adipeux consomment peu d'énergie[180]. C'est le premier enseignement important de ce chapitre. Toutes les tentatives d'augmentation de la masse musculaire vont dans le bon sens, car elles obligent l'organisme à dépenser plus de calories pour « gérer » son parc cellulaire accru. Nous verrons plus loin la signification clinique de ces pratiques. A l'inverse, tout ce qui contribue à vous faire perdre des muscles est néfaste. Or, les régimes hypocaloriques et les régimes à base de protéines ont précisément cet effet.

LES GENS MINCES MANGENT PLUS DE GLUCIDES

Ce qui suit ne va pas plaire à Montignac et à ses adeptes. Car je vais tout simplement vous montrer que les régimes à base de glucides sont efficaces pour perdre du poids ou ne pas en gagner.

Les scientifiques cherchent depuis des années à expliquer la raison pour laquelle certaines personnes deviennent obèses. C'est un vaste sujet, mais l'une des théories avancées est que l'obésité serait la conséquence d'un trouble de la thermogenèse. Lorsque vous consommez plus de calories que nécessaire à vos dépenses d'énergie, une partie de ces calories est transformée immédiatement en chaleur, plutôt que d'être stockée sous forme de graisse. Ce phénomène s'appelle thermogenèse alimentaire. La thermogenèse dépend de la composition des repas.

Vous savez que les repas peuvent être constitués de glucides, lipides ou protéines, dans des proportions qui varient. On a montré que les repas riches en glucides augmentaient la thermogenèse. Plus il y a de glucides dans votre assiette, comparativement aux protéines et aux graisses, plus vous brûlez de calories « instantanées ». Pour expliquer ce phénomène, les chercheurs ont avancé l'hypothèse que la sécrétion importante d'insuline qui suit un repas riche en glucides active le système nerveux parasympathique c'est-à-dire les fonctions physiologiques automatiques de l'organisme (battements de cœur, etc.). Cette mise en action du système parasympathique (modulée par la noradrénaline) stimule du même coup les réactions métaboliques qui dissipent l'énergie en chaleur[181, 182].

Hormis la noradrénaline, une autre hormone semble jouer un rôle dans ce processus. La thyroïde synthétise une hormone appelée T_4. La T_4 a deux devenirs possibles. Soit elle est convertie en une forme active, appelée T_3, qui a la propriété d'augmenter le métabolisme. Soit elle est transformée en une autre substance, appelée *reverse* T_3 (RT_3), laquelle a peu d'effets sur la consommation de calories. Les régimes riches en glucides provoquent une transformation accrue en T_3. Les régimes pauvres en glucides se traduisent par un aiguillage vers la forme RT_3.

Chez certains obèses, un trouble génétique rendrait peu sensible à la thermogenèse : ils stockent plus de calories que le reste de la population.

Il y a d'autres raisons pour lesquelles les régimes riches en glucides se révèlent plus efficaces que les autres pour contrôler le poids corporel. La première est probablement d'ordre génétique. Les glucides, céréales, légumes, fruits, constituent l'alimentation naturelle de l'être humain. Les chercheurs nous disent aujourd'hui que l'homme s'est, dès son apparition, nourri de végétaux. Dans les régimes des tribus laissées à l'écart de la civilisation, tels les Indiens Tarahumaras du Mexique, les glucides représentent jusqu'à 75 % de la ration calorique. Le vieux mythe de l'homme chasseur d'animaux s'effrite année après année. Pour le docteur Johanson, « découvreur » de l'hominidé Lucy, et auteur du livre *Ancestors*, si l'homme s'est nourri de chair animale aux époques et aux saisons où les baies manquaient, il l'a vraisemblablement fait en charognard, en s'en prenant aux carcasses d'animaux tués par des prédateurs. Encore a-t-on de bonnes raisons de penser qu'il était plus intéressé par la moelle contenue dans les os (qu'il brisait soigneusement) que par les chairs restées sur les carcasses, dans la mesure où la moelle lui apportait une formidable source d'énergie.

Le corps humain n'est pas conçu pour stocker des calories à partir des glucides. Les glucides stockés par l'organisme représentent moins de 1 % du poids corporel total. La transformation de glucides en tissus graisseux relève d'un processus biochimique complexe qui consomme de l'énergie (23 % des calories apportées). A l'inverse, le stockage des graisses alimentaires se fait de manière directe et ne consomme que 3 % des calories présentes dans ces aliments. Le corps humain est donc conçu pour consommer de grandes quantités de glucides et ne pas les transformer en réserves.

Autre avantage des glucides : ils induisent plus vite une sensation de satiété, par la présence des amidons et des fibres. Ces substances ne sont que partiellement digérées et contribuent à diminuer la faim.

Plusieurs études montrent que les régimes alimentaires dans lesquels les glucides constituent la majorité de la ration sont les plus efficaces en terme de gestion du poids corporel. Sur le plan épidémiologique, on a constaté que les glucides représentent 80 % de l'apport énergétique total en Asie, contre 40 à 50 % seulement aux Etats-Unis, l'un des pays les plus concernés par l'obésité : 60 à 70 millions d'adultes et 10 à 12 millions d'adolescents y ont un total d'un milliard de kilos de graisse en trop[183].

On a longtemps cru que les gens étaient gros parce qu'ils mangeaient trop. Mais on a récemment montré que les obèses ne reçoivent pas plus de calories que les non-obèses. Dans certains cas, ils en consomment même moins[184]. On s'est alors penché sur la composition de leurs repas. Les chercheurs qui ont mené ces études pensent aujourd'hui que l'obésité est en partie due à une proportion trop élevée de graisses saturées dans l'alimentation[185]. Les régimes riches en glucides ou en protéines n'ont pas cet effet néfaste sur la masse corporelle. Les expérimentations animales montrent du reste que les graisses alimentaires entraînent de l'obésité chez les rats même si l'apport calorique total reste augmenté. Une étude très récente menée auprès d'enfants a confirmé que le nombre total de calories est moins important que l'origine de ces calories pour expliquer la prise de poids. Le pourcentage de graisses corporelles est directement lié à la consommation de graisses alimentaires saturées et insaturées, et inversement lié à celle de glucides[186]. Une autre étude récente portant sur 5 115 jeunes adultes confirme que ceux qui mangent la plus grande proportion de glucides sont aussi ceux dont le poids corporel est le plus bas[187].

La réalité, c'est que *les gens minces mangent moins de graisses et plus de glucides complexes.*

Le docteur Dean Ornish, du Preventive Medicine Research Institute de Sausalito, a compris tout l'intérêt des régimes riches en glucides. Ornish ne traite pas des patients qui veulent perdre du poids. Il s'occupe de victimes de maladies coronariennes, avec l'objectif de leur éviter rechutes et chirurgie. Ornish a mis au point un régime alimentaire à faible teneur en graisses (10 %). Ce régime n'est probablement pas adapté à l'alimentation de personnes en bonne santé, mais c'est précisément son caractère extrémiste qui est intéressant : avec une alimentation essentiellement glucidique, les malades (souvent des personnes fortes) perdent en moyenne 10 kg dès la première année. Ce régime ne limite pas le nombre total de calories. Les patients peuvent manger aussi souvent qu'ils le souhaitent. La différence vient de la composition des repas.

SÉROTONINE ET APPÉTIT

Les repas à base de glucides ont un autre avantage. En favorisant l'accès du tryptophane, un acide aminé, au cerveau, ils contribuent à maintenir à un bon niveau la sécrétion de sérotonine (voir chapitre « Mental »). La sérotonine est un neurotransmetteur synthétisé à partir du tryptophane, qui joue un rôle important dans la sensation d'appétit[188]. Si votre sérotonine est trop basse, vous aurez tendance à vous jeter de manière immodérée sur les aliments, et plus particulièrement sur les sucres rapides... puisque les sucres font grimper cette neuro-hormone !

Judith Wurtman, du Massachusetts Institute of Technology, estime que « 80 % des obèses ont une forte attirance pour les glucides rapides, gâteaux et crèmes glacées[189] », ce qui témoigne probablement d'un déficit en sérotonine. Les boulimiques et les femmes qui souffrent de syndrome prémenstruel pourraient bien être dans le même cas.

Malheureusement, sous l'influence de la presse féminine, des Montignac et autres fabricants de substituts de repas, les glucides (et pas seulement les sucres simples) sont en général les premiers à passer à la trappe, ce qui accentue probablement les déficits en sérotonine et l'attrait compensatoire pour le... sucre. Un grand nombre de Français souffrent d'un déficit en sérotonine, comme en témoigne la popularité du Prozac®, l'antidépresseur qui agit sur cette hormone.

Si c'est votre cas, la bonne stratégie consiste à incorporer de manière régulière les glucides complexes à votre alimentation. Ainsi, vous contribuerez à maintenir votre sérotonine à un niveau élevé, réduisant du même coup la sensation d'appétit, et vous mettant à l'abri des pulsions qui peuvent porter à se jeter sur les confiseries ou les pâtisseries.

Le rôle de la sérotonine dans la régulation de l'appétit a servi à la mise au point d'un médicament, vendu en France sous la marque Isoméride® (dexfenfluramine). L'Isoméride® a pour effet de diminuer l'appétit en favorisant un niveau élevé de sérotonine. C'est, semble-t-il, un médicament efficace (vendu sur ordonnance), mais on en connaît mal les effets à long terme sur les neurones. Je préfère vous aiguiller vers des moyens plus naturels visant à augmenter le niveau de tryptophane cérébral.

Le rôle du couple tryptophane-sérotonine dans la prise alimentaire peut être très net. Par exemple, le tryptophane circulant augmente en période de jeûne, pour des raisons que j'explique ailleurs. Cette élévation du tryptophane, et donc de la sérotonine, est parfois telle qu'elle suffit chez certains à déclencher de l'anorexie[190] !

Manger des glucides n'est pas le seul moyen de faire grimper le taux de tryptophane. L'exercice physique produit un effet comparable[191]. Mais c'est loin d'être le seul intérêt de l'activité physique.

A ce stade, permettez-moi d'introduire une anecdote personnelle. L'un de mes amis a suivi, en 1991, un régime alimentaire draconien. Cet homme était un peu replet, il en souffrait, il a fait appel aux grands moyens, à savoir réduction calorique extrême. Il a perdu du poids, beaucoup de poids. Nous nous sommes croisés chez une connaissance commune quelques mois après le début de son régime. Sur le coup, je ne l'ai pas reconnu : joues creuses, épaules étroites, flottant dans un costume trop large. Lui était visiblement satisfait du nombre de kilos dont il s'était séparé. Notre ami commun, troublé par le spectacle de cette silhouette presque décharnée, l'invita en guise de plaisanterie à se servir du foie gras qui nous attendait, sous le prétexte qu'un peu de graisses « lui irait mieux ».

Notre hôte se trompait. Ce n'est pas de graisses dont cet homme manquait, mais de muscles. Le régime avait certes diminué ses réserves adipeuses, mais il avait aussi fait fondre sa masse musculaire, cette fameuse masse maigre. Les grammes qui, à sa plus grande satisfaction, chaque jour s'étaient envolés étaient aussi, hélas, des grammes de muscles. En matière de ligne, ce n'est pas le chiffre que vous annonce la balance qui compte. C'est le rapport masse adipeuse / masse sèche.

Si vous pesez 80 kg, avec 30 % de graisses, que choisissez-vous ?
— « perdre » 10 kg pour vous retrouver à 70 kg avec 23 % de graisses ?
— ou conserver vos 80 kg avec 10 % de graisses ?

Dans le premier cas, votre balance et votre garde-robe vous confirment que vous avez perdu du poids : 10 kg. C'était votre objectif. Vous êtes heureux. En réalité, vous n'avez perdu que 8 kg de ce dont vous souhaitiez vous débarrasser : la graisse. Le reste, soit 2 kg, a été fourni par les muscles.

Dans le deuxième cas, vous n'avez pas perdu de poids. Vous êtes déçu. Mais l'êtes-vous vraiment ? Vous avez en fait éliminé 16 kg de graisses, et gagné autant de masse musculaire. Votre silhouette s'est transformée.

Dans le premier cas, vous avez suivi un régime amaigrissant sans augmenter votre activité physique.

Dans le second cas, vous avez soumis votre organisme à des activités aérobie et anaérobie intenses, de pair avec un régime nutritionnel rééquilibré et non restrictif.

Le but de ce chapitre n'est pas de transformer chacun de vous en athlète, mais de vous apporter la preuve que l'activité physique est la clé incontournable d'un programme amincissant dont les trois aspects sont :

— perte de poids ;
— maintien ou gain de la masse musculaire ;
— perte de masse adipeuse.

Ce triple objectif est à votre portée.

LES ÉQUATIONS SIMPLES

L'exercice brûle des calories. Dès le moment où vous faites un mouvement, vous brûlez de l'énergie. Cette simple règle de biochimie suffit pour comprendre que *le meilleur régime est l'activité physique*.

L'arithmétique est simple : si vous brûlez plus de calories que vous n'en consommez, vous perdrez du poids, qui plus est du poids dont vous souhaitez vous débarrasser. Bizarrement, la simplicité même du phénomène n'a pas inspiré les auteurs d'ouvrages à succès sur la minceur. A la réflexion, cela se comprend. Il est infiniment plus valorisant de promettre au lecteur qu'il pourra perdre du poids sans efforts.

L'activité physique mobilise dès le premier mouvement les réserves de glycogène (sucres) à égalité avec les réserves de graisses. Cela signifie que vous éliminez des graisses dès le moment où vous vous mettez à bouger.

Les exercices en aérobie sont ceux que vous faites lorsqu'il y a équilibre entre consommation et apport d'oxygène : jogging, aérobic, danse, cyclisme, natation, par
exemple. Tous ces sports améliorent l'oxygénation et le
métabolisme, tonifient le cœur. Ils revitalisent les réseaux
capillaires, augmentent la capacité pulmonaire, favorisent
l'élimination des toxines.

De très nombreuses études montrent que l'activité aérobie est un moyen efficace de faire fondre les graisses corporelles[192].

Les expériences les plus convaincantes ont été conduites
sur les animaux : ces expériences permettent en effet de
mesurer la perte de graisses à l'échelle de la cellule. Dans
une expérience, on a étudié trois groupes de jeunes rats.
Le premier avait accès sans restriction à de la nourriture.
Parallèlement, il fut soumis à un programme de natation de
4 mois environ : les animaux nageaient dans un tunnel
6 jours par semaine. Le deuxième groupe avait lui aussi
accès sans restriction à de la nourriture, mais n'était soumis
à aucun effort physique. Le troisième groupe enfin était
rationné, mais ne se livrait à aucun exercice.

A l'issue de l'expérience, on sacrifia les rats pour étudier
la composition de leur corps. Les rats des premier et
deuxième groupes avaient absorbé quotidiennement le
même nombre de calories, mais la masse corporelle des
membres du groupe « actif » était inférieure à celle des rats
du groupe « inactif ». Dans ce groupe, le pourcentage de
graisses était 4 fois supérieur à celui des rats nageurs,
preuve qu'à apport calorique équivalent, l'exercice s'était
traduit par un rapport infiniment plus favorable en faveur
de la masse « maigre ». Chez les rats sédentaires, le nombre
et la taille des cellules graisseuses étaient sensiblement plus
importants.

Les rats rationnés et inactifs furent aussi étudiés. Leur
poids était comparable à celui des rats nageurs non rationnés, mais là s'arrêtait la ressemblance. Les rats du troisième
groupe avaient en effet plus de graisses corporelles que

Les calories brûlées pendant l'exercice aérobie

Avant de savoir comment vous allez perdre des kilos, commencez par évaluer le nombre de calories dont vous avez réellement besoin chaque jour :

— Calculez votre taux de métabolisme basal (BMR), c'est-à-dire le nombre de calories que vous devez absorber pour que votre corps fonctionne sans problème :
BMR = poids idéal × 24 (21,5 si vous êtes une femme).

— Ajoutez 30 % à ce chiffre si vous menez une vie sédentaire sans exercice ; ajoutez 50 % si votre travail vous impose peu de mouvement et si vous faites de l'exercice 3 fois par semaine ; ajoutez 80 % si votre vie est très active et si vous faites du sport plus de 3 fois par semaine.

— Exemple : vous êtes un homme de 80 kg, sédentaire, sans activité sportive et votre poids idéal est de 73 kg. Le calcul de votre BMR donne : 73 × 24, soit 1 752 calories. Vos besoins quotidiens sont de : 1 752 + 526 = 2 278 calories. Si vous consommez effectivement 2 278 calories par jour, vous atteindrez finalement votre poids de forme.

La pratique régulière d'un sport peut vous aider à brûler plus de calories que vous n'en consommez, et donc à perdre du poids :

Si vous pesez entre 50 et 60 kg, temps nécessaire (minutes) pour brûler 100 calories

marche (3 km/h)	48
marche (5 km/h)	33
vélo (10 km/h)	22
golf	20
tennis	20
ski de descente	20
aérobic	13
natation, aviron	12
ski de fond	10
cyclisme	10
course à pied (15 km/h)	7

> **Si vous pesez entre 70 et 80 kg, temps nécessaire (minutes) pour brûler 100 calories**
>
> | | |
> |---|---|
> | marche (3 km/h) | 40 |
> | marche (5 km/h) | 25 |
> | vélo (10 km/h) | 17 |
> | golf | 14 |
> | tennis | 14 |
> | ski de descente | 14 |
> | aérobic | 9 |
> | natation, aviron | 8 |
> | ski de fond | 7 |
> | cyclisme | 7 |
> | course à pied (15 km/h) | 5 |
>
> Un kilo de graisses corporelles contient 7 500 calories. Si vous vous arrangez pour perdre 500 calories par jour grâce à l'exercice, vous aurez maigri de 1 kg en 2 semaines.

leurs cousins nageurs, avec des adipocytes plus nombreux et plus gros.

Cette étude montre bien que l'exercice est plus favorable sur la fonte graisseuse que le simple régime, et qu'une activité physique commencée tôt dans la vie réduit la formation de nouveaux adipocytes[193].

Ces constatations, effectuées chez les animaux, peuvent être transposées à l'homme.

Des chercheurs du Human Nutrition Research Center on Aging (Tufts University, Boston) ont suivi deux groupes de sédentaires, le premier jeune (20 à 30 ans), le second plus âgé (plus de 65 ans). Ils n'ont trouvé aucune relation entre le nombre de calories consommées et le pourcentage de graisses corporelles. En revanche, il existait une corrélation significative entre le manque d'activité physique et ces mêmes graisses. Qui dit activité physique ne dit pas forcément entraînement spartiate. Le docteur Susan Roberts, rapporteur de l'étude, conseille à tous ceux qui souhaitent perdre du poids d'augmenter le niveau de leur activité physique quotidienne : prendre les escaliers plutôt que l'ascenseur, faire le tour du pâté de maisons, etc. Pour Susan Roberts, la simple mise en mouvement du corps au travail ou à la maison brûle au moins autant de calories qu'une demi-heure d'exercice aérobie[194].

Exercice anaérobie

Les exercices en anaérobie se font en insuffisance d'apport d'oxygène (par exemple, sprint, musculation). Ils améliorent la tonicité musculaire et renforcent les os : la respiration est peu intense, mais la sollicitation musculaire est importante. L'haltérophilie, le body-building, la musculation sont des exemples types. Ces exercices ont d'autres bénéfices : ils permettent de lutter contre le relâchement des muscles (abdominaux, muscles lombaires) qui contrôlent la posture. Chez la femme, ils permettent de prévenir ou de freiner l'ostéoporose puisqu'ils exercent une pression bénéfique sur la trame osseuse.

Vers la fin des années 70, le culturisme et la musculation commencèrent d'attirer un nombre croissant d'adeptes.

Les scientifiques qui se penchèrent sur l'organisme de ces sportifs d'un nouveau genre eurent un choc. Jusque-là, seul l'exercice aérobie était jugé efficace pour diminuer la masse graisseuse. Or, en examinant la teneur en graisses de *body-builders* professionnels, on s'aperçut que celle-ci était le plus souvent *inférieure* à celle d'autres sportifs de haut niveau qui pratiquaient des activités aérobies. A l'exception des champions de gymnastique, dont le taux de graisses était de 13 %, les culturistes avaient les taux les plus faibles, autour de 13,3 %[195] !

Comment un sport qui fait appel à un nombre de mouvements limité, et brûle donc moins de calories que le jogging, pouvait-il entraîner une telle fonte graisseuse ? La réponse résidait à nouveau dans le métabolisme de base.

En augmentant la masse musculaire, l'exercice avec les poids oblige l'organisme à brûler des calories pour gérer cette masse maigre, y compris après que l'exercice est terminé. Récemment, des chercheurs d'Oregon Health Sciences University ont comparé les mérites respectifs du cyclisme (aérobie) et de la musculation (anaérobie). Ils ont constaté qu'une séance de musculation de 40 minutes était suivie d'un métabolisme plus élevé qu'une séance de cyclisme de même durée. Ainsi, alors que le vélo (à 80 % de la fréquence cardiaque maximale) brûlait pendant l'effort plus de calories que la musculation, celle-ci continuait d'induire une perte calorique après la séance. Au total, le nombre de calories consommées était identique dans les deux sports[196].

Sur le long terme, la balance peut même pencher en faveur de la musculation, puisque des séances répétées contribuent à augmenter la masse musculaire totale, entraînant de manière durable un BMR plus élevé.

Une équipe de scientifiques de King's College, University of London (Royaume-Uni), vient de montrer que les personnes dont la masse musculaire est plus importante que la moyenne brûlent chaque jour plus de calories, même lorsqu'elles sont endormies. Celles qui s'entraînent une heure par jour en moyenne (exercice modéré) consomment 8 % de calories en plus que les sédentaires, *y compris les jours de repos*. Les athlètes plus assidus, qui font deux heures d'exercice par jour, brûlent 14 % de calories en plus que les non-sportifs. Cela représente 144 calories de plus pour les premiers, et 288 pour les seconds, *en plus des calories brûlées pendant l'exercice lui-même*[197] !

Que signifient ces résultats pour une femme ? Simplement que 3 séances hebdomadaires de musculation de 20 minutes chacune suffisent pour changer l'aspect de votre corps. Le docteur Wayne Westcott, de South Shore YMCA à Quincy (Massachusetts), a soumis précisément vingt femmes à un programme modéré de ce type. Au bout de 2 mois, les résultats étaient frappants :

— en moyenne, les participantes avaient perdu 1,5 kg de graisses, et gagné 1,5 kg de muscles ;
— elles avaient perdu près de 3 centimètres à la taille ;
— dans certains cas, elles avaient débarrassé leurs cuisses de la graisse qui s'y trouvait ;
— leur apparence physique s'était améliorée de manière remarquable[198].

Les deux formes d'exercice, vous l'avez compris, contribuent à déséquilibrer la balance énergétique et à réduire la masse graisseuse. Alors que l'exercice aérobie fait perdre instantanément des calories, l'exercice anaérobie a une action qui se prolonge dans le temps. Si le premier peut vous aider à retrouver un poids idéal, sans affecter radicalement la masse maigre, le second vous aide aussi à transformer votre silhouette. Les joggers réguliers qui ne font pas de musculation sont certes minces, mais leur silhouette est loin d'être un modèle du genre. L'association aérobie/anaérobie est non seulement efficace pour perdre du poids, mais elle se traduit aussi par un accroissement de la masse musculaire, dont on a vu tous les avantages, tant sur le plan du métabolisme que sur le plan esthétique.

Une étude de 1994 a précisément étudié les effets de cette combinaison. Vingt-trois femmes obèses ont été suivies pendant 12 semaines dans le cadre d'un régime basses calories à 3 360 kJ/jour.

Trois groupes ont été formés : le premier (LA) a suivi un programme de musculation (exercice anaérobie) 3 fois par semaine, auquel s'ajoutaient 5 séances hebdomadaires de marche (exercice aérobie). Le second groupe (MA) a suivi le même programme de musculation, mais seulement 3 sessions de marche. Le dernier groupe (C) s'est contenté du régime basses calories. A l'issue des 12 semaines, le groupe LA a perdu en moyenne 6,5 kg de plus que le groupe C, essentiellement (6,4 kg) sous forme de graisses. Les deux groupes « actifs » ont d'ailleurs préservé leur masse non graisseuse dans une plus grande proportion que le groupe de contrôle, un effet probable de la musculation. Enfin, la force physique a globalement augmenté dans le groupe LA, et surtout dans le groupe MA, alors qu'elle reculait dans le groupe C. Cette étude montre que l'association endurance + résistance + régime basses calories est plus efficace et plus bénéfique du point de vue de la perte de poids que le seul régime[199].

Le moment est venu de conclure sur ce chapitre de la minceur. Nous avons vu que les régimes dissociés et les régimes basses-calories étaient incapables d'entraîner une réduction de poids à long terme. Je vous ai montré que ces régimes, en plus d'être inefficaces, peuvent être dangereux.

Vous avez pu vous familiariser avec la notion de métabolisme de base, et le rôle crucial de celui-ci dans le maintien d'un poids de forme. Sur le plan nutritionnel, je vous ai montré que les régimes riches en glucides complexes et pauvres en graisses garantissent les meilleurs résultats. Enfin, je crois vous avoir convaincu de l'efficacité remarquable de l'exercice physique pour modifier durablement le rapport graisses/muscles dans le corps. J'aurais pu consacrer une bonne trentaine de pages aux autres bienfaits de l'exercice, notamment pour prévenir les maladies cardio-vasculaires ou le diabète de type 2, mais ce sujet déborde le cadre de ce livre.

A la différence des soi-disant gourous de la minceur, dont on cherche en vain les sources scientifiques, j'ai étayé ma démonstration des résultats de plusieurs études contrôlées.

Je vais maintenant vous donner tous les ingrédients pour mettre en œuvre un programme efficace pour votre ligne, et bénéfique pour votre santé physique et votre équilibre psychique.

Les stratégies qui vous aident à garder la ligne

🍃 Si votre consommation de calories se situe dans la normale, ne diminuez pas le nombre de ces calories : diminuez plutôt le pourcentage des calories qui proviennent des corps gras. Equilibrez vos repas, de manière que les graisses représentent 15 à 25 % au plus de l'apport calorique. Les protéines apporteront 10 à 15 % des calories, et les glucides le reste.

🐾 Pour un même apport calorique, prenez 4 repas au lieu de 3. Livrés à eux-mêmes, les animaux ont tendance à s'alimenter tout au long de la journée, sans prendre de poids. Lorsqu'on réduit à un par jour le nombre de leurs repas, les rats de laboratoire grossissent. Des autopsies ont montré que le corps de rats nourris une fois par jour contenait 24 % de graisses et 18 % de masse sèche, alors que ceux nourris au long de la journée avaient 8 % de graisses et 22 % de masse sèche !

🐾 Evitez de consommer des repas copieux le soir. Le métabolisme de base diminue pendant la nuit, et vous aurez plus de mal à brûler ces calories.

🐾 Evitez les sucreries. Une alimentation riche en sucreries apporte des calories, mais peu de nutriments essentiels à l'hypothalamus : le mécanisme régulateur de la faim se dérègle et réagit sans modération dès que le taux de sucre du sang chute, comme c'est le cas dans l'hypoglycémie.

🐾 Certains médicaments peuvent entraîner une augmentation de poids : anticoagulants ; antidépresseurs ; anti-inflammatoires ; antispasmodiques ; contraceptifs oraux ; corticoïdes ; tranquillisants, sédatifs, barbituriques, hypnotiques. Interrogez votre médecin.

LES NUTRIMENTS QUI VOUS AIDENT À GARDER LA LIGNE

🐾 Le lithium et le nicotinamide, en augmentant la sécrétion de sérotonine, diminuent l'appétit.

🐾 La L-phénylalanine, un acide aminé, a la propriété de stimuler la sécrétion de cholécystokinine, une hormone qui, elle aussi, donne à l'organisme une sensation de satiété[200]. On trouve de la phénylalanine dans le lait et les viandes.

🐾 La L-tyrosine favorise la sécrétion de noradrénaline en présence de vitamines C et B_6. La noradrénaline augmente le métabolisme du corps par stimulation du système parasympathique.

🐾 La L-ornithine, la L-arginine[201] et la L-dopa, trois acides aminés, augmentent les sécrétions d'hormone de croissance laquelle agit sur le métabolisme de base.

🐾 La L-carnitine, un autre acide aminé, aide l'organisme à transformer les graisses en énergie : la carnitine assure le transport des graisses dans les mitochondries (au cœur des cellules) pour qu'elles y soient brûlées. Cet effet n'est réel que lorsqu'il s'accompagne d'une activité physique soutenue et régulière.

🐾 Le chrome : il peut favoriser la perte de graisses corporelles et le gain musculaire. L'hyperinsulinémie est une condition pathologique associée à un taux de sucre sanguin (glycémie) élevé, un état qui favorise l'obésité par suite d'une synthèse excessive d'acides gras. Le chrome améliore l'efficacité de l'insuline et contribue à régulariser sa sécrétion, réduisant par la même occasion les triglycérides. Le chrome améliore du même coup la captation des acides aminés par la cellule, ce qui permet à l'organisme de synthétiser plus de protéines. Plusieurs expériences ont montré que des suppléments de chrome picolinate entraînaient une perte de tissu adipeux et une augmentation de la masse musculaire chez les sportifs[202].

🐾 Des études préliminaires suggèrent que les suppléments de multivitamines/multiminéraux empêchent le BMR de chuter dans le cadre d'un régime basses calories[203].

Suppléments suggérés pour retrouver la ligne (de pair avec exercice)

- *L-arginine : 5 à 10 g au coucher avec un verre d'eau ou, si le sommeil en est perturbé, une heure avant un exercice physique (dans les deux cas, sur un estomac vide) ou :*
- *L-ornithine : 2,5 à 5 g au coucher avec un verre*

d'eau ou, si le sommeil en est perturbé, une heure avant un exercice physique (dans les deux cas, sur un estomac vide)
- *L-tyrosine : 1 g loin des repas*
- *L-tryptophane : 1 à 2 g avant les repas*
- *L-carnitine : 500 mg, 1 ou 2 gélules par jour (sur un estomac vide)*
- *Vitamine C : 1 à 3 g par jour*
- *Complexe de vitamines B : 50 mg, 1 à 3 comprimés par jour*
- *Multivitamines/multiminéraux : 1 comprimé matin et soir*
- *Chrome picolinate : 200 μg*

L'EXERCICE PHYSIQUE : UNE PANACÉE POUR RETROUVER LA LIGNE

L'exercice physique contribue à faire chuter les réserves de graisses de l'organisme. L'exercice anaérobie se traduit par une augmentation rapide et durable du BMR. Essayez de faire 3 séances hebdomadaires de musculation de 45 minutes chacune, précédées d'au moins 15 minutes d'activité aérobie à 65-80 % de la fréquence cardiaque maximale (rameur, vélo, etc.). Ne dépassez pas 65 % si vous souffrez de troubles cardiaques.

Pour tirer le maximum de profit d'un exercice sportif, vous devez connaître la plage de sollicitation de votre cœur en nombre de battements par minute : seuil minimum (en deçà duquel vous ne bénéficiez pas de l'exercice) et seuil maximal à ne pas dépasser. Vous pouvez calculer ces deux chiffres simplement en soustrayant votre âge de 220, puis :

— pour le chiffre minimal : (âge-220) × 0,7
— pour le chiffre maximal : (âge-220) × 0,85.

Exemple : Vous avez 35 ans, vous solliciterez votre cœur entre 130 battements et 157 battements par minute pendant l'exercice.

PRÉCAUTIONS : Arrêtez tout exercice si vous ressentez une douleur dans la poitrine, des vertiges, des nausées. Ne reprenez pas l'entraînement sans avoir consulté un médecin.

Médicaments ou exercice : il faut parfois choisir

Certains traitements s'accommodent mal d'une activité physique intense. Si vous prenez l'un des médicaments ci-dessous, consultez votre médecin avant d'envisager la pratique continue d'un sport :

— amphétamines (stimulants du système nerveux central) ;
— anticoagulants : leur efficacité est augmentée pendant un exercice ;
— antidépresseurs tricycliques : amitriptyline (Elavyl®, Laroxyl®), désipramine (Pertofran®), imipramine (Tofranil®), nortriptyline (Motival®) ;
— antihistaminiques (traitement des allergies : Phénergan®, Polaramine®, Primalan®, Systral®, Théralène®) : risque de nausées et d'hypertension au cours d'un exercice physique ;
— antihypertenseurs : plus efficaces à mesure que la température du corps s'élève ;
— chloramphénicol (Cébénicol®, Ophtaphénicol®, Tifomycine®) : perte d'efficacité à mesure que la température s'élève ;
— digitaline : risque de toxicité ;
— diurétiques : risque de déshydratation ;
— scopolamine, scopolamine hydrobromide (Scopoderm®, Sédol®, Vagantyl®) ;
— propranolol (Avlocardyl®, Béprane®) ;
— inhibiteurs MAO : iproniazide (Marsilid®) ;
— chlorpromazine (Largactil®).

ET CEUX QUI VEULENT PRENDRE DU POIDS ?

Au nombre d'articles et de livres écrits sur le sujet, on pourrait penser que seuls les problèmes de perte de poids méritent d'être discutés. On aurait tort. En réalité, nombreux sont les hommes qui cherchent à prendre du poids et du volume musculaire. Pour ceux-là il est souvent plus difficile de prendre quelques kilos que de les perdre.

Si vous cherchez à prendre du poids, ne vous précipitez

pas sur les sucreries, les pâtisseries ou les glaces. Il ne s'agit pas d'alourdir votre corps en graisses, mais de consommer des aliments qui nourriront non seulement vos muscles (protéines) mais vous fourniront également de l'énergie (glucides complexes). Evitez les charcuteries, le veau, l'agneau, les fast-foods, les sauces, le beurre, la confiture, le lait entier, les fruits en conserve, les fromages trop gras, les chips et les frites, les pizzas au fromage, les crackers, pistaches et autres cacahuètes, les boissons gazeuses non allégées, l'alcool, le sucre et le sel de table, la caféine présente dans le café et le thé.

Ce dont vous avez besoin :

🐾 Un vrai petit déjeuner : chaque jour, par exemple, 1 banane + 2 œufs à la coque + 2 tartines de pain complet avec margarine + 1 verre de lait demi-écrémé + 1 bol de céréales + des vitamines.

🐾 De la viande et du poisson : au moins 1 fois par jour. Préférez des viandes maigres (poulet, dinde, rumsteck — évitez les entrecôtes et les sauces). Alternez viandes et poissons. Mangez du foie et des œufs.

🐾 Des légumes : pommes de terre, laitue, choux, concombre, céleri, carottes, asperges, épinards, chou-fleur, maïs, lentilles, champignons, tomates, riz brun...

🐾 Des fruits frais (nectarines...) et secs, et des fruits pressés de toutes sortes.

🐾 Des laitages : yaourt, lait demi-écrémé, fromages allégés.

🐾 Des pâtes (mais attention aux sauces).

🐾 Des blancs d'œufs (riches en acides aminés).

🐾 De l'exercice (anaérobie) : inscrivez-vous dans une salle de gymnastique et profitez-en pour faire de la musculation au moins 3 fois par semaine. Votre prise de poids sera ainsi due à un développement musculaire. En associant musculation et régime ci-dessus, vous pouvez gagner 5 kg dans les 3 premiers mois. Des gains (hommes) de 8 à 10 kg après 16 à 24 mois de ce programme sont fréquents.

Suppléments suggérés pour augmenter l'appétit et prendre du poids

- *Vitamine B_{12} : 2 000 µg, en prise sublinguale au petit déjeuner*
- *Vitamine B_6 : 100 mg matin et soir*
- *Multivitamines/multiminéraux : 1 à 2 comprimés*
- *L-isoleucine : 1 000 mg par jour (sur un estomac vide)*
- *L-leucine : 1 500 mg par jour (sur un estomac vide)*
- *L-valine : 1 000 à 1 500 mg par jour (sur un estomac vide)*
- *Lait : 1 verre au moins de lait demi-écrémé par jour, avec un peu de miel*
- *Acidophilus : 3 cuillères à soupe*
- *Protéines en poudre : 1 à 3 cuillères à soupe après un entraînement de musculation.*

GROS PLAN SUR LA FATIGUE

C'est la cause de consultation la plus fréquente. Des centaines de milliers de Français se plaignent d'être fatigués, mais la fatigue peut revêtir les formes les plus diverses. Si vous êtes souvent fatigué, le premier réflexe consiste à consulter un médecin pour procéder à un check-up qui permettra d'éliminer l'existence d'une maladie (maladies cardiovasculaires, hypertension, infection virale, allergies, mononucléose infectieuse, diabète, cancer en particulier).

La fatigue est souvent liée à un état dépressif dont on n'est pas forcément conscient. En effet, la sensation de fatigue ne s'accompagne pas toujours d'une baisse de moral ou de pensées sombres. Le stress est aussi un facteur déclenchant (le stress impose une surcharge de travail à l'organisme). Le retour à un état de forme passe dans tous ces cas par un traitement de l'état psychologique ou une modification des habitudes de vie. Mais la fatigue peut tout aussi bien être due à l'environnement dans lequel vous évoluez (pollution de l'air, additifs alimentaires, pesticides, etc.).

Le mauvais réflexe, c'est d'avoir recours à des palliatifs qui « masquent » la fatigue à court terme, mais se traduisent inévitablement par une dégradation à long terme, par exemple :

— le café ou certains médicaments « coup de fouet » qui contiennent de la caféine ;
— le tabac qui épuise vos réserves en vitamine C ;
— le sucre et les aliments sucrés.

STRATÉGIE ANTI-FATIGUE

✿ Respectez votre biorythme. 20 % de la population dort moins de six heures par nuit. C'est nettement insuffisant, en particulier si vous avez une activité physique ou intellectuelle importante. Selon le docteur Armand Murray, du Centre d'étude sur le sommeil à l'Université de Cornell (New York, USA), il suffit de trois nuits de veille tardive à la suite pour bouleverser notre horloge interne pendant les deux semaines qui suivent.

✿ Dépolluez votre organisme. Dans 15 à 20 % des cas, une fatigue chronique est due à une pollution passive. Si vous êtes sujet aux allergies, il y a de grandes chances que votre fatigue provienne de la pollution. Les allergènes (pollens, poussière, poils d'animaux), les polluants de l'air (monoxyde de carbone, oxydes de soufre, oxydes d'azote, fumée de cigarettes, ozone, formaldéhyde, colles, peintures) en particulier minent votre énergie. Des substances polluantes telles que les oxydes de soufre et d'azote augmentent considérablement le niveau des radicaux libres dans le corps, ce qui provoque un vieillissement prématuré et peut, à long terme, favoriser l'apparition de maladies dégénératives. Si vous vivez dans un environnement pollué, si vous vous plaignez de fatigue chronique, de maux de tête, de troubles de la mémoire, de troubles respiratoires, de maux de gorge, augmentez la part des antioxydants dans votre alimentation.

Les suppléments suivants sont aussi recommandés

- *Bêta-carotène (provitamine A) : 10 à 25 000 UI*
- *Complexe vitaminique B : 50 mg, 1 à 3 fois par jour*
- *Vitamine C : 500 à 1 000 mg*
- *Vitamine D : 200 à 400 UI*
- *Vitamine E : 100 à 400 UI*
- *Calcium : 250 à 1 000 mg*
- *Magnésium : 2 fois moins que de calcium*
- *Zinc : 15 à 30 mg*
- *Sélénium : 50 à 200 µg*

🌿 Evitez la cuisson agressive des aliments. Utilisez la cuisson à la vapeur chaque fois que possible.

🌿 Evitez de prendre du poids : ne dépensez pas votre énergie à « transporter » des kilos superflus.

🌿 Evitez les somnifères, et dans la mesure du possible les médicaments tranquillisants. Vous trouverez dans ce livre des suggestions à base de suppléments de vitamines, acides aminés et minéraux, qui peuvent vous aider à retrouver naturellement le sommeil et l'équilibre sans un recours systématique à des solutions médicamenteuses.

🌿 Le stress est une source de fatigue, mais le manque de stress a exactement les mêmes conséquences. L'absence de challenges, de perspectives, d'intérêt dans vos activités précède souvent l'installation d'une fatigue chronique. Stress ou manque de stress, remettez en cause votre style de vie. L'exercice simple qui suit peut vous aider. Dessinez deux cercles, côte à côte. Découpez le cercle de gauche, à la manière des parts d'une tarte, selon l'usage que vous faites aujourd'hui de votre temps : part du travail (dont temps de transport), sommeil, temps consacré à vos enfants, temps consacré à l'ensemble de votre famille, aux lectures de détente, aux hobbies, au sport, aux arts, à la communauté, aux amis, temps pour vous-même. Puis procédez de même à l'intérieur du cercle de droite en indiquant la répartition idéale, celle que vous souhaiteriez atteindre. Vous vous apercevrez peut-être que 60 à 75 % de votre temps passent dans le travail, les transports et le sommeil. En rééquilibrant vos centres d'intérêts, en consacrant plus de temps aux activités non professionnelles, vous diminuerez le stress du travail, vous créerez un « bon » stress, vous gagnerez en créativité, en dynamisme, et enrichirez votre vie affective. Vous aurez plus de recul par rapport à votre carrière et à vos objectifs.

🕊 Faites régulièrement de l'exercice. Aucun régime, aucun supplément ne peut remplacer les bénéfices de l'exercice. Plus vous êtes actif et plus vous avez de l'énergie. L'énergie provient d'une consommation de calories (fournies par la nourriture), l'oxygène étant le carburant qui transforme ces calories en énergie. Si votre corps ne reçoit pas assez d'oxygène, vous manquez d'énergie. Plus vous êtes actif, plus vous avez d'énergie... et plus vous êtes actif. L'exercice, combiné à un régime alimentaire adéquat, voilà ce dont vous avez besoin.

🕊 Buvez 1,5 à 3 litres d'eau par jour (Contrex, Hépar, Badoit).

🕊 Rééquilibrez votre alimentation. Evitez les sucres trop rapides (une élévation soudaine du taux de glucose est généralement suivie d'une baisse aussi brusque de ce taux). Evitez caféine, tabac et excès d'alcool. Ayez une alimentation riche en glucides complexes (fruits, légumes, céréales) et en fibres. Dès l'instant où vous apportez plus de glucides à votre organisme, vous devez aussi lui fournir les nutriments qui lui permettent de le métaboliser. Les vitamines B_1, B_2, B_3, B_5, B_8 sont toutes impliquées dans cette combustion. La coenzyme Q_{10}, la carnitine, sont aussi importantes dans toutes les réactions qui produisent de l'énergie.

🌺 Essayez la vitamine B_{12} en prise sublinguale ou en injections. Dans les années 60 en Californie, à l'époque glorieuse du *flower-power*, on pratiquait souvent les piqûres de vitamine B_{12} (et d'autres expériences moins anodines) dans la communauté hippie[204]. La vitamine B_{12} avait la réputation d'augmenter la sensation d'énergie. A l'époque, le corps médical évoquait un effet placebo. Cependant, il semblerait qu'il y ait bien un effet « vitamine B_{12} » en particulier chez ceux dont les taux sont bas. La forme en hydroxocobalamine semble mieux absorbée par l'organisme[205].

Suppléments suggérés pour augmenter votre énergie

- *Multivitamines / multiminéraux : 1 comprimé 2 fois par jour*
- *Vitamine A : 10 000 à 25 000 UI par jour pendant 5 jours, puis une pause de 2 jours*
- *Vitamine B_{12} : 500 à 1 000 µg (prise sublinguale ou injections)*
- *Vitamine C : 1 à 3 g*
- *L-carnitine : 1 à 1,5 g loin des repas*
- *L-tyrosine : 500 à 1 500 mg loin des repas*
- *Coenzyme Q_{10} : 10 à 30 mg*

LA « GUEULE DE BOIS »

L'alcool fait partie de la fête. Il diminue tensions et inhibitions, crée un sentiment de bien-être, augmente appétit et plaisir de manger. Ces sensations sont dues au coup de pouce (temporaire) dont bénéficient plusieurs neurotransmetteurs du cerveau après un ou deux verres. C'est le cas de la sérotonine — qui module tension et humeur —, de la dopamine — associée aux sensations de plaisir —, de l'acide gamma-aminobutyrique (GABA) — un anxiolytique naturel.

Une partie de l'alcool absorbé est immédiatement dégradée dans l'estomac par une enzyme (alcool déhydrogénase). La concentration de cette enzyme est plus faible chez la femme, ce qui explique, mesdames, que votre alcoolémie grimpe plus vite. On tiendrait aussi avec cette enzyme la raison pour laquelle l'alcool est moins néfaste lorsqu'il est absorbé lentement ou qu'il est dilué (vin, bière). Dans ces cas, l'enzyme éviterait la saturation et dégraderait une quantité plus importante d'alcool. De même, on peut trouver ici une base scientifique à la pratique qui consiste à avaler un peu d'huile avant une soirée arrosée, l'huile freinant l'absorption et augmentant le métabolisme gastrique. D'une manière générale, tout ce qui ralentit l'absorption de l'alcool en diminue les effets toxiques, d'où l'intérêt de s'alimenter en buvant. Sachez aussi que les graisses (viandes, fromages), prises avant ou pendant la boisson, freinent efficacement l'absorption d'alcool.

La plus grande partie de l'alcool, cependant, pénètre rapidement le flux sanguin par les muqueuses de l'estomac et de l'intestin grêle. Plus le corps contient d'eau, plus cet alcool sera dilué. Pas de chance pour les femmes, dont l'organisme contient plus de graisses et moins d'eau que celui des hommes, et qui seront donc plus sensibles aux effets de l'alcool. C'est au foie que revient le rôle ingrat de métaboliser l'alcool que vous avez bu. Il s'acquitte de cette tâche à raison de 6 g en moyenne d'alcool par heure. Dans le foie, l'alcool est dégradé en acétaldéhyde, un poison qui est en temps normal pris en charge par les cellules hépatiques et utilisé pour fournir de l'énergie. Lorsque l'ambiance de la soirée est telle que le foie est surchargé, l'alcool en excès est remis en circulation et de l'acétaldéhyde non dégradé va exercer ses ravages entre foie et cerveau.

L'alcool augmente l'élimination d'eau par les reins, en inhibant l'hormone antidiurétique (vasopressine). Consommer des alcools forts sans les accompagner d'eau peut entraîner une déshydratation. Buvez donc de grandes quantités d'eau, pendant et après une soirée. C'est une assurance simple contre de nombreux désagréments, dont la fameuse gueule de bois du lendemain. Une autre approche, très en vogue aux USA, consiste à pallier la chute de vasopressine naturelle par une pulvérisation nasale de vasopressine synthétique[206], vendue sur ordonnance (Diapid® ; il existe des contre-indications).

Plusieurs substances naturelles ont la propriété d'augmenter le métabolisme de l'alcool, donc d'accélérer son élimination. C'est le cas du ginseng d'Asie (*Panax Ginseng*), dont les effets favorables sont attestés par plusieurs études cliniques[207] (100 mg pendant et après la soirée), et de la vitamine C (1 000 à 3 000 mg en plusieurs prises), qui fait chuter plus rapidement le taux d'alcool dans le sang[208]. La L-cystéine, un acide aminé, semble neutraliser partiellement la toxicité de l'acétaldéhyde[209] (1 000 mg, à faire préparer en pharmacie et à prendre en milieu de soirée). Si vous avez passé le point de non-retour, le gingembre a des effets anti-nausées bien documentés (500 à 1 000 mg).

Le réflexe « aspirine » doit être envisagé avec précaution. Lorsque l'alcool est encore présent dans le sang, un comprimé d'aspirine peut en réalité faire grimper l'alcoolémie de 10 à 20 % !

Enfin, si vous demandez à votre grand-mère la veille du réveillon sa recette miracle contre la gueule de bois, lisez ce qui suit. Dans une étude de 1983, on a voulu tester l'efficacité de la vieille pratique qui consiste à boire du café (salé) après une soirée bien arrosée. La combinaison alcool-café s'est révélée... explosive, puisqu'elle a propulsé les volontaires dans un trip éthylique prolongé...

Nutrition et syndrome de fatigue chronique (CFS)

Fatigué sans raison depuis plusieurs mois, au point de devoir ralentir sensiblement le rythme de vos activités quotidiennes ? Vous souffrez peut-être du syndrome de fatigue chronique (CFS), connu à la fin des années 80 sous le nom de « maladie des yuppies », parce qu'il touche surtout des individus jeunes, actifs et éduqués. Le CFS concernerait cinq à six personnes sur cent mille, entre 18 et 50 ans, l'âge moyen des malades étant de 37 ans, et les femmes deux fois plus nombreuses que les hommes.

Les National Institutes of Health américains ont reconnu en 1988 que le CFS était une affection réelle, et ont établi une grille d'aide au diagnostic. Les personnes souffrant de CFS doivent remplir les deux critères majeurs et six des onze critères mineurs de la liste ci-dessous.

Critères majeurs :
— fatigue ou fatigabilité existant depuis 6 mois au moins chez des personnes n'ayant jamais auparavant éprouvé de tels symptômes. La fatigue n'est soulagée ni par le repos ni par le sommeil ; elle est suffisamment sérieuse pour réduire ou affecter les activités quotidiennes de 50 % au moins ;
— exclusion d'autres causes de fatigue chronique (maladie auto-immune, cancer, infections, etc.).

Critères mineurs :
Les symptômes sont apparus avec la fatigue ou juste après, et doivent être présents depuis 6 mois au moins :
1. fièvre légère (37°5 à 38°6) ;
2. mal de gorge ;
3. ganglions du cou ou de la tête douloureux ;
4. faiblesse musculaire générale inexpliquée ;
5. douleurs musculaires ;
6. fatigue généralisée prolongée (plus de 24 heures) ;
7. maux de tête généralisés (ne ressemblant à aucun des maux de tête éprouvés jusqu'alors) ;
8. douleurs articulaires migratoires sans gonflements ni inflammations de la peau ;
9. troubles neuropsychologiques (photophobie, perte de mémoire, irritabilité, confusion, difficultés de concentration, dépression) ;
10. troubles du sommeil (hypersomnie, insomnie) ;
11. les symptômes principaux sont apparus en quelques jours ou quelques heures.

On a cru jusqu'à une date récente que le CFS était provoqué par le virus de la mononucléose (Epstein-Barr). Mais pour le docteur Carol Jessop, spécialiste du CFS à l'Université de San Francisco, « il n'y a pas une cause unique, mais des facteurs déclenchants : infections virales ou parasitaires, abus d'antibiotiques, qui finissent par affaiblir le système immunitaire ». Contrairement à ce qui se passe en France, où les patients se heurtent au scepticisme des médecins, des traitements existent aux Etats-Unis, qui permettent à de nombreux malades de reprendre une vie normale. L'amélioration passe généralement par :

— une modification du régime alimentaire : plus de fruits et légumes, moins de viandes ;
— la réduction absolue de tous sucres rapides, levures, miel, lait ;
— la prise de suppléments multivitamines/multiminéraux, ainsi que d'acides gras essentiels ;
— la prise de doses élevées de vitamine C (parfois en injections) ;
— la prise de doses élevées de vitamine B_{12} (en injections : 2 000 à 2 500 µg) ;
— la prise de magnésium (500 à 1 500 mg) ;
— la prise de suppléments de coenzyme Q_{10} (90 à 200 mg par jour) ;
— la prise de médicaments antifongiques : Mycostatine ® 500 000 à 1 000 000 UI 4 fois par jour) ou Nizoral ® (200 mg par jour) ; ou Triflucan ® (100 à 200 mg par jour). Ces médicaments doivent être prescrits par un médecin, et des examens sanguins de contrôle sont nécessaires pour certains d'entre eux ;
— la prise de DHEA (déhydro-épiandrostérone, une hormone ; suivi médical nécessaire).

Si vous souffrez de cette maladie particulièrement éprouvante, je vous encourage, avant d'entreprendre un traitement, de contacter l'une des deux associations américaines ci-dessous. Elles peuvent vous mettre en contact avec un médecin spécialisé et vous informer de l'état d'avancement de la recherche et des résultats thérapeutiques connus.

Pour plus d'informations :
— The National Chronic Fatigue Syndrome Association, 3521 Broadway, Kansas City, MO 64111 USA. Tél : (816) 931 4777
— The Chronic Fatigue and Immune Dysfunction Syndrome Association, PO Box 220398, Charlotte, NC 28222 USA. Fax : (704) 365 9755

Cette dernière organisation édite une revue d'information médicale remarquablement faite (*CFIDS Chronicle*), à laquelle collaborent chercheurs et médecins.

LE SPORT : UNE ASSURANCE-SANTÉ

Le sport combat la fatigue, permet de contrôler le poids et facilite l'élimination. La santé n'est pas totale si vous ne soumettez pas votre corps à une activité physique, quelle qu'elle soit. L'exercice vous met à l'abri des crises cardiaques, diminue la tension artérielle, réduit le taux de cholestérol HDL. Un cœur entraîné à l'exercice a besoin de moins d'oxygène pour fonctionner et résiste mieux lorsque l'oxygène manque (ce qui est le cas lors d'une crise cardiaque). L'exercice stimule la sécrétion d'endorphines (analgésiques naturels) et diminue donc le stress et la dépression. L'exercice renforce le système immunitaire, facilite le traitement du diabète, augmente l'énergie et la sensation de bien-être, favorise l'assimilation des vitamines, des minéraux et des protéines.

ALIMENTATION ET SPORT

Si vous ne recherchez pas le volume musculaire, vous n'avez pas besoin de plus de 100 g de protéines par jour, quel que soit le sport que vous pratiquez. Manger plus de protéines (et en particulier des protéines animales) ne vous fera aller ni plus loin ni plus vite. Au contraire, vous courez le risque, par une consommation excessive de phosphore — contenu dans les viandes —, de perdre du calcium, du zinc, du potassium et du magnésium. De plus, les protéines en excès sont transformées en graisses par le corps.

Ce dont vous avez besoin, c'est de carburant, c'est-à-dire de glucides. Il existe deux types de glucides : les glucides simples (à utilisation rapide : sucre, miel, bonbons) et les glucides complexes (à utilisation lente : pain, riz, pommes de terre, pâtes, céréales, légumes). Dans l'idéal, votre régime alimentaire doit donner la part belle aux glucides complexes. Les glucides complexes favorisent la combustion des graisses du corps et ce sont les aliments de la performance. Au contraire, les glucides simples ont des inconvénients pour le sportif : ils augmentent le taux de triglycérides (graisses) du sang et le risque de caries.

Voici un exemple de régime alimentaire recommandé pour les sportifs de haut niveau :

— glucides à utilisation lente (amidons) : 60 à 80 % ;
— glucides à utilisation rapide (sucres) : 5 à 10 % ;
— protéines (d'origine animale et végétale) : 10 à 15 % ;
— lipides (d'origine animale et végétale) : 5 à 20 %.

POUVEZ-VOUS AMÉLIORER VOS PERFORMANCES EN PRENANT DES SUPPLÉMENTS ?

La réponse est oui. Et ce pour plusieurs raisons :

↬ Vous n'avez, au moment où vous lisez ces lignes, probablement pas votre quota minimum de vitamines et minéraux. Contrairement à ce que vous pensez, vous présentez certainement une carence d'apport dans l'un au moins de ces nutriments essentiels : vitamine A (si vous suivez un régime pauvre en graisses) ; vitamine B_1 et magnésium (un Français sur deux) ; vitamine B_2 (si vous faites beaucoup de sport) ; vitamine B_3 (si vous mangez beaucoup de sucre) ; vitamine B_6 et B_9 (si vous prenez la pilule) ; inositol et potassium (si vous buvez beaucoup de café) ; vitamine C (si vous fumez, si vous êtes stressé) ; vitamine D (si vous êtes âgé, si vous prenez des anticonvulsivants) ; calcium et fer (si vous êtes une femme) ; zinc (si vous suivez un régime végétarien, si vous prenez des diurétiques). 100 % des Français ne reçoivent pas dans l'alimentation les quantités recommandées en vitamine E, 80 % d'entre eux en zinc et vitamine B_6, 60 % en magnésium et vitamine B_1.

↪ La pratique intensive d'un sport augmente certaines carences, par la simple transpiration, l'excrétion urinaire augmentée (les sportifs boivent plus), mais aussi le stress physique et mental de l'entraînement et de la compétition. Des minéraux (calcium, potassium, magnésium), certaines vitamines (B_2) risquent ainsi de vous manquer. Le professeur Kipling, responsable de la consultation médico-sportive de l'hôpital du Bocage à Dijon, a voulu étudier la ration vitaminique moyenne des sportifs français. Son enquête, qui portait sur des sportifs âgés de 15 à 23 ans, a montré que la majorité des sportifs avaient des déficits importants dans plusieurs vitamines, et que ces déficits n'étaient pas corrigés par l'alimentation.

Le laboratoire de biophysique de la faculté de médecine de Montpellier, dirigé par le docteur François Bluche, s'est spécialisé dans l'analyse des oligo-éléments dans tous les types de poils. La Fédération française d'athlétisme lui a demandé (novembre 1994) de procéder au suivi de cinq athlètes de haut niveau. Chaque jour, leurs poils de barbe seront analysés pour tenter d'apprécier le degré d'élimination de vitamines et minéraux en période d'entraînement. La FFA s'inquiète en effet de voir des athlètes d'endurance accuser, en cours de saison, des baisses de forme brutales et inexpliquées, qui mettent souvent un terme à une saison sportive. Ce phénomène est peut-être simplement dû à des carences en micronutriments[210]. Il faut très certainement prendre des suppléments lorsque l'on pratique régulièrement un sport.

🕮 Les vitamines du groupe B : les besoins en vitamine B_1 peuvent être multipliés par 15 pendant un effort[211]. Des suppléments de vitamine B_2 sont parfois nécessaires pour rétablir le niveau de ce nutriment dans le sang de joggers[212]. Les régimes riches en glucides (nécessaires à la performance) et pauvres en vitamine B_3 entraînent une diminution de la capacité aérobie[213]. La vitamine B_6 est indispensable à l'organisme pour utiliser les protéines de l'alimentation et reconstruire les fibres musculaires[214]. Mais les sportifs ont tendance à abuser de protéines, une habitude qui peut créer une subcarence en vitamine B_6.

🕮 La vitamine C : elle améliore la combustion des graisses corporelles, qui sont la source d'énergie privilégiée par le corps au cours d'un effort prolongé[215]. Elle améliore aussi la capacité aérobie[216]. Dans une expérience, on a donné 2 000 mg de vitamine C à un groupe de sportifs alors qu'un autre groupe prenait un placebo. L'endurance des deux groupes fut ensuite testée à haute altitude. Dans le groupe supplémenté, cette endurance fut supérieure de 26 % à celle constatée dans le groupe placebo[217]. La vitamine C est aussi nécessaire à l'organisme pour sécréter les catécholamines en réponse aux stress physiques.

🕮 La vitamine E : elle peut soulager les sportifs victimes de crampes musculaires[218]. Elle protège aussi l'organisme des radicaux libres liés à la consommation accrue d'oxygène[219]. Des suppléments de vitamine E (200 mg, 2 fois par jour) ont permis de maintenir la performance athlétique au cours d'une expérience menée à 5 100 m d'altitude[220].

🕮 Les minéraux : les taux de magnésium et de potassium chutent rapidement après un effort important[221]. Les sportifs qui boivent de l'eau après un effort important oublient souvent que la sueur a « lessivé » avec elle de précieux électrolytes, minéraux et oligo-éléments. Le sélénium est indispensable au bon fonctionnement d'une classe d'enzymes, les glutathion-peroxydases, qui s'opposent aux ravages des radicaux libres. Le zinc améliore la résistance des animaux supplémentés[222].

🅰 Les acides aminés : la carnitine est le système de transport utilisé par les graisses pour parvenir aux mitochondries, les fours cellulaires qui fournissent l'énergie. Dans les expériences sur l'animal, des suppléments de carnitine ont permis d'améliorer endurance et performance. L'arginine favorise la régénération d'ATP, la monnaie d'échange énergétique utilisée par les cellules[223]. Les suppléments d'acides aminés branchés (BCAAs : leucine, isoleucine et valine) réduisent la production d'ammoniaque pendant et après l'effort, ce qui pourrait retarder l'apparition de la fatigue physique[224].

🅰 La coenzyme Q_{10} est indispensable au métabolisme énergétique[225]. L'acide aspartique améliore la capacité à l'effort[226]. L'ail améliore l'endurance lorsqu'il est donné à des animaux[227]. Le ginseng augmente endurance et performance physiques chez l'athlète[228].

Suppléments suggérés à ceux qui pratiquent régulièrement un sport

- *Multivitamines/multiminéraux : 1 comprimé à chaque repas*
- *Complexe de vitamines B : 50 à 100 mg, 2 fois par jour*
- *Vitamine C : 1 à 3 g par jour*
- *Vitamine E : 100 à 400 UI, 1 à 3 fois par jour*
- *L-carnitine : 600 à 1 200 mg (sur un estomac vide)*
- *L-arginine 600 à 1 200 mg (sur un estomac vide)*
- *BCAAs : 3 comprimés par jour*
- *Sélénium : 50 à 100 µg*
- *Magnésium : 500 mg*
- *Calcium : 1 000 mg*
- *Potassium : 100 à 200 mg*

Avant une compétition, les athlètes de haut niveau utilisent parfois la technique dite du *carb loading* (surcharge glucidique). L'idée est la suivante : les réserves de glycogène (carburant des muscles) s'épuisent généralement après une heure et demie d'exercice intense (60 à 80 % de la VO2 max). Dès que le glycogène s'abaisse trop, l'athlète commence à ressentir les effets d'une fatigue importante. L'organisme doit en effet changer de carburant et utiliser ses réserves de graisses. Mais à ce moment, le coût en oxygène du carburant devient très élevé, puisque la combustion des graisses nécessite plus d'oxygène par unité d'énergie produite que la combustion des sucres. De ce fait, l'athlète est souvent amené à ralentir le rythme de son effort (50 % de la VO2 max). Lorsque le glucose vient à manquer, l'hypoglycémie guette. L'organisme puise donc dans les réserves de glycogène du foie. Dans les cas extrêmes, le corps cherche désespérément à maintenir le niveau de sucre dans le sang ; comme il ne peut pas utiliser les graisses pour fabriquer ce glucose, il risque de se servir dans ses propres protéines.

Il est donc important d'aborder une compétition avec des réserves de glycogène au plus haut niveau, et de ne pas les gaspiller dans la première partie de l'épreuve par suite d'un rythme trop élevé.

On peut littéralement stocker 2 fois plus de glycogène avant un effort important (les athlètes expérimentés sont capables de prendre le départ d'une compétition avec 2 kg de glycogène musculaire !). Voici comment fonctionne la technique du *carb loading* popularisée par les marathoniens dans les années 60 : 5 jours avant la compétition, entraînez-vous à fond de manière à épuiser votre glycogène. Pour maintenir le glycogène à un niveau très bas, évitez de vous nourrir de glucides. Prenez des protéines et des corps gras au cours des repas de ce même jour, et pendant les 2 jours qui suivent. Vous ressentirez probablement une fatigue et une impression de léthargie. Trois jours avant l'épreuve, entraînez-vous légèrement pour achever la phase d'épuisement glycogénique. Au cours des 2 jours qui précèdent l'épreuve sportive, ne vous entraînez plus. Faites des repas riches en glucides. Le jour J, votre organisme aura stocké 2 fois plus de glycogène que d'habitude, et votre énergie s'en ressentira. Ce programme ne convient pas à tous les athlètes. Une version plus soft consiste à diminuer sensiblement le volume d'entraînement 2 ou 3 jours avant une épreuve tout en consommant un régime alimentaire très riche en glucides.

Voici un autre conseil pour aborder une épreuve et vous assurer que votre corps ne manquera pas de vitamines et minéraux pendant l'effort. Pour cela, écrasez puis faites dissoudre dans un litre d'eau 1 à 3 comprimés de multivitamines/multiminéraux, avec du sodium. Veillez à ce que vos comprimés contiennent magnésium (500 mg), potassium.

Les boissons riches en sucres sont populaires chez les athlètes, mais l'erreur consiste à les absorber 30 à 60 minutes avant un effort. Dans ce cas, en effet, l'arrivée du sucre provoque une brusque montée d'insuline, qui à son tour augmente la consommation de glycogène et fait courir un risque de fatigue prématurée. En revanche, lorsque la boisson est ingurgitée dans les minutes qui précèdent l'effort, la réponse de l'insuline est freinée par la sécrétion des catécholamines qui accompagne un exercice physique important. Ces boissons peuvent être prises à intervalles réguliers au cours de l'épreuve : leur sucre est utilisé immédiatement, ce qui évite à l'organisme de trop puiser dans les réserves de glycogène.

MUSCULATION ET BODY-BUILDING

Qu'il s'agisse de se préparer à la compétition sportive ou de développer la masse musculaire du corps, la musculation est devenue en quelques années une pratique courante dans la plupart des salles de gymnastique.

Pratiquée seule, la musculation a des inconvénients non négligeables : elle réduit la souplesse articulaire et favorise l'apparition de micro-traumatismes. Une séance de musculation doit être précédée d'un long échauffement et suivie d'exercices d'assouplissement. Voici quelques règles simples pour tirer tout le profit d'un travail avec des poids :

— soyez régulier : entraînez-vous 3 fois par semaine, à raison d'une heure à une heure et demie par séance ;

— ne privilégiez pas la partie supérieure du corps : n'oubliez pas que tout repose sur vos membres inférieurs et sur vos muscles lombaires et abdominaux ;

— associez dans la même séance des régions complémentaires, par exemple : pectoraux / triceps, dorsaux/biceps, épaules/jambes ;

— pour chaque groupe de muscles, 3 à 4 exercices (mouvements) différents, 4 à 5 séries par exercice, 10 à 12 répétitions par série. Augmentez progressivement les charges avec chaque série ;

— pour prendre du volume, travaillez lentement sur des séries courtes avec des charges lourdes (60 à 80 % de votre maximum) ; pour dessiner les muscles, travaillez plus vite sur des séries longues avec des charges moyennes (40 à 60 % de votre maximum) ;

— n'ayez pas peur de marquer des pauses dans votre entraînement. Contrairement aux idées reçues, on ne prend pas de poids en arrêtant la musculation ;

— si vous rêvez d'un physique à la Schwarzenegger, évitez les stéroïdes anabolisants (qui entraînent des lésions irréversibles) ; au contraire, multipliez les séances d'entraînement, augmentez votre consommation de glucides complexes et prenez des compléments de vitamines, minéraux et acides aminés.

Le travail avec les poids entraîne une grande consommation de glucides (source d'énergie) et de protéines (nourriture des muscles). Un régime alimentaire adéquat constitue donc la base d'une pratique à long terme de la musculation. Ce régime doit fournir un nombre de calories supérieur à celui entraîné par la dépense d'énergie. Il sera donc riche en glucides complexes, pauvre en sucres raffinés, sel, graisses et alcool. Il est conseillé de boire beaucoup d'eau. Idéalement, 60 % de l'apport calorique total doit être fourni par des glucides, 20 % par des protéines et le reste par des graisses. Ne surchargez pas votre corps en protéines, un défaut de la plupart de ceux qui pratiquent la musculation. Dans une expérience conduite auprès de culturistes, c'est le groupe qui se nourrissait majoritairement de glucides qui a vu sa masse musculaire augmenter le plus (probablement parce que les réserves de glycogène étaient plus importantes dans ce groupe, autorisant du même coup un volume d'exercice plus conséquent)[229].

Pour des résultats rapides, les nutriments suivants sont aussi suggérés :

✍ Le vanadium (vanadyl sulfate) : il améliore l'efficacité de l'insuline, favorisant du même coup la pénétration de glucose et d'acides aminés dans les cellules, ce qui se traduit par un effet anabolisant[230]. Attention, ce produit est encore expérimental.

✍ Le chrome picolinate : il agit selon un mécanisme proche. Dans une expérience, il a permis à un groupe de sportifs de gagner un volume musculaire significatif par rapport à un groupe qui prenait un placebo[231].

✍ L'arginine et la lysine : dans une expérience, des suppléments (1 200 mg de chaque) pris au coucher ont entraîné un accroissement de la masse musculaire au bout de quelques semaines d'entraînement avec des poids[232]. D'une manière générale, toutes les substances qui augmentent la sécrétion d'hormone de croissance, arginine et ornithine par exemple, ont un pouvoir anabolisant.

Suppléments suggérés à ceux qui pratiquent la musculation

- *Multivitamines/multiminéraux : 2 à 3 comprimés*
- *Vitamine C : 2 000 à 3 000 mg*
- *Vitamine B$_{12}$: 1 mg*
- *Vitamine E : 400 UI, matin et soir*

- *Acides aminés dosés à 300 mg minimum : 1 à 4 comprimés par jour (sur un estomac vide)*
- *Chrome picolinate : 100 à 200 µg*
- *L-arginine : 3 000 à 6 000 mg (sur un estomac vide) ou :*
- *L-ornithine : 1 500 à 3 000 mg*

QUE FAIRE EN CAS DE BLESSURE ?

Les médicaments à base d'aspirine, de paracétamol ou d'ibuprofène permettent de réduire les douleurs musculaires et les inflammations. Pour autant, ils ne sont pas inoffensifs et vous devez en connaître les effets secondaires possibles avant de les utiliser.

L'aspirine n'a pas que les vertus que vous lui connaissez. Elle peut être responsable des effets secondaires suivants :
— saignements dans l'estomac, ce qui peut conduire à des ulcères gastroduodénaux ;
— hémorragies occultes ;
— réactions allergiques (urticaire, crises d'asthme, inflammation des muqueuses nasales) ;
— vertiges ;
— l'aspirine triple l'excrétion normale de vitamine C.

Les médicaments à base de paracétamol (Tylenol®, Aféradol®, Claradol®, Dafalgan®, Doliprane®, Efferalgan®, Gynospasmine®, Malgis®, Rhinofébral®, etc.) peuvent également avoir des effets indésirables : urticaire, rougeurs, fièvres, troubles gastriques. Pris à hautes doses, ils peuvent entraîner une diminution des globules blancs et des plaquettes dans le sang et endommager le foie, en particulier s'ils sont associés à une consommation d'alcool.

Les médicaments à base d'ibuprofène (Advil®, Analgyl®, Brufen®, Fénalgic®, Nurofen®) peuvent provoquer des troubles rénaux, des vertiges, des saignements de l'intestin, des crises d'allergie (asthme, urticaire), des troubles rénaux chez les diabétiques et les personnes âgées et entraîner une augmentation de la tension artérielle. Ces médicaments sont contre-indiqués dans les cas suivants : maladies cardiaques, hypertension, ulcères, troubles rénaux, prise d'anti-coagulants et d'anti-inflammatoires, grossesse.

Pour toutes ces raisons, si vous prenez ces médicaments, augmentez votre consommation d'aliments riches en vitamines C, B, A, calcium et potassium. Voici maintenant quelques suggestions pour faire face aux douleurs et blessures dont vous pourriez souffrir. Il ne s'agit ni d'un traitement médical, ni de prescriptions et vous êtes encouragé à consulter d'abord votre médecin.

DOULEURS MUSCULAIRES

Les douleurs musculaires sont normales après un exercice intense, et en particulier après une longue interruption. Essayez un supplément de vitamine E (400 à 1 000 UI) avec un complexe vitaminique B (1 à 3 comprimés par jour), de la vitamine C (1 à 5 g) et des suppléments d'acides aminés, jusqu'à disparition des douleurs.

HÉMATOMES

Pour prévenir l'apparition de bleus comme pour favoriser leur disparition, la solution s'appelle vitamine C (avec flavonoïdes). La vitamine C renforce la résistance des vaisseaux : 1 000 à 3 000 mg par jour. Les flavonoïdes se trouvent dans le thé, les fruits et les légumes. On peut les compléter par Daflon 500® (1 à 2 comprimés par jour).

ENTORSES, FOULURES

Elles apparaissent sous l'effet d'une élongation ou d'une torsion qui oblige l'articulation à aller au-delà de son champ de mouvement habituel. Les ligaments se distendent ou se déchirent, la douleur s'installe, accompagnée d'un gonflement rapide et d'une décoloration de la peau. La région touchée doit être immobilisée, bandée et si possible maintenue en position élevée (au-dessus du niveau du cœur). Il ne faut pas appliquer de chaleur dans les premières 48 heures, mais plutôt de la glace pour décongestionner l'articulation. Si l'entorse s'est accompagnée d'un bruit audible, il est nécessaire de consulter un médecin dans les 2 jours : en cas de rupture des ligaments, il sera encore possible d'envisager de les suturer.

Pour accélérer la guérison, vous pouvez prendre les suppléments suivants

- *Multivitamines/multiminéraux : 1 comprimé 2 fois par jour après un repas*
- *Vitamine C : 1 000 mg, 1 comprimé 2 fois par jour*
- *Vitamine E : 400 UI, 1 à 3 gélules par jour*
- *Calcium : 1 500 à 2 000 mg*
- *Magnésium : 750 à 1 000 mg*
- *Zinc : 10 à 30 mg*
- *Acides aminés : suivre les instructions du fabricant*

Pour prévenir les blessures
(avant un séjour de ski par exemple)

- *Multivitamines/multiminéraux : 1 comprimé 2 fois par jour*
- *Vitamine C : 1 000 mg, 1 à 3 comprimés par jour*
- *Complexe de vitamines B : 100 mg, 1 à 3 comprimés par jour*
- *Calcium panthoténate : 100 mg, 1 à 3 comprimés par jour*
- *Vitamine D : 400 UI par jour*
- *Choline : 500 mg, 1 comprimé par jour*
- *Calcium/magnésium : 2 comprimés par jour*

Vous pouvez accélérer la guérison en prenant des suppléments de calcium (1 000 à 1 500 mg par jour) et de vitamine D (400 à 2 000 UI par jour), dès que vous commencez
votre rééducation. Prenez aussi de la vitamine C (3 à 6 g),
et des complexes de minéraux contenant du zinc.

PEAU : CE QUI SE PASSE À L'INTÉRIEUR
SE VOIT À L'EXTÉRIEUR

La beauté, c'est d'abord une affaire de nutrition. Toutes
les crèmes du monde n'y pourront rien : si votre alimentation est déséquilibrée ou carencée, si vous fumez, si vous
suivez certains traitements médicaux, votre peau sera le
reflet fidèle des atteintes que subit l'organisme. Dans de
nombreux cas, un meilleur régime nutritionnel entraîne une
amélioration de l'aspect de la peau.

Les nutriments qui veulent du bien à votre peau :

↬ L'acide linoléique : une partie des graisses que nous
consommons est hydrogénée, c'est-à-dire que des huiles
végétales sont bombardées d'hydrogène, ce qui a pour effet
de les rendre moins fluides. Ainsi est obtenue la margarine,
dont les industriels nous ont vanté les qualités pour la santé
dans les années 60. Il s'agissait à l'époque d'offrir une alternative au beurre, réputé néfaste au système cardiovasculaire. Non seulement ces margarines ne sont pas meilleures
que le beurre pour les artères, mais il semblerait même
qu'elles soient par certains aspects plus dangereuses. Les
graisses hydrogénées constituent une part importante de
nos apports en lipides, puisqu'on les trouve aussi dans les
pâtisseries, les chocolats, les fritures (servies notamment
dans les restaurants fast-food), les préparations du type Fruit
d'Or. Ces graisses ne sont peut-être pas indiquées à ceux
qui souffrent d'acné, dans la mesure où elles peuvent créer

des carences locales dans un acide gras essentiel (linoléique), qui joue un rôle important dans la santé de la peau[233]. Les huiles de soja, de lin, de tournesol sont riches en acide linoléique.

🐚 L'acide gamma-linolénique (*gamma-linolenic acid*, ou GLA) : il est synthétisé dans l'organisme à partir de l'acide linoléique apporté par l'alimentation. Une autre réaction le transforme en acide dihomo-gamma-linolénique et acide arachidonique, lesquels sont incorporés dans les membranes des cellules. On trouve surtout du GLA dans l'huile d'onagre et de bourrache, mais il existe aussi des suppléments de GLA. Le GLA a été utilisé avec des résultats positifs, mais souvent modestes pour soigner l'eczéma atopique[234].

🐚 L'acide eicosapentaénoïque (EPA) et les huiles de poisson : le métabolisme de l'EPA est perturbé chez les personnes qui souffrent de psoriasis, ce qui conduit ces malades à synthétiser des quantités importantes de leucotriènes B_4 et C_4, impliquées dans les processus inflammatoires et d'agrégation. Des suppléments d'huile de poisson aiguillent la synthèse de ces substances vers un autre type de leucotriènes (B_5), lesquelles ont une action plus bénéfique. Ce mécanisme conduit à recommander à ceux qui souffrent de psoriasis un régime riche en huiles de poisson (*n*-3) et pauvre en graisses *trans* et saturées. Des suppléments d'huiles de poisson (50 ml, soit 9 g d'EPA) ont permis d'améliorer l'état de malades atteints de psoriasis[235].

🐚 Vitamine A : elle favorise la cicatrisation et la croissance des tissus et aide l'épiderme à résister aux infections. La vitamine A peut être efficace dans tous les cas de kératinisation (psoriasis, acné). Elle peut aussi prévenir, voire guérir, les lésions précancéreuses de la peau. Mais la vitamine A a l'inconvénient de provoquer des réactions parfois dangereuses lorsqu'elle est consommée à doses élevées. L'acide rétinoïque est la forme acide du rétinol. Elle accélère le renouvellement des cellules, diminue les ridules provoquées par l'exposition au soleil. Mais elle peut provoquer des rougeurs et des irritations et elle est contre-indiquée au cours du premier trimestre de la grossesse. Pour ces raisons, elle est délivrée sur ordonnance (Retin A®). Des dérivés synthétiques de la vitamine A, relativement peu toxiques (isotrétinoïne, étrétinate, acétrétine, arotinoïdes), ont été mis au point. On les utilise en applications locales pour contrer la kératinisation de la peau, un phénomène au cours duquel l'épiderme s'épaissit et devient rugueux. L'étrétinate n'est plus commercialisé en France, l'isotrétinoïne est vendue sous les marques Isotrex® et Roaccutane®, et délivrée sur ordonnance.

℘ Bêta-carotène (provitamine A) : le bêta-carotène est transformé en vitamine A dans l'organisme. A doses élevées, le bêta-carotène colore légèrement la peau. Dans les plantes, le bêta-carotène joue un rôle dans la protection contre les dégâts provoqués par les radiations qui parviennent à cette même chlorophylle. On l'utilise donc comme substance photoprotectrice dans le but de protéger la peau du rayonnement solaire. C'est ainsi que vous le trouvez dans un certain nombre de spécialités censées prévenir les brûlures du soleil ou accélérer le bronzage. Le bêta-carotène est enregistré comme photoprotecteur par la FDA dans le traitement de la porphyrie.

℘ Vitamine D : elle peut interférer avec les processus de kératinisation, une découverte qui a conduit à la mise au point de dérivés synthétiques (calcipotriol, vendu sous la marque Daivonex®) qui se sont révélés efficaces pour traiter le psoriasis en applications locales.

℘ Zinc : des suppléments de zinc sont parfois donnés aux patients qui souffrent d'acné commune, mais son efficacité reste incertaine, sauf s'il existe une carence réelle. Il faut souligner ici que l'alimentation des adolescents est souvent carencée en zinc, car ce minéral est indispensable à la croissance des tissus et au métabolisme des protéines. Une étude a montré que le zinc était alors efficace dans un peu plus de la moitié des cas[236]. Le zinc est essentiel à la cicatrisation des tissus et des suppléments de zinc se sont souvent révélés intéressants dans le traitement des escarres, telles qu'elles peuvent apparaître chez les malades hospitalisés[237].

🕭 Vitamine C : elle participe à la constitution du collagène. Les taux de vitamine C sont plus bas chez les fumeurs. Or, cette population est victime de rides précoces, en particulier au-dessus de la lèvre supérieure. Des suppléments de vitamine C peuvent en théorie ralentir la formation de ces rides.

🕭 Vitamine E : elle s'oppose à l'oxydation générée par les radicaux libres et protège les lipides des membranes. Les comédons sont dus à l'oxydation du squalène, une substance présente dans les glandes sébacées. La vitamine E inhibe l'oxydation du squalène in vitro[238]. La vitamine E semble être aussi un excellent filtre anti-UV[239], et une bonne alternative pour traiter l'acné[240]. Enfin, appliquée localement, elle accélère la cicatrisation de la peau après des brûlures[241] et prévient les anomalies de la cicatrisation.

🕭 L-cystéine : cet acide aminé soufré est largement présent dans le collagène. Les atomes de soufre de la cystéine sont reliés ensemble au sein des hélices des molécules de collagène, assurant la solidité et la flexibilité de l'ensemble. Les radicaux libres endommagent le collagène en s'attaquant aux liaisons formées par la cystéine. Lorsque celle-ci est présente en trop faible quantité, l'oxydation cutanée et donc le vieillissement sont accélérés. De fait, les nutritionnistes considèrent la cystéine comme un remarquable antioxydant.

🕭 Acides de fruits : les chimistes leur ont donné le nom d'alpha-hydroxy (AHAs). On les trouve dans de très nombreux fruits. La canne à sucre contient l'un des plus célèbres, l'acide glycolique. Ils agiraient en dissolvant la « colle » qui soude les cellules mortes à l'épiderme. La peau ainsi traitée prend un aspect plus juvénile et semble être plus sensible à l'hydratation. On trouve des acides de fruits, à des concentrations diverses, dans de très nombreuses crèmes vendues dans le commerce (une bonne formule est par exemple de 8 % d'acide glycolique en solution à 70 %).

Suppléments suggérés pour la santé de la peau

- *Multivitamines/multiminéraux : 2 comprimés matin et soir*
- *Vitamine A : 15 000 à 20 000 UI, 2 gélules par jour pendant 5 jours, puis une pause de 2 jours*
- *Vitamine C (avec bioflavonoïdes) : 1 000 à 3 000 mg*
- *Vitamine E : 400 UI*
- *Cystéine : 1 000 mg, loin des repas*
- *Zinc (gluconate) : 15 à 50 mg*

POUR EN FINIR AVEC L'ACNÉ

L'acné est une maladie de la peau qui ne se limite pas aux épidermes des adolescents. L'acné apparaît lorsque la production de sébum et de cellules mortes dépasse la capacité d'expulsion des pores. A l'âge adulte, certains facteurs favorisent ou aggravent les poussées acnéiques : contraceptifs oraux, stress, règles, ultraviolets, l'application de corps gras (produits de maquillage à base d'huiles, huile solaire...).

Les suppléments suivants peuvent vous aider

- *Multivitamines/multiminéraux : 1 comprimé par jour*
- *Vitamine E : 400 UI*
- *Vitamine A (anhydre) : 25 000 UI, 1 gélule par jour pendant 5 jours, puis pause de 2 jours*
- *Zinc : 50 mg*

ECZÉMA

Ce trouble de la peau fréquent se manifeste par des rougeurs, des squames et de l'inflammation. Les suppléments de GLA et d'huile d'onagre peuvent être bénéfiques :

- *Huile d'onagre : 2 capsules, 3 fois par jour*
- *Vitamine A : 10 000 à 25 000 UI pendant 5 jours, puis pause de 2 jours. Ne prenez pas de vitamine A pendant plus de 2 mois d'affilée*

PSORIASIS

Le psoriasis se manifeste par des taches rouges recouvertes de squames blanches qui s'écaillent. Les jambes, genoux, bras, coudes, oreilles, cuir chevelu, dos sont les régions les plus fréquemment touchées. Les ongles perdent leur coloration, se fissurent et deviennent cassants. Souvent héréditaire, le psoriasis est lié à une croissance rapide des cellules de l'épiderme, peut-être due à une perturbation dans le métabolisme des lipides. Il n'existe pas de remède radical contre le psoriasis, mais vous pouvez tenter l'approche nutritionnelle ci-dessous :

- *Huiles de poisson : 50 ml*
- *Calcipotriol (applications locales) : suivre les instructions du médecin*
- *Vitamine E (applications locales) : suivre les instructions du fabricant*
- *Vitamine A : 50 000 UI pendant 5 jours, puis pause de 2 jours. Au bout d'un mois, réduire à 25 000 UI*
- *Complexe de vitamines B : 50 à 100 mg*
- *Vitamine C : 1 000 à 5 000 mg*

Il s'agit d'une décoloration de la peau qui se manifeste par l'apparition de taches claires. Pour des raisons inconnues, la peau ne produit plus de mélanine, le pigment naturel de l'épiderme. Des nutritionnistes rapportent, de manière anecdotique, avoir soigné des patients atteints de vitiligo grâce à des suppléments de PABA (acide para-aminobenzoïque) et d'acide folique, mais il n'existe pas d'étude clinique attestant ce résultat. La phénylalanine, un acide aminé, est nécessaire à la synthèse de mélatonine. En théorie, cette substance peut bloquer le développement du vitiligo. Vous pourriez donc essayer la formule suivante :

- *Complexe de vitamines B : 100 mg*
- *Acide folique : 10 à 20 mg*
- *L-phénylalanine : 1 000 à 2 000 mg, loin des repas*
- *Huile d'onagre : suivre les instructions du fabricant*

DERMITES DE CONTACT

Il s'agit d'une inflammation de la peau après un contact avec une plante, un produit cosmétique, chimique, métallique ou médicamenteux. Une rougeur se développe au bout de 2 jours en général, parfois accompagnée de démangeaisons, et dure 1 à 2 semaines. Votre médecin ou votre pharmacien saura vous prescrire le traitement approprié. Parallèlement, les suppléments ci-dessous sont conseillés :

- *Multivitamines/multiminéraux : 1 comprimé matin et soir*
- *Vitamine A : 50 000 UI pendant 5 jours, puis pause de 2 jours*
- *Complexe de vitamines B : 50 mg*
- *Vitamine E : 400 UI*
- *Zinc : 50 à 100 mg*
- *EPA : suivre les instructions du fabricant*

L'apparition des rides est liée au processus normal du vieillissement. Les cellules de la peau se renouvellent 2 fois moins vite après 60 ans qu'entre 18 et 30 ans. Des chercheurs japonais ont montré que le collagène — le « ciment » de la peau — forme un système de câbles qui donnent à l'épiderme sa consistance. Avec l'âge, ces câbles s'allongent et se lient les uns aux autres : la peau se ride et perd sa souplesse. Ce phénomène de *cross-linking* serait provoqué par les radicaux libres, des molécules hautement réactives qui explosent au contact de l'oxygène. Avant même de parler cosmétiques, il est donc indispensable de freiner les ravages des radicaux libres par une alimentation qui fait la part belle aux antioxydants : bêta-carotène, vitamines C et E, sélénium, cystéine.

Les fabricants de produits cosmétiques ne manquent pas de créativité dès lors qu'il s'agit de promouvoir leurs produits. Le consommateur est soumis à un feu croisé de slogans pseudo-scientifiques où il est question de « cohésion cellulaire », de « fibres collagènes », d'« autorevitalisation de la peau ». Dans la réalité, les crèmes sont inefficaces sur les rides profondes, mais elles peuvent améliorer certaines ridules et rendre la peau plus lumineuse. Les crèmes à base d'acides de fruits ont précisément cet effet. L'effet des dérivés de la vitamine A acide est plus marqué, mais la délivrance de ces produits est soumise à ordonnance (la vitamine A sous la forme de rétinol n'a quasiment aucun effet en application locale).

Cela dit, les produits cosmétiques, même s'ils ne gommeront pas comme par magie les rides existantes, peuvent contribuer à prévenir la formation de nouvelles rides. Recherchez dans ces produits des substances antioxydantes comme les filtres anti-UVA et UVB. Surtout, orientez-vous vers des produits eau dans l'huile. Quand on met un film gras sur la peau, on freine la déshydratation, donc le vieillissement. Or, la plupart des produits « antirides » sont des émulsions huile dans l'eau (plus d'eau que d'huile), ce qui est contraire à la réalité physiologique, selon le docteur Aron-Brunetière, célèbre dermatologue. Vous pouvez, à titre préventif, appliquer des émulsions eau dans l'huile, du type Nivéa® ou Effadiane®.

Voici quelques conseils pour lutter contre les rides :

🍃 Evitez le dessèchement de la peau. Pour cela, que vous soyez une femme ou un homme, appliquez une crème hydratante après une douche, un bain, ou après vous être lavé le visage.

🍃 Ne vous lavez pas le visage avec des savons trop détergents. Optez pour des savons surgras, ou mieux, utilisez un lait de toilette (un geste qui devrait être adopté aussi par les hommes).

🍃 Prenez des suppléments :

- *Multivitamines/multiminéraux : 1 à 2 comprimés*
- *Vitamine C : 500 à 1 000 mg par jour*
- *Vitamine E : 100 UI*
- *Bêta-carotène : 2 000 ER (équivalents rétinol)*
- *L-cystéine : 300 à 500 mg*
- *Sélénium : 100 µg*

Soleil : attention danger !

Les rayons UV du soleil sont une source importante de radicaux libres, et donc de vieillissement accéléré. Avant 50 ans, le soleil est la cause principale du vieillissement de la peau. Les UVA s'attaquent aux liaisons qui soudent les fibres de collagène. Celles-ci se durcissent tandis que l'élastine, qui les entoure, perd de sa souplesse. Les rides apparaissent. Le docteur Aron-Brunetière conseille d'appliquer une crème anti-solaire tous les jours, du style Photoderm®, mais de très nombreuses crèmes antirides contiennent déjà des filtres anti-UV.

Si vous êtes sensible aux coups de soleil, il est conseillé

de porter un chapeau, une chemise à manches longues et d'éviter les shorts. Les bons « écrans » contiennent de la benzophénone, du benzydilène, du cinnamate ou du dibenzoyl méthane. Pour le contour des yeux, le nez, les lèvres vous pouvez utiliser des crèmes à base d'oxyde de zinc. Et si ces conseils arrivent trop tard, essayez le cocktail qui suit jusqu'à disparition des brûlures :

- *Aloe vera (gel) : appliquer 3 fois par jour*
- *Multivitamines/multiminéraux : 1 comprimé par jour*
- *Vitamine C : 2 000 mg*

Si vous recherchez un bronzage maximal, utilisez une crème adaptée à la sensibilité de votre peau (attention : certaines crèmes bloquent la synthèse de vitamine D) et essayez les suppléments suivants :

- *Biogardol® : 4 comprimés par jour*

Quel est le pourcentage d'UV bloqués par un écran solaire ?

Pour le savoir, divisez par l'indice de protection le nombre 100 et retranchez ce résultat de 100 %. Ainsi une crème d'indice 4 bloque-t-elle environ 75 % des UV.

Indice de protection	% UV bloqués
2	50
4	75
6	83
8	87
10	90
15	93
20	96
30	97
45	98

Ces taches brunes sont dues à l'accumulation d'une substance, la lipofuscine, sous l'effet du stress oxydatif provoqué par les radicaux libres : tabac, exposition excessive au soleil, alimentation riche en graisses saturées et calories, subcarences d'apport en antioxydants. Vous devrez vous adresser à un dermatologue ou à un chirurgien esthétique pour les faire disparaître, soit par l'application de dérivés de la vitamine A, soit par un peeling à base de TCA (acide tricholarectique) à des concentrations de 35 à 50 %, soit par un peeling au phénol. Parallèlement, augmentez votre consommation d'antioxydants, à savoir : bêta-carotène, vitamines C et E, sélénium.

PROBLÈMES DE PEAU AU MASCULIN : LA SOLUTION

Le rasage quotidien est une épreuve redoutable pour la peau, et certaines pratiques masculines la rendent encore plus désastreuse, d'où rougeurs et irritations en tout genre. Certains hommes ne savent toujours pas se raser : la peau du visage doit être humectée à l'eau chaude (et non froide), la mousse ou crème doit être laissée 1 minute au moins (et non 10 secondes) et la lame de rasoir rincée à l'eau froide (et non à l'eau chaude). Evitez surtout les lotions dites « après-rasage » à base d'alcool (certaines en contiennent jusqu'à 80 % !) qui ne font qu'assécher et irriter la peau. Préférez-leur des crèmes. Et essayez le programme de suppléments ci-dessous :

- *Multivitamines/multiminéraux : 1 comprimé*
- *Vitamine E : 200 à 400 UI*
- *Vitamine A (anhydre) : 10 000 UI par jour pendant 5 jours, puis une pause de 2 jours*
- *Zinc (gluconate) : 15 à 30 mg*

✍ Les médicaments : peu de médecins vous préviennent des effets néfastes possibles de certaines molécules sur la peau. La liste ci-dessous vous aidera à demander à votre médecin une prescription alternative, si votre peau réagissait mal :

Médicament	risques possibles pour la peau
Abiosan®	photosensibilisation
Equanil®	rougeurs, dermites
Hexacycline®	photosensibilisation
Librium®	éruptions
Phénobarbital®	rougeurs, démangeaisons
Fortal®	œdèmes, rougeurs, desquamation
Tofranil®	démangeaisons, rougeurs
Valium®	rougeurs, œdèmes
Tétracycline®	coup de soleil
Tétramig®	coup de soleil

✍ L'alcool déshydrate la peau, dilate les vaisseaux sanguins. Solution : réduisez votre consommation d'alcool, augmentez vos rations de vitamines A, C et E.

✍ La caféine déshydrate la peau, épuise les réserves de vitamines B, magnésium et zinc. Solution : réduisez votre consommation de café, chocolat, thé et Pepsi/Coca-Cola. Supplémentez chaque jour en vitamines B (10 mg) et en zinc (15 à 20 mg).

✍ Les régimes draconiens font perdre leur élasticité à la peau. Solution : ne perdez pas de poids trop brutalement (pas plus de 1 kg par semaine). Supplémentez en vitamines A, C et E, silicium et flavonoïdes.

✍ Le tabac endommage le collagène de la peau et épuise les réserves de vitamine C de l'organisme. La nicotine ralentit l'apport sanguin : la peau respire mal, les déchets sont mal évacués. Le tabac augmente aussi l'oxydation par les radicaux libres. Solution : arrêtez de fumer, augmentez votre consommation d'aliments riches en vitamine C, vitamine E et caroténoïdes.

DES CHEVEUX EN PLEINE FORME

Le cheveu se nourrit de minéraux, de protéines, de graisses, de glucides et de vitamines, qui lui sont apportés par les capillaires. Une carence ou un déséquilibre dans votre régime alimentaire ont des répercussions immédiates sur la santé du cheveu — et aucun shampooing ou conditionneur n'y fera rien !
Parmi les ennemis des cheveux :

✿ Stress et déséquilibres hormonaux.

✿ Déséquilibres alimentaires : qu'il s'agisse de régimes-chocs ou d'anorexie, les conséquences sur la chevelure sont dramatiques.

✿ Pratiques cosmétiques : les colorations ou décolorations abîment les cheveux. Les sèche-cheveux ne devraient être utilisés que sur leur puissance intermédiaire et jamais jusqu'à séchage total de la chevelure. Le brossage doit être réduit au strict minimum.

✿ Port d'un couvre-chef.

✿ Médicaments : les anticoagulants, les androgènes, les antimitotiques entraînent des chutes spectaculaires, en général réversibles.

🌿 Les vitamines du groupe B : elles sont indispensables à la croissance et au remplacement des cheveux. Des suppléments de B_6, acide pantothénique, inositol freinent la chute des cheveux et favorisent dans certains cas la repousse.

🌿 La vitamine A : elle renforce l'action des vitamines B, rend la chevelure souple et brillante.

🌿 La cystéine est un composant du cheveu. Des suppléments sont recommandés si vos cheveux sont abîmés.

🌿 Le zinc favorise la croissance du cheveu.

Suppléments suggérés pour revitaliser des cheveux abîmés

- *Multivitamines/multiminéraux : 1 comprimé par jour (après un repas)*
- *Vitamine B_6 : 10 mg*
- *Vitamine A anhydre (ou provitamine A) : 10 000 à 20 000 UI par jour pendant 5 jours, puis pause de 2 jours*
- *Cystéine : 500 à 1 000 mg par jour (sur un estomac vide)*
- *Huile de jojoba : quelques gouttes sur la chevelure humide après le shampooing*
- *Acide pantothénique (en lotion) : frictionner la chevelure chaque matin*

Suppléments contre les pellicules

- *Multivitamines/multiminéraux : 1 comprimé matin et soir*
- *Bêta-carotène : 15 000 UI*
- *Huiles de poisson : suivre les instructions du fabricant*
- *Sélénium : 100 à 200 μg*
- *Zinc : 15 à 30 mg*

Si certaines alopécies féminines peuvent être traitées avec succès (traitement hormonal), il n'existe malheureusement pas de traitement miracle — hors chirurgical — pour les calvities masculines androgéniques. Le Minoxidil® peut donner quelques résultats, mais ils disparaissent à l'arrêt du traitement. Les compléments qui suivent peuvent améliorer la santé de votre cuir chevelu et de vos cheveux et, dans certains cas, freiner la chute :

- *Huile de jojoba : quelques gouttes sur la chevelure humide, après le shampooing*
- *Vitamine C : 3 000 mg*
- *Complexe de vitamines B (avec biotine) : 100 mg, 2 à 3 fois par jour*
- *Choline et inositol : 1 000 mg de chaque, quotidiennement*
- *Cystéine : 1 000 mg, loin des repas*
- *Multiminéraux (dont calcium : 1 000 mg, magnésium : 500 mg), 1 comprimé par jour*

VITAMINEZ VOS ONGLES

Si votre alimentation est déficitaire en protéines, en vitamines A et C ainsi qu'en zinc, ne vous étonnez pas que vos ongles poussent moins vite ou qu'ils soient cassants.

Les suppléments ci-dessous peuvent vous donner du tonus jusqu'au bout des doigts :

- *Multivitamines/multiminéraux : 1 comprimé*
- *Vitamine C : 500 à 1 500 mg*
- *Vitamine A : 10 000 UI, 1 comprimé par jour au repas pendant 5 jours, puis pause de 2 jours*
- *Complexe de vitamines B : 50 à 100 mg*

- *Vitamine E : 100 à 200 UI*
- *Silicium (EPA-Silice) : 2 comprimés aux repas pendant 10 jours*

Si vos ongles sont décolorés : 10 à 50 mg de zinc. S'ils sont cassants : un complexe B + biotine 5 mg.

MORDEZ CES VITAMINES
À PLEINES DENTS

Il existe une relation directe entre la quantité de sucre consommée et l'incidence de caries. De fait, l'augmentation considérable du nombre de caries coïncide avec l'introduction du sucre raffiné dans le régime alimentaire occidental. Le raffinage des céréales favorise aussi la prolifération des bactéries de la cavité buccale[242]. Ainsi, vous n'avez rien à craindre des pommes de terre au four, mais vous pouvez redouter les effets des pommes de terre-chips. Les corn-flakes ne sont pas exempts de reproches, d'autant que ces produits contiennent souvent des quantités importantes de sucre.

Le fluor est indispensable à la santé de l'émail, ce qui a motivé l'enrichissement en fluor de l'eau potable dans certaines régions du globe, avec le plus souvent des résultats remarquables. Deux substances d'origine végétale, la réglisse et le thé vert, inhibent l'activité d'une enzyme qui aide les bactéries à se fixer à l'émail. Le thé vert neutraliserait de surcroît ces mêmes bactéries[243].

Voici quelques conseils pour réduire le risque de caries :

🦷 Brossez vos dents au moins 2 fois par jour.

🦷 Utilisez un dentifrice au fluor ; évitez les dentifrices « pour fumeurs » destinés à effacer les taches de nicotine, ils peuvent abîmer vos gencives et rendre vos dents plus sensibles au chaud et au froid.

🦷 Choisissez une brosse à poils souples et arrondis ; les brosses dures sont dangereuses pour les gencives.

🦷 Ne donnez pas de sucre (bonbons, jus de fruits) aux enfants au moment du coucher ; à partir de l'âge de 3 ans, conduisez régulièrement vos enfants chez le dentiste.

🦷 Modifiez vos habitudes alimentaires, pour limiter les effets des sucres et des glucides raffinés : les enzymes présentes dans la salive changent les amidons en sucre ; les bactéries sur vos dents transforment ce sucre en acide qui s'attaque aux dents.

🦷 En cas de carie, réduisez sévèrement votre consommation de sucres raffinés et augmentez la part des légumes frais dans votre alimentation.

🦷 Si vous avez dans la bouche des plombages anciens, il est conseillé de consulter un dentiste pour envisager leur remplacement. Ces plombages contiennent du mercure, qui se diffuse lentement dans l'organisme au fil des années. Le mercure est toxique et peut occasionner de réels problèmes de santé sur le long terme.

GENCIVES ET CAVITÉ BUCCALE

Après 45 ans, l'incidence de gingivites atteint 80 %. Voici quelques conseils à l'usage de ceux qui souffrent de ces troubles :

🦷 En cas de gingivite ou de problèmes périodontaux, augmentez votre consommation de calcium. Assurez-vous de ne pas manquer de vitamines A, C et E. Prenez par exemple 1 comprimé de multivitamines/multiminéraux après le déjeuner et le dîner. La coenzyme Q_{10} est une quasi-vitamine dont l'efficacité a été démontrée dans des cas de troubles périodontaux[244]. L'acide folique (en application locale) peut aussi se révéler bénéfique[245].

🐾 Si vos gencives saignent, prenez 1 comprimé de vitamine C (1 000 mg) 3 fois par jour. Les flavonoïdes protègent les capillaires et améliorent leur résistance. Le docteur Szent-Györgyi, qui a découvert la vitamine C, a utilisé à plusieurs reprises ces substances naturelles pour guérir des saignements de gencives.

🐾 Si vous souffrez d'aphtes, pensez à la lysine, un acide aminé, à appliquer sous forme de crème directement sur la région concernée, ou à prendre oralement sous la forme de suppléments (1 000 mg loin des repas).

PRÉSERVEZ VOTRE CAPITAL-VUE

De nombreux troubles de la vision peuvent être prévenus par une alimentation qui apporte en quantité suffisante des nutriments essentiels :

🐾 Sécheresse ou irritation : ces symptômes peuvent être dus à un manque de vitamines B et de vitamine A. Compléments recommandés : complexe de vitamines B, 50 à 100 mg ; zinc : 15 à 50 mg ; vitamine A : 10 000 à 25 000 UI par périodes de 5 jours.

🐾 Cataractes : une carence en vitamine B_2 (riboflavine) contribue à l'apparition de cataractes[246]. Une étude menée en Chine a conclu que des suppléments de vitamines B_2 (3,2 mg) et B_3 (40 mg) donnés pendant cinq ans avaient permis de diminuer de 44 % le risque de cataracte nucléaire chez des personnes âgées de 65 à 74 ans, qui manquaient probablement de vitamine B_2[247]. D'autres études montrent que le risque de cataracte est associé à une consommation faible d'antioxydants. Les personnes qui ne prennent pas de suppléments de vitamine E seraient 2,5 fois plus touchées que les autres par ce trouble de la vision. Chez ceux qui sont atteints de cataractes, on a relevé des taux de vitamine C et bêta-carotène plus faibles que chez ceux dont les yeux sont en bonne santé[248]. Des carences en chrome, sélénium, zinc, magnésium provoquent des modifications oculaires associées à l'apparition de cataractes[249].

✍ Myopie, presbytie : dans certains cas, ces troubles pourraient être accélérés par un régime riche en sucres raffinés. Le muscle ciliaire, qui contrôle la forme du cristallin, serait tributaire du métabolisme du glucose. Un manque de chrome (le chrome favorise la pénétration du glucose dans les cellules) aurait pour effet de limiter le fonctionnement du muscle[250, 251]. Il ne s'agit que d'une hypothèse, mais vous pourriez essayer 100 à 200 µg de chrome par jour.

✍ Baisse de la vision nocturne : augmentez votre consommation de vitamine A. Compléments recommandés : 10 000 à 25 000 UI par jour, 5 jours par semaine.

✍ Dégénérescence maculaire de la rétine : c'est l'une des causes principales de perte de la vision chez les personnes âgées, et on ne lui connaît pas de remède. Cependant, comme le zinc est impliqué dans l'activité de plusieurs enzymes qui contribuent à la qualité de la vision, on a émis l'hypothèse que des suppléments de zinc pourraient ralentir l'évolution de cette maladie. Dans une expérience (isolée), on a montré que la perte de vision était sensiblement inférieure dans le groupe supplémenté en zinc par rapport au groupe placebo[252].

NUTRITION POUR LA SEXUALITÉ
ET LA REPRODUCTION

Les bienfaits des rapports sexuels sont nombreux. L'activité sexuelle revitalise le corps entier, tonifie le système cardiovasculaire et procure une relaxation remarquable tout en... brûlant des calories (300 calories en une demi-heure). Selon certains cardiologues, une activité sexuelle régulière serait un excellent moyen de prévenir les crises cardiaques (une baisse de l'activité sexuelle semble de plus précéder la crise cardiaque).

L'influence du mental sur la libido est importante, mais celle de la nutrition l'est tout autant. Selon une étude récente, 30 % des hypoglycémiques de sexe masculin (et 45 % des femmes hypoglycémiques) présentaient des troubles sexuels. Ces mêmes troubles peuvent être dus aussi à un taux d'histamine trop bas ou encore à des facteurs d'ordre psychologique, eux-mêmes liés à des déséquilibres des messagers chimiques du cerveau, comme c'est le cas chez les dépressifs.

DÉSIR SEXUEL, L-TYROSINE

Toutes les glandes endocrines et leurs hormones contribuent à la puissance et à l'équilibre sexuels.

La thyroïde produit une hormone, la thyroxine, qui contrôle le métabolisme du corps. Lorsque la production de thyroxine est insuffisante (comme c'est le cas dans l'hypothyroïdie), la libido diminue. La sécrétion de thyroxine se fait à partir de tyrosine, un acide aminé, et sous l'influence de vitamines B_6, C et de choline. Ces nutriments sont indispensables au bon fonctionnement de la thyroïde et leur absence ou leur déficit peuvent être à l'origine de troubles sexuels.

Mais la tyrosine présente un autre intérêt pour la libido. Comme vous le savez maintenant, cet acide aminé est utilisé par le cerveau pour fabriquer deux neurotransmetteurs, dopamine et noradrénaline, qui sont impliqués dans le désir sexuel :

— la dopamine facilite la mise en alerte des fonctions mentales, l'excitation, l'esprit d'entreprise, l'accès au plaisir ;

— la noradrénaline est le neurotransmetteur le plus important pour la sexualité. Comme le dit le docteur Robert Nataf, « la noradrénaline, c'est le moteur du désir. Les gens qui ont une noradrénaline basse n'ont pas de désir sexuel ».

La L-dopa peut aussi augmenter la synthèse de dopamine et noradrénaline. C'est donc un bon candidat à un programme de stimulation de la libido. La L-dopa a gagné ce titre de manière tout à fait fortuite, lorsque dans les années 60, aux USA, fut relatée l'histoire d'un patient de 26 ans qui avait entrepris de poursuivre les infirmières après un traitement à la L-dopa et des années d'inactivité sexuelle. Certains médecins reconnurent que 1 à 5 % des personnes traitées à la L-dopa (parkinsoniennes) connaissent un effet secondaire sous la forme d'une stimulation sexuelle. Mais plusieurs études font état de pourcentages supérieurs. Un chercheur finlandais a trouvé une libido augmentée chez 24 % des patients qu'il suivait. Des médecins new-yorkais ont constaté que des doses élevées (5 g) produisaient un effet aphrodisiaque chez 40 % des personnes qui prenaient la L-dopa. Il est conseillé de prendre de la L-dopa sous la supervision d'un médecin (voir aussi les précautions d'emploi page 318)[253].

Le zinc est présent en quantités importantes dans l'appareil génital mâle : prostate, testicules. Ce minéral est impliqué dans la synthèse du sperme et du fluide séminal. Il participe aussi à la synthèse de testostérone. Or, les Français consomment significativement moins que l'apport quotidien recommandé en zinc. Près de 90 % des Français ne reçoivent pas les apports recommandés[254] !

Un manque de zinc peut se traduire par une baisse de la libido. Par exemple, les carences en zinc sont fréquentes chez les malades sous dialyse rénale. On a remarqué que 48 à 80 % de ces patients sont impuissants[255]. Mais dans une expérience, lorsqu'on a donné 50 mg d'acétate de zinc (ou un placebo) à vingt malades, on a obtenu une augmentation significative des niveaux de testostérone chez les malades traités. Ces patients ont fait état d'une amélioration de leur libido, de la qualité de leurs érections et de la fréquence de leurs rapports[256]. Des suppléments de zinc peuvent augmenter le taux de testostérone chez ceux — nombreux — qui ont une carence même légère en zinc[257]. Vous pouvez essayer 50 mg de gluconate de zinc par jour pendant 8 semaines.

Désir sexuel et yohimbine

La yohimbine est considérée comme un aphrodisiaque puissant, et cette réputation est peut-être méritée. Chez les rats, la yohimbine augmente activité et désir sexuels, y compris lorsque les animaux sont en pleine possession de leurs moyens. Dans une étude contrôlée, on a donné ce produit (6 mg pendant 10 semaines) à un groupe d'hommes qui souffrait d'impuissance d'ordre psychologique ou physiologique ; 62 % de ceux qui étaient atteints d'impuissance physique ont noté une amélioration notable de leurs fonctions sexuelles, contre 16 % de ceux qui prenaient un placebo. Parmi ceux qui étaient atteints de l'autre forme d'impuissance, 46 % déclarèrent avoir constaté une amélioration. La yohimbine est un alcaloïde qui bloque les récep-

teurs adrénergiques alpha-2, un mécanisme qui augmenterait le flux sanguin vers le pénis tout en diminuant la tension due au stress[258]. La yohimbine interférerait aussi avec
la sérotonine du cerveau, d'où son effet aphrodisiaque. La
dose habituellement pratiquée pour les troubles de la
sexualité est de 10 à 15 mg par jour pendant 2 mois. Ces
quantités sont données progressivement, en particulier si
des effets secondaires (sueurs, nausées) apparaissent. La
yohimbine est délivrée sur ordonnance uniquement
(Yohimbine Houdé®).

Programme « Ce soir, chéri ! »

- *L-tyrosine : 1 à 2 g en plusieurs prises, loin des repas*
- *Zinc : 20 à 40 mg*
- *Vitamine C : 1 000 mg*
- *Complexe de vitamines B : 50 mg (ne pas pren-dre de vitamine B_6 si vous prenez de la L-dopa)*

éventuellement :
- *Yohimbine (suivre les indications du médecin)*

ÉRECTION, CIRCULATION, MÊME COMBAT

Le pénis est le lieu d'une grande concentration de vaisseaux sanguins, rassemblés dans trois structures : deux
corps caverneux et un corps spongieux. Un sphincter
entoure les principales artères qui conduisent au pénis ;
lorsqu'il se dilate, le sang pénètre dans les capillaires. Les
vaisseaux chargés d'acheminer le sang depuis le pénis se
montrent incapables de gérer un tel afflux ; du coup, le sang
s'accumule dans le pénis et l'érection est possible.

Cela explique que les hommes qui souffrent d'athérosclérose (encombrement des artères par des plaques d'athérome) et d'artériosclérose (durcissement des artères) courent
un risque élevé de connaître des troubles de l'érection,
puisque l'état de leurs capillaires reflète celui de leurs artères. D'une manière générale, tout ce qui entrave le flux san-

guin prédispose aux défaillances. Si vous êtes concerné, il convient de rééquilibrer votre alimentation pour freiner le processus par lequel vos vaisseaux se chargent de plaques d'athérome. La prise de suppléments sera nécessaire dans la plupart des cas, et elle peut réellement se traduire par une amélioration de votre état (voir le chapitre consacré aux maladies cardiovasculaires). A la clé, il y a bien sûr la réduction du risque coronarien, mais aussi une vie sexuelle plus riche et plus intense.

D'autres suppléments existent pour améliorer la microcirculation au niveau des organes génitaux.

Age et impuissance

Pourcentage d'hommes sans problèmes (SP), minimalement impuissants (MNI), modérément impuissants (MOI), totalement impuissants (TI), selon l'âge.

Age	SP	MNI	MOI	TI
40	61,1 %	16,5 %	17,4 %	4,9 %
45	55,9 %	16,8 %	20,5 %	6,8 %
50	51,5 %	17 %	23,1 %	8,4 %
55	47 %	17,3 %	25,8 %	10 %
60	42,6 %	17,5 %	28,4 %	11,6 %
65	37,3 %	17,8 %	31,5 %	13,4 %
70	32,9 %	18 %	34 %	15 %

SEXE ET ARGININE

L'arginine est le précurseur d'un gaz, l'oxyde nitrique, qui joue le rôle de neurotransmetteur. L'oxyde nitrique, dont la durée d'action ne dépasse pas quelques secondes, semble être impliqué dans le contrôle du flux sanguin qui gagne les organes génitaux masculins et féminins avant et pendant les rapports, et qui permet l'érection chez l'homme. Ce même flux sanguin est également sous commande de l'acétylcholine, le neurotransmetteur principal du système para-sympathique. L'acétylcholine orchestre aussi une série de fonctions physiologiques importantes pendant l'acte sexuel, tels rythme cardiaque ou pression sanguine. L'acétylcholine est fabriquée à partir de choline, vitamines C, B_6, B_5 et zinc.

SEXE, L-HISTIDINE ET NIACINE

La niacine ou vitamine B_3 entraîne une dilatation des vais-seaux sanguins, nécessaire à l'érection du pénis chez l'homme et du clitoris chez la femme. Elle favorise aussi la sécrétion d'histamine, une substance qui participe à la sensa-tion apportée par l'orgasme. De son côté l'acide aminé L-his-tidine fournit le matériau brut à partir duquel l'histamine sera synthétisée. L'association de ces deux substances n'est pas conseillée à ceux qui souffrent d'allergies ou d'asthme, leur problème étant une surcharge d'histamine. La vitamine B_6 participe à la conversion d'histidine en histamine.

SEXE ET GINKGO BILOBA

Le ginkgo améliore la circulation sanguine dans les capil-laires par vasodilatation. Il favorise aussi la transmission nerveuse[259]. L'extrait de ginkgo peut donc faire partie d'un programme nutritionnel ayant pour objectif d'augmenter le flux sanguin à destination des organes génitaux.

Programme « Plutôt deux fois qu'une »

- *L-arginine : 2 à 4 g, sur estomac vide, deux heu-res avant un rapport*
- *L-histidine : 500 mg, une heure avant un rapport*
- *Choline : 1,5 g*
- *Vitamine B_3 : 50 à 100 mg*
- *Vitamine B_6 : 10 à 50 mg*
- *Vitamine B_5 : 10 à 50 mg*
- *Ginkgo : 100 à 200 mg en plusieurs prises, la dernière une heure avant un rapport*

Après 50 ans, la prostate s'élargit, une conséquence naturelle du vieillissement. Comme cette glande entoure l'urètre, son hypertrophie diminue l'écoulement urinaire. Résultat : besoin fréquent d'uriner, difficulté à uriner, flux urinaire réduit, nécessité de se lever au cours de la nuit. Le traitement le plus fréquent est la chirurgie au cours de laquelle une petite partie de la prostate est ôtée. Mais ce traitement peut avoir des effets indésirables : infertilité, impuissance, incapacité de contrôler la miction. Sans compter que les troubles peuvent réapparaître, nécessitant une nouvelle intervention. Il existe aussi des traitements médicamenteux, l'un des plus connus étant le finastéride (Chibro-Proscar®). Lui aussi a des effets indésirables possibles. Le laboratoire qui le commercialise fait état de cas d'impuissance (dans 3,7 % des cas), de diminution de la libido (3,3 %) et de diminution du volume de l'éjaculat (2,8 %).

Mais il existe heureusement des traitements alternatifs. Le zinc est le minéral le plus abondant dans la prostate. Les carences d'apport en zinc semblent favoriser l'hypertrophie bénigne de la prostate. Plusieurs études ont montré que des suppléments de zinc pouvaient diminuer les symptômes de l'hypertrophie et ramener la prostate à sa taille normale ou quasi normale. Dans une étude conduite à Chicago auprès de deux cents hommes, des suppléments de zinc ont permis de réduire de 70 % les symptômes. Une autre étude indique que cette approche thérapeutique a apporté une amélioration aux dix-neuf participants, quatorze d'entre eux voyant leur prostate retrouver un volume normal[260]. Le zinc sera peu efficace si vous ne manquez pas de ce minéral. La forme de supplément la plus intéressante pour soigner les troubles de la prostate semble être le zinc picolinate.

L'extrait du fruit de *Serenoa repens*, une plante, est utilisé depuis des siècles pour soigner les troubles de la miction. On pense que la prostate s'hypertrophie sous l'effet d'une accumulation de l'hormone dihydrotestostérone (DHT) que

Les facteurs de la performance... et les autres

Si vous souhaitez être au top en matière sexuelle, je vous conseille de prendre en compte les facteurs suivants :

Au chapitre des « moins » :

— Le tabac : fumer augmente le risque d'impuissance. Selon le docteur Paul Farr, un médecin de Grand Rapids, Michigan (USA), qui a mené plusieurs études sur la question, les fumeurs ont 4 fois plus de risques d'être victimes d'impuissance sexuelle que les non-fumeurs. Fumer endommage les vaisseaux sanguins impliqués dans le processus de l'érection. Le docteur Max Rosen, un chercheur de Boston University School of Medicine, a calculé que le risque augmente de :

- 15 % si vous fumez depuis cinq ans ;
- 31 % si vous fumez depuis dix ans ;
- 60 % si vous fumez depuis vingt ans.

Une autre étude américaine montre que 56 % des fumeurs traités pour une maladie cardiovasculaire étaient totalement impuissants contre 21 % des non-fumeurs soignés pour les mêmes affections, preuve que le tabac aggrave encore les problèmes évoqués plus haut.

— L'alcool épuise les réserves du corps en vitamines B, nécessaires à votre sexualité ; il réduit la capacité de contraction musculaire ; il fait chuter le taux de testostérone, l'un des moteurs de la libido ; il interfère avec l'action de la vitamine A et peut entraîner la stérilité.

— L'hypertension artérielle peut indirectement affecter votre puissance sexuelle, dans la mesure où de nombreux traitements médicamenteux diminuent libido et érection. C'est notamment le cas des thiazides et diurétiques apparentés : chlortalidone (Hygroton®), hydrochlorothiazide (Esidrex®) qui entraînent parfois baisse de la libido et impuissance, ou de la spironolactone (Aldactone®, Practon®, Spiroctan®, Spironone®). Sont aussi susceptibles de provoquer des troubles : clonidine (Catapressan®) ; guanéthidine (Isméline®) qui réduit l'émission de liquide séminal ; méthyldopa (Aldomet®, Equibar®) ; métoprolol (Lopressor®, Séloken®) ; propranolol (Avlocardyl®, Béprane®).

— Les médicaments dont la liste suit peuvent provoquer une baisse de la libido, des difficultés à atteindre l'orgasme, l'impuissance :

    — amphétamine : fenfluramine (Pondéral®), problèmes surtout chez la femme ;

— antiangoreux : perhexiline (Pexid®) ;
— antiarythmique : disopyramide (Rythmodan®) ;
— antidépresseurs : amitriptyline (Elavil®, Laroxyl®) ; désipramine (Pertofran®) ; imipramine (Tofranil®) ; lithium ; MAOI (Marsilid®, Niamide®), chez la femme, peuvent entraîner des difficultés à atteindre l'orgasme ;
— antihistaminiques : diphenhydramine (Allerga®, Bénylin®, Nautamine®) ; hydroxyzine (Atarax®) ;
— antituberculeux : éthionamide (Trécator®) ;
— antiulcéreux : cimétidine (Tagamet®, Edalène®) ;
— antiparkinsoniens : orphénadrine (Disipal®) ; trihexyphénidyle (Artane® ; Parkinane®) ;
— antispasmodique : propanthéline (Probanthine®) ;
— anxiolytiques : chlordiazépoxide (Librium®) ; diazépam (Valium®, Novazam®) ; méprobamate (Equanil®) ; oxazépam (Séresta®) ;
— diurétiques ;
— hypolipidémiants : clofibrate (Athérolip®, Clofibral®, Clofirem®, Lipavlon®) ;
— neuroleptique : thioridazine (Melléril®) ;
— œstrogènes : dienœstrol (Cycladiène®) ; estradiol (Œstradiol®, Œstrogel®), problèmes chez l'homme seulement.

— Selon plusieurs médecins, la pilule pourrait être responsable d'une baisse de la libido si elle est prise sur une longue période.

Au chapitre des « plus » :

— Le ginseng protège du stress, améliore l'activité endocrinienne et l'ensemble des fonctions sexuelles. Le ginseng est utilisé depuis des siècles comme stimulant de la sexualité. On le trouve en général sous forme de capsules ou de gélules (thé) de 500 mg, ou encore sous forme de concentré. Le ginseng est un stimulant, non un excitant, et doit être pris sur un estomac à jeun. Le ginseng ne fera peut-être pas de vos nuits un typhon, mais c'est un excellent réducteur de stress et tension. Il n'est pas conseillé de prendre plus de 2 000 mg de ginseng par jour, au risque de voir apparaître hypertension, diarrhée, éruptions cutanées, troubles du sommeil et troubles neurologiques.

— La bromocriptine est dérivée d'un alcaloïde (*Claviceps purpura*). C'est un médicament délivré sur ordonnance, qui potentialise les effets de la dopamine. La bromocriptine s'est révélée capable d'améliorer dans certains cas la libido et l'impuissance. Ce médicament doit être pris sous surveillance médicale (Parlodel® en pharmacie).

l'organisme synthétise à partir de testostérone, sous l'action de l'enzyme testostérone-5-alpha-réductase. La DHT favoriserait la prolifération cellulaire. L'extrait de *Serenoa repens* contient des stérols qui bloqueraient la synthèse de DHT par inhibition de l'activité enzymatique. Cette plante inhiberait aussi la synthèse de substances (prostaglandines) impliquées dans le processus inflammatoire. Enfin, elle empêcherait la DHT de se fixer aux sites (récepteurs) ménagés dans la prostate. Dans une étude en double-aveugle, on a donné 160 mg de cet extrait à cinquante participants qui souffraient d'hypertrophie bénigne de la prostate. Parmi eux, quatorze connurent une amélioration très nette, et trente et un une amélioration modérée. La miction nocturne diminua de 45 %, et le flux urinaire augmenta de 50 %[261]. Ce produit est vendu en France (vente libre) sous la marque Permixon®.

Une autre plante, le prunier d'Afrique (*Pygeum africanum*), atténue ou fait disparaître les troubles de la miction liés à l'hypertrophie de la prostate, sous l'effet anti-inflammatoire combiné de trois de ses constituants : stérols, terpénoïdes et alcools féruliques. Ce produit est vendu librement sous le nom de Tadenan®.

Enfin, des suppléments d'EPA peuvent être bénéfiques, dans la mesure où ils perturbent la synthèse de prostaglandines impliquées dans les symptômes de l'hypertrophie bénigne de la prostate.

Suppléments suggérés contre l'hypertrophie bénigne de la prostate

- *Multivitamines/multiminéraux : 1 à 3 comprimés*
- *Zinc picolinate : 50 à 150 mg (réduire à 25-50 mg au bout de 2 semaines)*
- *Extrait de* Serenoa repens *: 160 mg en 2 prises, aux repas*
- *Extrait de* Pygeum africanum *: 100 mg en 2 prises, avant les repas*
- *EPA : 3 g*

Les contraceptifs oraux sont extrêmement efficaces (1 % d'échecs seulement) et les dosages actuels présentent moins de risques cardiovasculaires qu'auparavant. Si la pilule améliore l'absorption du calcium — ce qui est important pour celles qui sont concernées par l'ostéoporose — et si elle permet, par un flux menstruel plus faible, une meilleure rétention du fer, elle a en revanche des effets néfastes sur certains nutriments, parmi lesquels :

🕮 Bêta-carotène : les taux de ce précurseur de la vitamine A dans le sang des femmes qui prennent la pilule sont généralement bas. Les subcarences en bêta-carotène sont associées à un risque plus élevé de cancers et maladies cardiovasculaires.

🕮 Pyridoxine (vitamine B_6). On évalue à 20 % le nombre de femmes prenant la pilule qui présentent des signes de carence en B_6. Les utilisatrices de la pilule qui se plaignent de baisse de la libido, dépression, mélancolie, nausées ou troubles neurologiques doivent peut-être ces symptômes à un manque de vitamine B_6. Lorsque celle-ci manque, la sérotonine (un neurotransmetteur impliqué dans les sensations liées au bien-être) est dégradée trop rapidement par des enzymes. Chez les femmes déficitaires en vitamine B_6, des suppléments de cette vitamine permettent souvent de lutter efficacement contre la dépression[262, 263].

🕮 Acide folique (vitamine B_9) : la concentration de cette vitamine dans le sang est nettement plus basse chez les femmes qui prennent des contraceptifs oraux[264]. L'Organisation mondiale de la Santé a recommandé aux utilisatrices de la pilule de prendre des suppléments d'acide folique. Cette vitamine revêt en effet une importance considérable, puisqu'elle pourrait empêcher certains états précancéreux d'évoluer vers le cancer (dysplasie du col de l'utérus). La vitamine B_9 prévient aussi les malformations du fœtus, à condition qu'elle soit prise au tout début de la conception. Après l'arrêt de la pilule, il faut souvent attendre 3 mois pour voir le taux de vitamine B_9 remonter ; si vous ne prenez pas de suppléments d'acide folique, il est préférable d'attendre que ce laps de temps se soit écoulé pour rechercher une grossesse.

🙿 Vitamine B_{12} : le taux sérique de cette vitamine est plus bas chez les utilisatrices de contraceptifs oraux.

🙿 Vitamine C : les concentrations de cette vitamine dans le plasma, les leucocytes et les plaquettes sont plus basses chez les femmes qui prennent la pilule[265].

🙿 Zinc : il est, comme l'acide folique, impliqué dans les mécanismes de croissance des tissus. Il favorise aussi certaines fonctions immunitaires. Le statut en zinc de celles qui prennent la pilule est généralement médiocre, voire catastrophique, peut-être parce que zinc et cuivre évoluent de manière inverse dans l'organisme, et que les taux de cuivre sont particulièrement élevés pendant l'utilisation de contraceptifs[266].

Si vous prenez la pilule, assurez-vous de consommer suffisamment de céréales entières (riches en B_6, B_9 et zinc), de légumes verts et de foie (riches en B_9 et zinc), de fruits et légumes (riches en vitamine C et zinc), et de crustacés (riches en zinc).
Vous pouvez aussi définir avec un médecin ayant des connaissances en nutrition le type de supplémentation qui vous convient, par exemple :

- *Multivitamines/multiminéraux : 1 comprimé par jour*
- *Complexe de vitamines B : 50 à 100 mg*
- *Vitamine C : 250 à 500 mg*
- *Magnésium : 250 à 500 mg par jour*
- *Zinc : 15 à 30 mg*

Le syndrome prémenstruel (PMS) touche de très nombreuses femmes. Il se manifeste 1 semaine environ avant les règles par une cohorte de troubles divers qui rendent les hommes perplexes. Le docteur Abraham, un médecin américain, a classé les patientes qui souffrent de PMS selon 4 grandes catégories :

— PMS-A : anxiété, irritabilité, tension nerveuse, troubles de l'humeur ;

— PMS-H : rétention d'eau, poitrine sensible, gain de poids, troubles digestifs ;

— PMS-C : gain d'appétit, attrait pour le sucre, maux de tête, malaises, palpitations ;

— PMS-D : dépression, fatigue, confusion, pleurs, troubles de la mémoire, insomnie.

Plusieurs nutriments se sont révélés efficaces dans des études cliniques :

☞ La vitamine B_6 est utilisée depuis une cinquantaine d'années pour corriger les troubles de PMS. Plusieurs études cliniques montrent qu'à des doses allant de 50 à 500 mg (le plus souvent 200 mg) cette vitamine apporte un soulagement dans 40 à 80 % des cas[267, 268]. Attention aux risques de neuropathies au-delà de 200 mg.

☞ On trouve assez souvent un déficit en magnésium dans les globules rouges des femmes qui souffrent de PMS. Cette constatation a conduit certains nutritionnistes à recommander des suppléments de magnésium dans les cas de PMS. Une étude de 1983 a montré que le magnésium (et d'autres minéraux) pouvait améliorer les symptômes de ce trouble, mais il ne s'agissait pas d'une étude contre placebo[269].

☞ La plupart des symptômes de PMS cèdent aux suppléments de vitamine E, à l'exception de ceux du PMS-H, si l'on en croit le docteur Robert London de Johns Hopkins University School of Medicine. London a conduit deux expériences à base d'une supplémentation en vitamine E.

La seconde était une étude en double-aveugle au cours de laquelle vingt-cinq femmes reçurent 400 UI de vitamine E, et dix-neuf un placebo pendant 3 mois. Dans le groupe « vitamine E », on constata une diminution des symptômes douloureux de 33 %, de l'anxiété de 38 % et de la dépression de 27 %[270]. Ces études sont contestées.

Si vous souffrez de PMS, il est recommandé de limiter la consommation de sucres rapides et de caféine, et d'augmenter votre consommation de céréales complètes, riches en vitamines B, de légumes verts et de fruits qui sont de bonnes sources de minéraux et de vitamine C. Vous pourriez aussi prendre les suppléments suivants :

- *Multivitamines/multiminéraux : 1 à 3 comprimés*
- *Complexe de vitamines B : 50 à 100 mg*
- *Vitamine B$_6$: 50 à 150 mg (augmenter progressivement, à prendre sous contrôle médical, ne pas dépasser 4 mois)*
- *Vitamine E : 400 UI*
- *Magnésium : 500 à 800 mg*
- *Calcium : 1 000 à 1 600 mg*

FERTILITÉ

Infertilité (incapacité pour un couple à concevoir un enfant après un an d'essais) n'est pas stérilité (incapacité à concevoir, quelles que soient les circonstances).

La fertilité masculine a chuté significativement depuis une cinquantaine d'années. Le docteur Carlsen, un chercheur danois, a montré, dans un article récent paru dans le *British Medical Journal*, que les hommes étaient deux fois moins fertiles aujourd'hui qu'ils ne l'étaient un demi-siècle plus tôt ! Carlsen a analysé les résultats de 61 études publiées entre 1938 et 1991 et constaté que le nombre moyen de spermatozoïdes avait été divisé par 2 au cours de cette période[271]. D'autres paramètres de la fertilité masculine, tels la densité du sperme et le volume du liquide séminal, étaient aussi en recul. Les responsables seraient à chercher dans les facteurs environnementaux. Une note rassurante cependant : malgré cette baisse, les hommes produisent en moyenne suffisamment de spermatozoïdes pour assurer une grossesse ; 75 % des couples parviennent à concevoir dans une période d'un an. Pour tous les autres, la médecine a fait ces dernières années d'énormes progrès, tant dans le diagnostic que dans le traitement de l'infertilité.

Si vous avez pris la décision d'avoir un enfant, il est important que vous connaissiez les facteurs qui peuvent rendre votre tentative plus difficile.

Chez la femme :

⚕ Contraceptifs oraux : lorsqu'ils sont interrompus, après avoir été pris sur une longue période, l'ovulation peut être perturbée pendant plusieurs mois.

⚕ Stérilets : ils sont à l'origine d'inflammations qui peuvent toucher les trompes de Fallope ; pour cette raison, les stérilets ne sont pas conseillés aux femmes qui n'ont pas eu d'enfant.

⚕ Caféine : des études récentes montrent qu'il existe un lien entre la consommation de doses importantes de caféine et l'infertilité féminine.

Chez l'homme :

⚕ Certains médicaments peuvent avoir une influence négative sur le nombre de spermatozoïdes (oligospermie), en particulier : Bactrim®, Colchicine Houdé®, Salazopyrine®, Tagamet®...

Chez les deux :

𝕡ⱥ Les carences dans certains nutriments, notamment zinc et vitamine E, peuvent entraîner une infertilité.

𝕡ⱥ Tabac : la nicotine semble diminuer la fertilité des individus jeunes (hommes et femmes).

NUTRITION ET FERTILITÉ

Si vous avez des difficultés à avoir un enfant, le bon réflexe consiste bien sûr à consulter un médecin compétent. Sachez cependant que certains nutriments peuvent améliorer la fertilité de votre couple. Cette approche nutritionnelle a fait ses preuves à plusieurs reprises. Si elle vous intéresse, parlez-en avec votre médecin. Ensemble, vous pourrez décider d'une période d'essai. En cas d'échec, il sera toujours temps de faire appel à des techniques plus radicales.

Voici quelques nutriments qui peuvent se montrer efficaces pour traiter l'infertilité féminine :

𝕡ⱥ Vitamine B_6 : à la fin des années 70, les docteurs Hargrove et Abraham, deux médecins américains, ont utilisé de la vitamine B_6 pour traiter quatorze femmes qui étaient infertiles depuis des périodes allant de un an et demi à sept ans. Ces femmes souffraient aussi de syndrome prémenstruel (PMS). Les doses de B_6 données furent élevées, allant de 100 à 800 mg par jour. Au bout de 6 mois, onze des quatorze patientes étaient tombées enceintes. Au bout de 11 mois, douze femmes étaient en passe de concevoir. De telles doses de vitamine B_6 semblent agir sur le niveau de prolactine lorsqu'il est trop élevé. Elles semblent aussi affecter favorablement les taux de progestérone[272]. Un traitement de ce type doit être envisagé sous la surveillance d'un médecin, compte tenu des effets secondaires possibles de la vitamine B_6 à doses élevées sur une longue période. Le docteur Carl Pfeiffer, du Brain Bio Center de Princeton, préconise de prendre aussi des suppléments de zinc afin de réduire précisément le risque d'effets secondaires. Il est également recommandé d'accompagner ce traitement de suppléments d'autres vitamines du groupe B, afin d'éviter l'apparition de carences.

❧ Vitamine B$_9$: l'acide folique a aussi été employé avec succès pour venir à bout de certains cas d'infertilité féminine. Dans une étude, trois femmes qui cherchaient à concevoir depuis quatre à dix ans se sont vues donner des suppléments d'acide folique (5 mg, 3 fois par jour). Toutes trois tombèrent enceintes au bout de 3, 11 et 15 mois respectivement[273].

❧ Vitamine C : le docteur Maseo Igarashi, un gynécologue japonais, a donné de la vitamine C à cinq patientes qui n'arrivaient pas à concevoir. Deux tombèrent enceintes. Une autre patiente recevait un médicament (clomifène) qui n'avait eu aucun effet. Igarashi remplaça le médicament par 400 mg de vitamine C, ce qui fut suffisant pour entraîner l'ovulation. Les meilleurs résultats furent obtenus en associant le clomifène à des suppléments de vitamine C[274]. Dans une autre étude, des femmes traitées par insémination artificielle ne parvinrent à concevoir qu'après avoir reçu 500 mg à 2 000 mg de vitamine C par jour[275].

Les nutriments ci-dessous peuvent améliorer la fertilité masculine :

❧ Vitamine C : des suppléments de vitamine C (1 g par jour pendant 2 mois) ont été donnés à vingt hommes qui ne pouvaient concevoir, la raison en étant une agglutination de leurs spermatozoïdes. A l'issue de l'expérience, toutes les épouses des hommes qui avaient pris les suppléments étaient enceintes, alors que dans le groupe qui prenait un placebo, aucun changement n'était noté. On trouva que le sperme des hommes « supplémentés » était sensiblement plus volumineux, plus dense et que les spermatozoïdes étaient plus mobiles qu'avant l'expérience[276].

❧ Zinc : le docteur Joel Marmar, un urologue du New Jersey, estime que « 10 à 15 % des hommes infertiles ont des carences en zinc vraiment marquées[277] ». Lorsqu'il existe une carence en zinc, des suppléments de zinc restaurent souvent la fertilité[278].

&A L-arginine : cet acide aminé est important pour la production de sperme. A plusieurs reprises, on a pu établir un parallèle entre un sperme « pauvre » et un régime alimentaire carencé en arginine. Dans une étude, on a donné de l'arginine (4 à 20 g par jour pendant 3 mois) à un groupe de 178 hommes victimes d'oligospermie et sur lesquels d'autres traitements avaient échoué. La plupart (80 %) virent leur décompte de spermatozoïdes augmenter, ce qui permit une grossesse dans treize cas[279].

&A L-carnitine : on la trouve en quantités élevées dans le sperme. Des suppléments ont permis d'améliorer la mobilité et la fertilité du sperme de certains patients[280].

GROSSESSE

La nutrition joue un rôle crucial pendant la grossesse, comme vous allez le constater. De sa qualité dépendent tant la santé de la mère, que celle de l'enfant. On peut regretter que les médecins y accordent encore trop peu d'intérêt. Le premier réflexe d'un médecin devrait être d'interroger la future maman sur ses habitudes alimentaires, afin de prévenir toute carence éventuelle. Très peu le font. Les médecins hésitent aussi à prescrire des suppléments de vitamines et minéraux, soit par manque d'information, soit par peur d'effets secondaires néfastes, soit par pur scepticisme. Ils ont tort. Si votre médecin n'aborde pas spontanément les questions de nutrition lors de vos visites, insistez pour discuter de ce sujet. Demandez-lui son avis sur vos habitudes alimentaires. A la lecture de ce qui suit, suggérez que des suppléments puissent être envisagés le cas échéant. Il peut paraître paradoxal de voir ainsi des patientes tenter de convaincre leur praticien, mais rappelez-vous que les médecins ont généralement peu de connaissances en matière de nutrition. Au besoin, apportez à votre médecin un extrait de ce livre. L'idée n'est pas de vous encourager à prendre des suppléments en dépit de l'avis de votre médecin, mais au contraire de bâtir avec lui le programme qui permettra d'assurer un bon déroulement de la grossesse. Dans tous les cas, tenez-le au courant des suppléments que vous prenez.

Si vous envisagez d'avoir un enfant, voici quelques recommandations d'ordre général :

🍃 Procédez à un check-up complet chez votre médecin.

🍃 Renoncez à fumer (dans le cas contraire, vous faites courir à votre enfant un risque de santé dès la naissance et pour de nombreuses années : asthme, problèmes respiratoires, constitution chétive, sans parler du risque plus élevé de fausse couche).

🍃 Renoncez à toute drogue, douce ou dure, car ces substances entraînent une augmentation des risques de naissance prématurée, de retard de croissance, mais aussi d'hypertension et d'hémorragies pour la mère. La consommation de cocaïne ou d'héroïne est associée à un risque de mort subite de l'enfant 3 à 6 fois plus élevé.

🍃 Renoncez à toute médication sauf avis contraire de votre médecin.

🍃 Réduisez au maximum votre consommation de caféine (risque de naissance prématurée et de fausse couche) et de boissons alcoolisées. L'alcool entraîne une élimination accrue de zinc, perturbe le transport des acides aminés à travers le placenta et affecte le statut nutritionnel général de la maman. L'alcool interfère aussi avec le mécanisme d'action de certaines enzymes nécessaires à la synthèse des protéines et des acides nucléiques.

🍃 Evitez de consommer des colorants alimentaires, des nitrites et nitrates (charcuterie, poissons fumés), de la quinine (présente dans les boissons gazeuses de type « tonic »), de l'acide phosphorique (dans les sodas).

🕭 Suivez un régime amaigrissant *avant* la conception de l'enfant, si vous avez un excédent de poids : la grossesse, en effet, n'est pas la période adéquate pour perdre du poids.

🕭 Interrompez la pilule 3 mois avant de tenter d'avoir un enfant. L'emploi de la pilule est associé à des taux plus bas d'acide folique, vitamines B_6, B_{12}, C, bêta-carotène, et plusieurs semaines, voire plusieurs mois, sont nécessaires pour voir ces taux remonter, une fois la pilule interrompue. Des suppléments sont nécessaires.

🕭 Faites de l'exercice : si vous en avez fait peu jusqu'alors, commencez l'exercice bien avant la période de conception ; vous poursuivrez alors votre activité physique pendant la grossesse (sauf avis contraire du médecin). L'exercice en soi n'a aucun impact, positif ou négatif, sur le fœtus, mais il réduit le stress et la fatigue pendant la grossesse, augmente l'endurance de la mère et sa capacité à mettre au monde plus facilement. Votre médecin vous indiquera les exercices adaptés à votre état et ceux qu'il faut éviter : la natation, par exemple, est tout à fait recommandée avant et pendant la grossesse.

Avant même la grossesse : pensez à l'acide folique !

Très peu de médecins voient leur patiente avant la 4e semaine de grossesse[281]. Trop tard pour leur conseiller des suppléments d'acide folique, un nutriment qui constitue une véritable assurance contre les malformations du fœtus.

Entre la 3e et la 4e semaine de grossesse, l'enfant n'est encore qu'un embryon avec un tube ouvert que l'on appelle tube neural. Ce tube donne naissance au cerveau, à la moelle épinière et à la colonne vertébrale en se refermant. La fermeture intervient entre le 24e et le 27e jour, mais il arrive qu'elle soit incomplète. Au pire, le fœtus ou le nouveau-né ne survit pas. Au mieux, l'enfant souffre d'un retard mental, voire d'une infirmité.

Plusieurs études ont maintenant établi que l'acide folique, à des doses supérieures à 400 µg par jour, prévient de manière remarquable la malformation du tube neural, que l'on appelle aussi spina-bifida. Dans une étude en double-aveugle on a donné un supplément de vitamines contenant 800 µg d'acide folique à 2 358 femmes, tandis que 2 262 autres prenaient un placebo. Aucune des femmes du premier groupe n'a eu de spina-bifida, alors que 6 cas étaient signalés dans le second groupe. Il y eut aussi deux fois moins de fausses couches dans le premier groupe que dans le second[282]. Chez les femmes qui ont déjà connu une malformation du tube neural, la prise de 360 à 400 µg d'acide folique, lors d'une grossesse ultérieure, réduit de plus de 70 % le risque de nouvelle malformation[283].

Il est donc aujourd'hui possible de diminuer de manière considérable le risque de ce type de malformation. En guise de précaution, vous devriez prendre au moins 400 µg d'acide folique par jour sous la forme de supplément. Mais le *timing* est crucial. L'acide folique n'est efficace que pendant la période critique de formation du tube neural, c'est-à-dire du 1ᵉʳ jour de la grossesse jusqu'à 4 à 6 semaines après. Or, la certitude d'une grossesse n'est généralement acquise qu'au-delà des 2 semaines qui suivent un retard des règles. Il serait alors trop tard pour commencer la prise des suppléments d'acide folique. Cela signifie que *toutes* les femmes qui envisagent une grossesse devraient prendre de l'acide folique à titre préventif[284].

Quels nutriments pendant la grossesse ?

Le docteur Roger Williams, l'un des grands chercheurs d'après-guerre, a résumé ainsi l'importance d'une nutrition adéquate avant et pendant la grossesse : « Si toutes les futures mères étaient aussi soigneusement nourries que les animaux de laboratoire, il n'y aurait pratiquement plus de stérilité, de naissances prématurées et d'avortements. »

De fait, un programme nutritionnel adéquat peut :
— éliminer presque complètement plusieurs malformations du fœtus comme le spina-bifida ;

— réduire la fréquence des avortements spontanés et des naissances prématurées ;
— réduire la fréquence et la gravité des troubles associés à la grossesse comme l'hypertension, la déminéralisation osseuse, les calculs, les hémorroïdes, les infections ;
— favoriser la naissance d'enfants en meilleure santé physique et mentale.

D'une manière générale, les besoins en nutriments (vitamines, minéraux, acides aminés et certains acides gras) augmentent sensiblement pendant la grossesse. Mais les nutriments ci-dessous sont d'une importance particulière tant pour votre santé et votre équilibre de mère que pour le bon déroulement de la grossesse ou la santé du bébé :

✿ Vitamine A : les carences en vitamine A chez la mère peuvent se traduire par des malformations du fœtus ; soyez particulièrement vigilante si vous suivez un régime très pauvre en matières grasses. Les suppléments de vitamine A sous la forme de rétinol ou d'acide rétinoïque, lorsqu'ils sont apportés en excès, peuvent en revanche faire courir un risque au fœtus. Il est donc préférable d'apporter cette vitamine sous la forme de bêta-carotène.

✿ Vitamine D : les besoins sont multipliés par 2 pendant la grossesse. Une carence en vitamine D se traduit par un risque accru d'ostéomalacie chez la mère, de poids faible à la naissance, d'hypocalcémie du nourrisson. La vitamine D est à rechercher dans les poissons gras (saumon, hareng, sardines).

✿ Vitamine B_5 : l'acide pantothénique joue un rôle majeur dans la croissance du fœtus ; plus il y a d'acide pantothénique dans l'alimentation de la mère, plus la grossesse a de chances d'être menée à terme ; l'action de la B_5 est neutralisée par la plupart des somnifères, les antibiotiques et les sulfamides, donc assurez-vous que vous n'en manquez pas (sources : germe de blé, viandes, céréales entières, levure de bière).

❧ Vitamine B$_9$: les besoins en acide folique sont accrus pendant la grossesse, en particulier si la future mère prenait la pilule ou des antibiotiques avant la conception. Un manque d'acide folique est associé à un risque élevé de malformations du fœtus, de fausse couche et de faible poids à la naissance. Vous trouverez de la B$_9$ dans le pain complet, les légumes verts à feuilles, les carottes, le foie.

❧ Vitamine C : les femmes dont le taux de vitamine C est bas courent un risque élevé de rupture prématurée des membranes, un accident qui concerne 8 à 10 % des grossesses. Dans une étude on a donné des suppléments de vitamine C et bioflavonoïdes à cent femmes qui, par le passé, avaient été victimes d'avortements spontanés. La plupart (quatre-vingt-onze) accouchèrent à terme[285].

La concentration de vitamine C dans le liquide amniotique est 10 fois moindre chez les mères qui fument par rapport à celles qui ne fument pas, même lorsque la consommation de vitamine C est identique. Les femmes qui ont pris la pilule ont des taux de vitamine C inférieurs à celles qui n'utilisent pas de contraceptifs oraux, et il faut plusieurs mois pour voir ces taux remonter. On trouve de la vitamine C dans les agrumes, les fruits rouges, les kiwis, les pommes de terre, les tomates, les poivrons.

❧ Calcium : les femmes n'en consomment pas suffisamment. Ce minéral prévient ou guérit des formes d'hypertension associées à la grossesse (prééclampsie, éclampsie). Dans une étude, des suppléments de calcium (2 000 mg à partir de la 20e semaine) ont permis de diminuer de 40 % la fréquence des troubles hypertensifs d'un groupe de femmes enceintes[286]. Recherchez le calcium dans le lait écrémé (3 à 4 verres par jour), les fromages et les yaourts maigres.

❧ Fer : une carence en fer touche un grand nombre de femmes enceintes et virtuellement toutes celles qui viennent d'accoucher. Ces carences sont souvent marquées et peuvent s'accompagner d'anémie lorsque les futures mères sont très jeunes. Une anémie due à un manque de fer pendant la grossesse est associée à un risque de naissance prématurée 2,5 fois plus élevé, et un risque de chétivité 3 fois plus grand. Vous trouverez du fer dans la viande, le foie, les huîtres, les abricots secs, les prunes et pruneaux, les petits pois.

🐾 Zinc : le déficit en zinc entraîne un risque accru d'avortement spontané, de toxémie gravidique, de prématurité ou au contraire de postmaturité. Il s'accompagne aussi d'une prolongation du temps d'accouchement, et de saignements. Les enfants nés de mères carencées en zinc sont plus petits, et courent un risque plus élevé de malformation[287]. Les apports recommandés pendant la grossesse vont de 15 à 19 mg par jour, mais la consommation quotidienne semble en France se situer en moyenne sous la barre des 9 mg[288]. Vous trouverez du zinc dans les huîtres, les coquillages, la viande, la levure de bière, les haricots verts.

🐾 Acides gras *n*-3 : ces acides participent à la division cellulaire et à la croissance du cerveau. Les structures neuronales du fœtus en particulier en ont un besoin élevé dans les derniers mois de la grossesse. On trouve ces acides gras dans tous les poissons gras.

FAUT-IL PRENDRE DES SUPPLÉMENTS
PENDANT LA GROSSESSE ?

L'idéal serait de pouvoir se reposer sur une alimentation « équilibrée » pour apporter les nutriments nécessaires au bon déroulement de la grossesse. Dans un premier temps, le bon sens commande de composer des menus qui permettront de répondre aux besoins particuliers de cette période :

🐾 Protéines : les besoins en protéines sont accrus pendant la grossesse, puisque ces protéines seront utilisées pour fabriquer les tissus du nouveau-né. Pendant cette période, il faut apporter quotidiennement 10 g de plus que les apports recommandés (soit un total de 70 g). Ce chiffre est atteint avec le régime traditionnel de la plupart des Françaises. Il est obtenu en consommant régulièrement viandes blanches et rouges, poissons, produits laitiers.

❧ Glucides : ils apportent une quantité non négligeable de vitamines hydrosolubles et de minéraux. Céréales entières, légumes et fruits frais seront donc consommés sur une base quotidienne.

❧ Lipides : ils sont accompagnés de vitamines liposolubles, ils participent directement à la constitution des membranes cellulaires et des prostaglandines. Détournez-vous des graisses hydrogénées, qui comportent des acides gras modifiés dont les effets sur la santé sont inquiétants. On trouve ces graisses hydrogénées dans les margarines, les biscuits, les plats servis en fast-food (hamburgers, frites). Privilégiez les acides gras contenus dans les huiles de tournesol ou de maïs (acide linoléique), l'huile d'olive (acide oléique), les huiles d'onagre ou de bourrache (acide gamma-linolénique) et les chairs de poissons gras (EPA et DHA).

Cependant, le régime idéal n'existe pas, et il est plus sûr de prendre des suppléments dès avant le début de la grossesse. C'est une position partagée par un nombre croissant de chercheurs tel le docteur Adrianne Bendich, un chercheur de Hoffmann-LaRoche USA : « Il est important pour une femme qui envisage une grossesse de considérer une supplémentation en multivitamines, en particulier lorsque des contraceptifs oraux ont été utilisés sur une longue période[289]. »

Vous trouverez ci-dessous des suggestions pour un programme de supplémentation. Il n'est donné qu'à titre indicatif et ne constitue ni une prescription ni un avis médical ; avant de suivre un tel programme, consultez votre médecin.

Suppléments suggérés pour la grossesse
3 mois avant la date de conception prévue

- Bêta-carotène : 1 000 ER
- Complexe de vitamines B : 1 comprimé apportant au moins :
  — Acide folique : 400 µg à 1 000 µg
  — Vitamine B_{12} : 10 à 100 µg
- Vitamine C : 100 à 250 mg
- Calcium : 500 mg
- Magnésium : 250 mg
- Fer : 10 à 20 mg
- Zinc : 10 à 15 mg

Pendant la grossesse

- Bêta-carotène : 2 000 ER
- Vitamine D : 200 à 400 UI
- Vitamine E : 50 à 100 UI
- Complexe de vitamines B : 1 comprimé apportant au moins :
  — Acide folique : 400 µg à 1 000 µg
  — Vitamine B_{12} : 10 à 100 µg
- Vitamine C : 100 à 250 mg
- Calcium : 500 à 1 000 mg
- Cuivre : 1 à 2 mg
- Fer : 30 à 60 mg
- Iode : 75 à 150 µg
- Magnésium : 250 à 500 mg
- Manganèse : 2,5 à 5 mg
- Molybdène : 50 à 100 µg
- Sélénium : 50 à 200 µg
- Zinc : 15 mg
- Huile d'onagre : 500 à 1 000 mg
- Huile de poisson (EPA et DHA) : 1 000 mg

Il existe sur le marché des spécialités censées répondre aux besoins de la femme enceinte. L'une d'elles est Oligobs®, dont voici la composition :

Oligobs® (3 gélules, soit une dose quotidienne)

Bêta-carotène	—
Vitamine C	45 mg
Vitamine D	12 UI
Vitamine E	7,5 mg
Vitamine K	—
Vitamine B_1	0,75 mg
Vitamine B_2	0,75 mg
Vitamine B_3	—
Vitamine B_5	—
Biotine	57 µg
Vitamine B_9	300 µg
Vitamine B_{12}	1,5 µg
Calcium	90 mg
Fer	16,5 mg
Magnésium	61,5 mg
Zinc	11,25 mg
Sélénium	31,05 µg
Manganèse	1,12 mg
Silicium	37,5 mg
Cuivre	0,9 mg
Chrome	—
Molybdène	—
Iode	—

Cette spécialité, qui a pourtant la faveur des médecins français, n'est pas adaptée aux besoins de la femme enceinte. D'autres suppléments sont certainement nécessaires. La formule Bioptimum équilibre quotidien est plus intéressante.

SE SOIGNER PENDANT LA GROSSESSE

Tout médicament, même le plus anodin, est potentiellement dangereux pendant la grossesse. La plupart des molécules, en effet, traversent le placenta et peuvent affecter votre enfant. De plus, les diurétiques et d'autres médicaments créent des carences importantes en vitamines et minéraux. Comme il existe une incertitude sur votre état de mère au tout début de la grossesse, les médecins recommandent de ne plus prendre de médicaments à compter du moment où vous tentez d'avoir un enfant.

Certains suppléments peuvent vous aider à pallier le manque de médicaments.

AVERTISSEMENT : Les suppléments suggérés ci-dessous ne le sont qu'à titre indicatif ; ils ne constituent ni une prescription ni un avis médical ; consultez votre médecin avant toute supplémentation.

🕮 Constipation : les laxatifs sont déconseillés car ils peuvent contenir du sel et provoquer une rétention d'eau ou de l'hypertension ; les laxatifs à base d'huile minérale peuvent entraîner une carence en vitamines et minéraux. Solution : buvez beaucoup d'eau, mangez des fruits frais et des légumes crus, des céréales entières, prenez une cuillère d'acidophilus liquide 3 fois par jour.

🕮 Hémorroïdes : vitamine C pour renforcer la résistance des parois vasculaires (1 000 mg, 2 à 3 fois par jour), vitamine E pour dissoudre les caillots éventuels (200 à 400 UI), et flavonoïdes.

🕮 Hypertension : essayez des suppléments de calcium (1 à 2 g) avec du magnésium (500 à 1 000 mg).

🕮 Insomnies : les tranquillisants et les sédatifs sont contre-indiqués, car ils peuvent créer une dépendance chez le nouveau-né, suivie de symptômes de sevrage. Essayez le calcium (1 000 mg) et le magnésium (500 mg) au coucher, un complexe vitaminique B (50 mg, une demi-heure avant le coucher).

🕮 Migraines : elles sont dues au stress, à une sécrétion accrue d'hormones et à une carence possible en vitamines B. L'aspirine n'est pas conseillée, car elle peut entraîner des saignements. Essayez un comprimé de complexe de vitamines B, 50 mg, matin et soir, avec du magnésium.

✿ Nausées : la vitamine B$_6$ peut vous soulager (25 à 50 mg, 3 fois par jour).

✿ Rétention d'eau : toujours la vitamine B$_6$, connue pour ses vertus diurétiques (50 à 100 mg, 3 fois par jour).

✿ Vergetures : elles se forment à la suite d'une distension de la peau. Pour prévenir leur apparition, essayez des suppléments de vitamine E (200 à 400 UI par jour) et de vitamine C (500 à 1 000 mg par jour), ainsi qu'une application locale de vitamine E (huile) au coucher.

Le *baby-blues*

Une dépression légère survient fréquemment après l'accouchement. Elle est due aux changements hormonaux qui se produisent brutalement dans le corps, mais aussi à une « décompression » mentale après 9 mois d'attente parfois anxieuse ainsi qu'au sentiment d'avoir changé physiquement, d'avoir grossi, de manquer de tonicité... Avant de rechercher une aide médicale (si vous allaitez, certains médicaments sont déconseillés car ils passent dans le lait maternel et sont transmis à l'enfant), suivez les conseils ci-dessous :

✿ Dormez autant que possible ; si vous donnez le biberon, demandez à votre partenaire de prendre le relais une ou deux nuits afin que votre sommeil ne soit pas interrompu ; si vous allaitez, remplissez une bouteille de votre lait avant de vous coucher pour que votre partenaire puisse le donner au bébé ; d'une manière générale, essayez de dormir lorsque votre bébé s'endort.

✿ Sur le plan alimentaire, évitez les sucres raffinés, le café, le thé, le chocolat, les hamburgers, les pâtisseries...

✿ Assurez-vous que votre nourriture vous apporte suffisamment de vitamines du groupe B, de calcium et de magnésium, ou prenez les suppléments suivants :

- *Complexe de vitamines B : 50 à 100 mg*
- *Vitamine C : 250 à 500 mg*
- *Calcium : 500 à 1 000 mg*
- *Magnésium (2 fois moins que de calcium)*

Nutrition et allaitement

Le meilleur moyen de transmettre à votre enfant tous les nutriments nécessaires à sa croissance et à sa santé consiste à le nourrir au sein. A condition bien sûr que le statut nutritionnel de la maman soit lui-même de qualité. Lorsque c'est le cas, l'allaitement offre des avantages par rapport aux biberons de lait maternisé :

🐾 Les hormones qui sont sécrétées alors que vous allaitez aident l'utérus à se contracter et à retourner à sa forme d'avant-grossesse ; elles allongent aussi la période d'infertilité qui caractérise le post-partum.

🐾 L'allaitement permet de mobiliser les surplus de graisses qui ont été accumulés pendant la grossesse. Quelques-uns de ces kilos supplémentaires sont d'ailleurs là pour aider à la production de lait.

🐾 Au cours de la 1re semaine ou des premiers 10 jours, le sein maternel produit le colostrum, un avant-lait riche en nutriments et en anticorps à partir desquels le système immunitaire de l'enfant va se construire. Pour cette raison, les médecins encouragent souvent les mères à allaiter, ne serait-ce que pendant les premiers jours. Même après cette période initiale, le lait maternel continue de se faire le véhicule de nombreux anticorps.

🐾 On trouve dans le lait maternel des substances spécialement conçues pour la croissance de l'enfant, que les laits maternisés ne peuvent reproduire exactement. Par exemple, lait maternel et maternisé contiennent tous deux des protéines, mais les protéines du lait humain sont différentes de celles du lait de vache, et leur composition en acides aminés n'est pas aussi adaptée que celle du lait maternel. Le lait de vache contient peu de cystine et de taurine, deux acides aminés que l'on trouve en quantités notables dans le lait de femme, et qui semblent nécessaires au régime du nouveau-né.

Précautions à prendre si vous allaitez

Ce que vous mangez affecte le statut nutritionnel de votre enfant. Dans son intérêt, évitez les aliments et les médicaments suivants :
— caféine : elle passe dans le lait maternel et peut rendre l'enfant irritable et insomniaque ;
— alcool : il passe aussi dans le lait maternel ;
— médicaments contenant les molécules suivantes :
    — acide nalidixique (Négram®) ;
    — antispasmodiques à base de belladone ;
    — atropine (Atropine Aguettant®) ;
    — benzodiazépines (anxiolytiques du type Valium®, Séresta®, Lexomil®, Tranxène®, Urbanyl®, etc.) ;
    — chloramphénicol (Cébénicol®, Tifomycine®) ;
    — contraceptifs oraux ;
    — cyclophosphamide (Endoxan Asta®) ;
    — dantrone (Fructine Vichy®) ;
    — ergotamine ;
    — isoniazide (Rimifon®) ;
    — levodopa (Larodopa®) ;
    — lindane (Aphtiria®, Elénol®, Elentol®, Scabecid®) ;
    — lithium (carbonate de) ;
    — méprobamate (Equanil®, Procalmadiol®) ;
    — méthotrexate (Ledertrexate®) ;
    — métronidazole (Flagyl®) ;
    — œstrogènes ;
    — pénicilline G (Spécilline G®) ;
    — phénolphtaléine (Purganol Daguin®) ;
    — phénylbutazone (Butazolidine®) ;
    — phénytoïne (Di-Hydan®) ;
    — primidone (Mysoline®) ;
    — streptomycine ;
    — tétracycline ;
    — acide valproïque (Dépakine®) ;
    — warfarine (Coumadine®).

&a On trouve des graisses dans le lait maternel, tout comme dans les laits maternisés, mais ces graisses sont de nature différente. Les laits maternisés contiennent peu de cholestérol et peu de graisses saturées, alors que le lait maternel en est riche. Les laits maternisés contiennent des acides gras polyinsaturés du type linoléique (LA) et alpha-linolénique (LNA), alors que le lait maternel contient de surcroît de l'acide arachidonique ou AA (nécessaire à la synthèse des prostaglandines), de l'acide eicosapentaénoïque (EPA) et de l'acide docosahexaénoïque (DHA). Le raisonnement des fabricants de lait est le suivant : étant donné que l'AA est synthétisé à partir de l'acide linoléique d'une part, et qu'EPA et DHA sont issus de la chaîne de réactions qui utilise l'acide alpha-linolénique d'autre part, les besoins de l'enfant dans tous ces acides gras sont assurés. En réalité, on a constaté que les enfants nés à terme et nourris au sein ont 2 fois plus de DHA dans les membranes de leurs globules rouges que les enfants nourris aux laits maternisés contenant de l'acide alpha-linolénique (et pas de DHA)[290]. Ces deux acides jouent un rôle important dans la constitution des réseaux neuronaux, et celle des photorécepteurs de la rétine. Chez l'homme, le DHA s'accumule très rapidement dans le cerveau avant et après la naissance (jusqu'à 12 semaines après celle-ci)[291]. Les animaux qui manquent de DHA ont des problèmes de vision et souffrent de retards mentaux. Le lait maternel contient aussi de la choline, une quasi-vitamine nécessaire à la santé du système nerveux et à la constitution des membranes cellulaires.

Programme de suppléments pendant l'allaitement

- *Bêta-carotène : 10 000 UI*
- *Complexe de vitamines B : 50 à 100 mg*
- *Vitamine C : 500 à 1 000 mg*
- *Vitamine E : 100 à 400 UI*
- *Calcium : 500 à 1 000 mg*
- *Magnésium (2 fois moins que de calcium)*
- *Zinc : 30 à 50 mg*

- *Manganèse : 10 à 20 mg*
- *Fer : 20 mg au moins*
- *Sélénium : 100 à 200 µg*
- *Huile d'onagre : 1 000 mg*
- *Huile de poisson : 1 000 mg*

NUTRITION ET AFFECTIONS CHRONIQUES

Les maladies chroniques sont en augmentation dans tous les pays industrialisés, mais le grand public l'ignore. On lui claironne que « l'espérance de vie ne cesse d'augmenter ». L'espérance de vie n'est pas un marqueur très intéressant pour juger de l'état de santé d'une population, car la médecine sait maintenir en vie des gens dont la santé est sérieusement affectée. Le vrai critère fiable, c'est l'espérance de santé, c'est-à-dire l'âge auquel se manifeste une maladie invalidante. Ce qui nous intéresse, ce n'est pas de battre des records de longévité, tout en étant incapable de vaquer à nos activités habituelles par suite d'une maladie. Non, ce qui nous intéresse, c'est de voir la maladie se déclarer le plus tard possible dans la vie. A la notion d'espérance de vie, défendue par la médecine conventionnelle, les nutritionnistes et les biochimistes préfèrent donc celle d'espérance de santé. La nutrition offre des solutions intéressantes pour prévenir un certain nombre d'affections chroniques. Mais si vous êtes malade, sachez qu'une alimentation appropriée, accompagnée de certains suppléments, peut améliorer votre état. La nutrition ne guérit pas tout, bien entendu, mais dans de nombreux cas, vitamines, minéraux et autres nutriments peuvent renforcer l'efficacité des médicaments et réduire leurs effets secondaires.

Les formules qui suivent sont des suggestions. Leur utilisation nécessite le plus souvent le suivi d'un médecin. Certains des produits présentés ne sont disponibles que sur ordonnance. D'autres ne sont pas proposés à la vente en France, Belgique, Suisse ou Canada. Ils doivent être utilisés avec précaution, sous contrôle médical. N'interrompez pas le traitement qui vous a été prescrit par votre médecin pour le remplacer par des compléments alimentaires. Encore une fois, votre médecin doit rester l'interlocuteur privilégié.

Migraine

Le mal de tête est le plus souvent centré à proximité d'un œil ; il peut aussi s'étendre à tout un côté de la tête. Il s'accompagne souvent de nausées, de troubles de la vision. Le plus souvent, les causes de la migraine restent inexpliquées, mais il est conseillé de consulter un médecin afin d'éliminer des facteurs sérieux (méningite, tumeurs, traumatisme, diabète, hypercalcémie) ou d'autres causes (problème oculaire, hypoglycémie).

Dans certains cas, les migraines sont provoquées par la consommation de nourriture qui contient du glutamate de sodium (MSG), un produit fréquemment utilisé dans la cuisine chinoise. Autre substance souvent montrée du doigt, la tyramine, dont la structure est proche de l'acide aminé L-tyrosine. L'élimination de tyramine du régime alimentaire permet de venir à bout de 20 à 25 % des migraines[292].

Les aliments qui contiennent de la tyramine

Les aliments ci-dessous contiennent de la tyramine ou des bactéries dont les enzymes convertissent la tyrosine en tyramine :
— alcools, vin, bière ;
— produits à base de levures ;
— crackers au fromage ;
— crème fraîche ;
— viande faisandée ;
— viandes en conserve, corned-beef ;
— salami, saucissons ;
— roquefort, bleu, brie, camembert, cheddar, emmenthal, gouda, mozzarella, parmesan, provolone ;
— saumures de poisson, hareng, morue ;
— aubergines ;
— sauce au soja.

La phényléthylamine que contient le chocolat peut déclencher ou aggraver les migraines chez certaines personnes sensibles. L'aspartame, un édulcorant, peut avoir le même effet.

Pour prévenir ou traiter les migraines, les malades devraient augmenter leur consommation d'acides gras essentiels par :
— l'huile de noix (première pression à froid), en assaisonnement ;
— les huiles de poisson (EPA)[293].

Le magnésium est un nutriment d'une grande importance dans les cas de migraine et de maux de tête. Il a un effet dilatateur sur les vaisseaux sanguins, ce qui favorise le passage du flux sanguin. Il a aussi un effet hypotenseur. Les études suggèrent que des suppléments de magnésium (et de vitamine B_6) améliorent les états migraineux[294].

Les carences et subcarences en vitamines du groupe B peuvent se traduire par des maux de tête. Or, ces carences sont très répandues. Il peut être sage de prendre des suppléments de ces vitamines. On a également relevé des taux bas de choline chez les migraineux, et montré que la choline améliore l'état des malades[295]. Enfin, les migraines apparaissent souvent chez ceux dont la concentration de cuivre est diminuée[296].

- *Multivitamines/multiminéraux : 1 à 2 comprimés par jour*
- *Complexe de vitamines B : 1 comprimé à chaque repas*
- *Magnésium : 1 000 mg par jour*
- *Huiles de poisson (EPA) : 3 g par jour*
- *Lécithine : 1 à 2 cuillerées à café à chaque repas*

ALLERGIES

Le système immunitaire est là pour protéger le corps des substances étrangères qui peuvent l'endommager. La plupart du temps, cette mécanique fonctionne parfaitement : le système immunitaire sait identifier les agents dangereux ou antigènes (virus, bactéries) et les contrer en produisant des anticorps (immunoglobulines). Fort heureusement, le système immunitaire ne s'attaque pas à toutes les substances qui pénètrent dans le corps, comme la nourriture, les boissons, les médicaments. Mais il arrive qu'il se trompe et réagisse à une substance inoffensive ou bénigne comme s'il s'agissait d'un virus ou d'une bactérie. Ce mécanisme s'appelle allergie.

Au cours d'une allergie, la substance « étrangère » réagit avec les immunoglobulines que renferment certains globules blancs et certaines cellules des muqueuses des systèmes respiratoire et gastro-intestinal, ce qui provoque la libération d'histamine. Dans le nez et les sinus, l'histamine favorise un phénomène d'irritation. Dans les poumons, elle entraîne une sécrétion de mucus qui va s'opposer au passage de l'air. Dans l'estomac, elle favorisera des crampes.

Les allergies à la nourriture sont rares, mais elles sont la plupart du temps provoquées par une digestion partielle de protéines, lesquelles se comportent ensuite comme des anticorps. La première ligne de défense consiste à éviter les substances qui provoquent ces réactions. Il s'agit le plus souvent de :

— gluten ;
— noix, cacahuètes ;
— chocolat ;
— café ;
— maïs (que l'on trouve aussi sous la forme de sirop dans les jus de fruits, les sodas, le chewing-gum, les gâteaux, les confitures, la bière, les glaces...) ;
— levures ;
— œufs ;
— poissons, mollusques ;
— produits laitiers ;
— additifs alimentaires tels que : vanilline, benzyldéhyde, eucalyptol, glutamate, BHT-BHA, benzoates.

Pour identifier l'agresseur, la meilleure méthode consiste à limiter la prise de nourriture pendant 2 à 3 jours (boire beaucoup d'eau), en s'en tenant au programme maximal suivant :

— petit déjeuner : pommes ;
— déjeuner : poulet, riz complet ou pommes de terre ;
— dîner : salade ou carottes, jambon.

Tout le monde ne digère pas le lait

Un quart de la population française — et en particulier celle d'origine méridionale — ne digère pas le lactose du lait (un sucre), en raison d'un déficit génétique en lactase, l'enzyme qui le transforme en glucose et galactose. Allergiques au lait, ces personnes se coupent d'une source formidable de calcium, minéral essentiel. La solution s'appelle yaourt. La fermentation du lait par une famille de bactéries, les lactobacilles, convertit le lactose en sucres digestibles et en acide lactique. Le milieu acide améliore du même coup l'assimilation du calcium !

Au bout de 3 jours, réintroduire quotidiennement un aliment du régime d'origine et noter la réaction de l'organisme. Ainsi, vous êtes en mesure de mettre facilement le doigt sur la substance en cause.

La deuxième mesure consiste à améliorer la digestion des aliments en prenant des suppléments de chlorhydrate de bétaïne (qui augmentent la concentration d'acide chlorhydrique dans l'estomac), en particulier si vous avez plus de 45 ans (ces substances doivent être évitées en cas d'ulcère).

Par ailleurs, et c'est valable pour les autres formes d'allergies (allergies aux médicaments ou aux poussières), vous pouvez envisager de prendre des enzymes aux propriétés anti-inflammatoires comme les bromélaïnes.

Enfin, vous pourriez privilégier les nutriments qui diminuent la sécrétion d'histamine ou qui se sont révélés efficaces dans les études cliniques pour freiner les réactions inflammatoires. C'est le cas notamment de :
— la vitamine C. Le taux d'histamine dans le sang est inversement lié au taux de vitamine C[297]. Des suppléments de vitamine C ont permis de diminuer les réactions allergiques aux médicaments, au chocolat ou aux pollens[298] ;
— la vitamine B_{12} : elle bloque les réactions allergiques aux sulfites et aux additifs alimentaires[299] ;

— la vitamine E, parce qu'elle diminue les manifestations d'inflammation comme dans le cas des arthrites[300] ;
— la quercétine, et d'autres membres de la grande famille des flavonoïdes[301] ;
— le zinc : les carences en zinc, très répandues chez les enfants, peuvent déclencher des réactions allergiques, lorsqu'il existe une prédisposition[302] ;
— les huiles de poisson (DHA) influent sur la synthèse des leucotriènes, une classe de composés impliqués dans les processus inflammatoires, en favorisant la production de leucotriènes LTB_5 en lieu et place des LTB_4, plus inflammatoires (il n'existe cependant pas d'étude qui évalue les effets des huiles de poisson sur les allergies)[303].

- *Multivitamines/multiminéraux : 1 comprimé, 2 fois par jour (aux repas)*
- *Complexe de vitamines B : 50 mg, 3 fois par jour*
- *Vitamine B_{12} : 1 000 µg par jour (prise sublinguale)*
- *Vitamine C : 1 000 mg, 1 à 3 fois par jour*
- *Flavonoïdes : 500 mg, 1 à 2 fois par jour*
- *Vitamine E : 200 à 800 UI par jour*
- *Zinc : 30 à 50 mg par jour*
- *Huiles de poisson : 500 mg à 1 g par jour*

POLYARTHRITES RHUMATOÏDES

Cette maladie peut revêtir plusieurs formes et toucher des personnes de tous âges. Les symptômes sont les suivants : douleurs, gonflements, rigidité articulaires, pouvant aller jusqu'à la déformation d'une ou plusieurs articulations. Natation, gymnastique, yoga permettent parfois de restaurer la fonction des articulations atteintes. L'alimentation joue aussi un rôle important. Il est généralement conseillé d'éviter :
— thé, café, alcool ;
— sucres raffinés ;

— les excès de viandes rouges ;
— tabac ;
— les suppléments de fer et ceux qui contiennent du fer.

Si vous êtes de forte corpulence, efforcez-vous de maigrir. De cette manière, vous réduirez le stress qui pèse sur votre colonne vertébrale, vos hanches, vos genoux, vos chevilles.

Du point de vue nutritionnel, il est conseillé d'adopter un régime riche en fruits et légumes, pauvre en graisses saturées. Evitez les huiles végétales riches en acides gras de la série n-6, qui peuvent aggraver les symptômes de l'arthrite. Préférez-leur l'huile d'olive. Augmentez aussi votre consommation de poissons gras (saumon, hareng, thon). Ils contiennent des acides gras n-3, bénéfiques dans la condition qui est la vôtre. Deux plats de poisson par semaine semblent être un minimum. Les poissons seront cuisinés de manière que l'assimilation de leurs acides gras ne soit pas perturbée par d'autres graisses parasites ; évitez les fritures, les sauces. Mieux vaut une simple cuisson au four.

Vous pourriez aussi consommer régulièrement du cartilage de poulet, préalablement broyé. Dans une expérience très sérieuse, l'équipe du docteur Trentham, du Best Israel Hospital, a donné pendant 3 mois à trente personnes atteintes de polyarthrite rhumatoïde un traitement de ce type. Dans ce groupe, les gonflements articulaires et les douleurs ont diminué de 25 à 30 % en moyenne, alors que ces symptômes empiraient dans un groupe dit de contrôle, privé, lui, de poulet[304]. Le collagène du cartilage freinerait la réaction du système immunitaire à certains antigènes.

Des observations anecdotiques font état d'améliorations obtenues avec du cartilage de requin. Il ne s'agit pas d'études contrôlées[305]. Si vous souhaitez essayer le cartilage de requin, lire la section qui lui est consacrée dans la section consacrée plus loin au cancer. Ne dépassez pas 5 à 6 g par jour.

Parallèlement, les suppléments peuvent donner de bons résultats, en particulier :
— la vitamine E : elle s'est révélée efficace dans le

traitement d'ostéo-arthrite[306] et d'arthrites du poignet, de la cheville et des orteils[307]. Elle a même égalé ou supplanté un médicament très prescrit, le diclofénac (Voltarène®), dans des cas d'arthrite rhumatoïde[308]. A noter que la vitamine E sous la forme de d-alpha-tocophérol a souvent paru plus efficace que le classique dl-alpha-tocophérol ;

— la vitamine C : elle est nécessaire à la synthèse de nouveau collagène de bonne qualité ;

— les huiles de poisson de la série *n*-3 (EPA) : elles peuvent apporter des bénéfices considérables chez ceux qui sont atteints d'arthrite rhumatoïde[309] ;

— l'acide pantothénique (B_5) : ceux qui souffrent d'arthrite rhumatoïde semblent en manquer. Une étude a montré que des suppléments de B_5 diminuaient plusieurs des symptômes de cette maladie[310] ;

— la vitamine D, l'acide folique, la vitamine B_6, le zinc qui sont souvent présents à des taux très faibles dans l'arthrite rhumatoïde[311] ;

— le sélénium, pour ses propriétés antioxydantes[312] ;

— le sulfate de glucosamine, qui stimule la réparation de cartilage articulaire[313]. L'un des meilleurs produits sur le marché s'appelle GS-500®. Il est commercialisé par la société Enzymatic Therapy, P.O. Box 1508, Green Bay, Wisconsin 54302, USA. Un flacon de 60 capsules coûte 21,5 $.

- *Multivitamines/multiminéraux : 1 comprimé à chaque repas*
- *Vitamine E : 400 à 800 UI par jour*
- *Vitamine C : 1 000 à 2 000 mg par jour*
- *Acide pantothénique (B_5) : 1 000 à 2 000 mg par jour (MED)*
- *Sélénium : 100 à 200 µg par jour*
- *Huiles de poisson (EPA) : 1 à 3 g par jour (MED)*
- *Sulfate de glucosamine : 1 comprimé par jour*

Linus Pauling a soutenu pendant plus de vingt ans que des mégadoses de vitamine C pouvaient prévenir et guérir les rhumes. Pauling s'est violemment heurté au lobby médical, mais il ne fait plus de doute aujourd'hui qu'il avait en partie raison. En partie, puisque les études cliniques menées avec la vitamine C n'ont pas permis de conclure à un effet préventif réel.

En revanche, il est maintenant bien établi que **la vitamine C permet de diminuer la sévérité et la durée des symptômes de la grippe et du rhume**. Depuis 1971, toutes les études contre placebo (21 au total) ont montré que les suppléments de vitamine C diminuaient de 23 % en moyenne la durée et l'intensité des rhumes[314] ; 23 %, c'est suffisant pour que vous augmentiez votre consommation de vitamine C dès les premiers frissons. Le protocole « Pauling », qui a fait ses preuves, consiste à prendre **1 000 mg de vitamine C par heure**. Vous avez bien lu : cela peut vous amener à prendre jusqu'à 13 ou 14 g par jour, du lever au coucher. Que ces chiffres ne vous effraient pas, la vitamine C est sans danger. Et n'ayez aucune inquiétude pour votre sommeil : contrairement à une idée fantaisiste popularisée par les médecins et pharmaciens français, la vitamine C prise le soir n'a jamais empêché quiconque de dormir, au contraire. Poursuivez ce régime jusqu'à disparition des symptômes, puis diminuez les doses progressivement. Seul petit effet secondaire de ces mégadoses, l'apparition éventuelle d'une diarrhée passagère. Si c'est le cas, réduisez les doses, et tout rentrera dans l'ordre. Dès disparition des symptômes du rhume, diminuez progressivement la prise de vitamine C, en particulier si vous n'aviez pas l'habitude d'en consommer.

Il existe deux autres substances dont l'effet sur rhumes et grippes peut être spectaculaire.

La première de ces substances, c'est le zinc. Dans une étude très récente, menée dans les règles de l'art, des suppléments de gluconate de zinc et de glycine (23,7 mg donnés toutes les deux heures) ont permis de réduire de manière considérable la durée d'un rhume. Les patients qui ont suivi ce traitement peu après l'apparition des premiers symptômes se sont débarrassés de la maladie en moins de 5 jours, alors qu'un groupe qui prenait un placebo n'a commencé à se sentir mieux qu'après 9 jours[315] ! Tueur de virus, le zinc est aussi un stimulateur puissant de l'immunité. On ne connaît pas à l'heure actuelle de substance plus efficace contre le rhume, hormis peut-être l'interféron, hors de portée du malade moyen.

La deuxième substance miracle, c'est l'ail. L'ail est un antibiotique naturel, capable de terrasser une multitude de bactéries, efficace aussi contre plusieurs virus dont ceux de la grippe et du rhume[316]. Pour tirer tous les bénéfices de l'ail, et en faire passer le goût déplaisant, procurez-vous une ou deux gousses ; hachez-les et mélangez-les avec du jus d'orange et de citron. Prenez ce mélange 2 à 3 fois par jour pendant 1 semaine à 10 jours.

Prenez aussi tous les soirs un bouillon de poulet. Le poulet contient de grandes quantités d'un acide aminé, la cystéine. Chimiquement, la cystéine ressemble à un médicament, l'acétylcystéine, que l'on prescrit dans les cas de bronchites et sinusites. On a montré de manière tout à fait scientifique que le bouillon de poulet était très efficace pour décongestionner les voies respiratoires[317].

Sauf si votre état général vous expose à des complications sérieuses (personnes âgées, par exemple), un tel programme rend inutile la prise de médicaments, en particulier ceux qui sont en vente libre. Evitez aussi de prendre systématiquement des antibiotiques à la moindre grippe banale. D'abord parce que les états grippaux sont le plus souvent dus à la présence de virus, contre lesquels les antibiotiques n'ont pas d'effet. Ensuite parce que l'usage routinier des antibiotiques renforce la résistance des souches de bactéries, un phénomène qui est en passe de devenir un véritable problème de santé publique (voir à ce sujet l'article remarquable mais hélas inquiétant paru dans *Newsweek* du 28/03/1994). N'hésitez pas à aborder ces questions avec votre médecin, si vous avez sollicité une consultation. Les médecins ne sont pas toujours des stakhanovistes de l'ordonnance ; ce sont des gens de bon sens qui sont soucieux de votre bien-être. Aussi, si votre praticien vous prescrit des médicaments dans le simple but d'atténuer les symptômes d'une infection dont il pense qu'elle est par ailleurs banale et sans danger, vous savez maintenant que la nutrithérapie peut faire mieux pour vous. En revanche, suivez bien sûr son conseil s'il craint des complications. Les nutritionnistes se sont suffisamment battus contre le dogmatisme de la communauté médicale pour ne pas verser dans un dogmatisme tout aussi ridicule. Les pneumonies, les infections bactériennes doivent être traitées de manière appropriée, et les antibiotiques sont là pour cela.

D'autres nutriments peuvent vous aider à passer le cap pénible de la grippe. C'est le cas de la vitamine A. Lors d'une infection, de grandes quantités de vitamine A disparaissent avec les urines, ce qui est le signe que les besoins en vitamine A augmentent pendant un épisode infectieux[318].

- *Multivitamines/multiminéraux : 1 comprimé à chaque repas*
- *Vitamine C : 500 mg par heure*
- *Vitamine A : 15 000 UI par jour, pendant 5 jours*
- *Zinc (gluconate) : 100 à 200 mg par jour, pendant 5 jours*
- *L-cystéine : 2 000 mg par jour (hors des repas)*
- *Ail (voir formule plus haut) : 3 à 6 gousses par jour*

ATHÉROSCLÉROSE, RISQUE CARDIOVASCULAIRE ET NUTRITION

Le rôle de l'alimentation dans l'incidence des maladies cardiovasculaires est apparu pour la première fois lorsqu'on a examiné les artères de victimes d'attaques cardiaques. Loin de ressembler aux artères que l'on trouve chez des personnes en bonne santé (souples, élastiques, roses), ces vaisseaux étaient durcis et encombrés de dépôts de cholestérol. C'est cette condition que l'on appelle athérosclérose.

Cholestérols HDL et LDL

On parle souvent de « bon » et de « mauvais » cholestérol. En fait, il n'y a qu'un cholestérol, mais il emprunte, pour circuler dans le sang, deux types de transporteurs (deux protéines). Ces lipoprotéines sont appelées, selon le cas, HDL *(high-density lipoproteins)* ou LDL *(low-density lipoproteins)*. Les HDL ramènent le cholestérol depuis les cellules jusqu'au foie. Les LDL font le chemin inverse. Contrairement aux HDL, qui sont, comme leur nom le suggère, denses et solides, les LDL sont fragiles. Elles sont plus suceptibles que les HDL de s'écraser contre les aspérités qu'elles pourront rencontrer. Les HDL ont hérité du nom de « bon cholestérol », parce qu'elles assurent le retour du cholestérol et débarrassent en quelque sorte les cellules de leur surplus. Les LDL sont, à l'inverse, le « mauvais » cholestérol. Globalement, plus il y a de LDL relativement aux HDL dans le sang, plus le risque cardiovasculaire est élevé.

Les zones de risque :
— LDL > 130, HDL < 35 (40 pour les femmes)
— cholestérol total/HDL > 4,5

Cholestérol élevé : le coupable désigné

Ne diabolisons pas trop vite le cholestérol. Le corps en a besoin pour une multitude de fonctions cruciales : production d'hormones, synthèse de la vitamine D, production de la bile, formation des membranes cellulaires, entre autres.

Pourtant, le cholestérol a mauvaise presse. Pour comprendre comment on en est venu à l'accuser de tous les maux, un peu d'histoire est nécessaire.

Depuis la dernière guerre, les Américains ont cherché à édicter des règles en matière de nutrition, destinées au plus grand nombre. Cela partait d'un bon sentiment : améliorer la prévention, et donc la santé de la population. Mais le gouvernement américain a longtemps commis l'erreur de confier l'édiction de ces *guidelines* au seul corps médical.

Les spécialistes de la nutrition et les biochimistes, qui étaient probablement plus qualifiés pour proposer des conseils en matière de prévention, ont rarement eu l'occasion de faire entendre leur point de vue. Pourquoi était-ce une erreur de s'appuyer sur le seul corps médical ? D'abord parce que l'enseignement médical n'aborde quasiment pas les questions de nutrition.

Ensuite parce que les médecins, du fait qu'ils sont prescripteurs, sont soumis à une pression considérable de la part des laboratoires pharmaceutiques. Les médecins sont dans leur écrasante majorité des personnes dévouées, soucieuses du bien-être de leurs patients. Ces mêmes patients attendent de leur praticien un soulagement rapide, souvent — hélas ! — sous la forme d'une ordonnance bien remplie. Pour ces raisons, les médecins sont très sensibles aux arguments d'un laboratoire qui saura les convaincre que telle nouvelle molécule permet de traiter sans délai une maladie ou — plus souvent — ses symptômes. Le corps médical est donc par essence une corporation sous influence.

Enfin, et c'est probablement le plus important, la médecine américaine est une médecine de guerre. Dans un excellent ouvrage qui compare les pratiques médicales en France, en Grande-Bretagne, en Allemagne et aux USA, Lynn Payer a bien montré l'agressivité de la médecine américaine, qui puise ses sources dans une culture elle-même marquée par la violence[319]. Les médecins américains n'ont de cesse d'identifier un ennemi, puis de lui livrer une guerre totale. Cette démarche s'interdit par définition toute nuance. Ainsi pendant des années, on a traité le cancer du sein aux USA en pratiquant l'ablation totale de l'organe, alors que les techniques qui le préservent offrent le même taux de survie. Ainsi les USA sont-ils le pays où l'on pratique le plus de césariennes, même lorsqu'elles sont visiblement inutiles, avec pour conséquence un taux d'infections qui bat tous les records des pays développés. De même nous viennent des Etats-Unis les campagnes anti-sel, anti-graisses, anti-cholestérol dont on s'aperçoit, plusieurs années plus tard, qu'elles étaient excessives.

Un cholestérol bas diminue *peut-être* le risque cardiovasculaire. J'imagine votre réaction : vous dont le cholestérol est élevé, vous qui prenez un médicament pour le maintenir dans des limites raisonnables, vous êtes *certain* qu'en agissant ainsi vous vous mettez à l'abri d'un accident. Ce geste peut certainement vous protéger, mais la réalité est sans aucun doute plus nuancée. Ainsi, pour de très nombreux chercheurs, le niveau de cholestérol sanguin est un indicateur moins fiable du risque cardiovasculaire que ne l'est le niveau des antioxydants[320].

Le message anti-cholestérol est né aux Etats-Unis dans les années 50-60, avec le démarrage de plusieurs études prospectives et épidémiologiques : l'étude Western Electric, qui s'étendra de 1957 à 1977[321], l'étude Zutphen, qui ira de 1960 à 1970[322], l'étude Honolulu, qui courra de 1965 à 1975[323], l'étude Porto Rico, de 1965 à 1971[324], l'étude des 7-Pays, menée sur quinze ans[325], ou encore l'étude Boston-Irlande qui durera vingt ans[326].

L'étude Western Electric, au cours de laquelle on suivit 1 900 hommes âgés de 40 à 55 ans, employés à la Western Electric Company de Chicago, devait à l'origine explorer la relation entre le type d'alimentation et le risque cardiovasculaire. En fait, elle fut incapable de trouver la moindre corrélation entre la quantité de graisses saturées consommées et la mortalité par maladie cardiovasculaire. C'est tout juste si on réussit à mettre en parallèle la quantité de cholestérol alimentaire et ce même risque cardiovasculaire. La seule « révélation » de l'étude Western Electric fut que le taux de cholestérol sanguin dépendait du type d'alimentation, et que plus celle-ci comportait de graisses saturées, plus ce taux était élevé.

L'étude Zutphen fut conduite en Hollande auprès de 871 hommes âgés de 40 à 59 ans. Au bout de dix ans, 37 participants étaient morts de maladie coronarienne. Les chercheurs ne trouvèrent aucun lien entre la consommation de graisses saturées ou celle de cholestérol alimentaire et la mortalité. Ils ne trouvèrent pas plus de relation entre le cholestérol de départ et le risque de mortalité par infarctus du myocarde.

L'étude Honolulu était destinée à évaluer le risque de maladie cardiovasculaire chez des hommes d'origine japonaise, et qui résidaient dans l'île d'Oahu en 1965. Plus de 7 000 adultes participèrent à cette étude d'ampleur. L'étude conclut qu'une consommation importante de protéines, de graisses saturées et non saturées et de cholestérol était liée à un risque élevé d'infarctus du myocarde et de mortalité.

L'enquête Porto Rico s'intéressa à 8 000 hommes. Les chercheurs ne trouvèrent aucune relation entre les quantités de cholestérol alimentaire, de graisses saturées, de graisses polyinsaturées et le risque cardiovasculaire. Tout au plus notèrent-ils que ceux qui consommaient le plus de légumes étaient les plus protégés, une remarque qui va, elle, dans « le sens de l'histoire ».

L'enquête des 7-Pays suivit 11 570 hommes âgés de 40 à 59 ans, vivant dans sept pays différents comme le suggère le titre de l'étude. Au bout de quinze ans, 20 % de la population d'origine étaient décédés. Les chercheurs trouvèrent que le risque cardiovasculaire était plus grand chez les personnes qui consommaient le plus de graisses saturées, mais ils reconnurent les limites de l'étude en faisant remarquer que l'alimentation des participants avait évolué entre le début et la fin de l'enquête. Par exemple, les participants italiens vivant à la campagne se sont mis à consommer plus de graisses animales au fur et à mesure que les années passaient. On ne trouva aucun rapport entre le cholestérol sanguin et le risque cardiovasculaire.

Dans l'étude Boston-Irlande, on s'intéressa à 1 001 hommes âgés de 30 à 69 ans. Les participants furent divisés en trois groupes, selon qu'ils étaient immigrés irlandais récents aux Etats-Unis, frères des précédents restés en Irlande, ou Américains descendants d'Irlandais. Le premier groupe fut le plus touché par la mortalité cardiovasculaire, un résultat que l'on expliqua par une consommation plus importante de graisses saturées et de cholestérol alimentaire. Mais, à la vérité, les variations dans la mortalité d'un groupe à l'autre furent considérées comme statistiquement non significatives.

Voici un résumé des résultats de ces six études :

Association entre alimentation et risque cardiovasculaire

	Western E.	Zutphen	Honolulu	Porto Rico	7-Pays	Boston-Irl.
Particip.	1 900	871	7 088	8 000	11 570	1 001
Durée	19	10	10	6	15	20
Grais. sat.	NS	NS	+	NS	+	+
Grais. insat.	–	NS	+	NS	NS	NS
Chol. alim.	+	NS	+	NS	NR	+
Chol. sang.	NR	NS	NR	NS	NS	NR

Légende : + = association positive ; – = association négative ; NS = association non significative ; NR = association non rapportée.

Le moins qu'on puisse dire, c'est que cette série d'études ne prouvait pas grand-chose. Au total, trois des enquêtes indiquaient que le risque cardiovasculaire augmentait avec la consommation de graisses saturées, les trois autres ne trouvant aucun lien. Pour les graisses insaturées, une étude concluait à leurs responsabilités, une autre leur attribuait un rôle protecteur, les quatre autres n'avaient rien de particulier à dire. La balance penchait légèrement contre le cholestérol alimentaire (trois études défavorables contre deux inconcluantes). Enfin, en ce qui concerne le cholestérol sanguin, aucune des études ne parvenait à l'associer de manière significative à la mortalité par maladie cardiaque.

En réalité, ces études longues et coûteuses ne faisaient que confirmer ce qui tombait sous le sens ou que les nutritionnistes savaient depuis longtemps, à savoir que les régimes riches en légumes et fruits ont un effet bénéfique sur la santé, et que la consommation de graisses saturées prédispose à un cholestérol plus élevé. Mais les groupes de l'industrie alimentaire et les laboratoires pharmaceutiques allaient tirer habilement profit de l'impact de ces études auprès du grand public, de leur interprétation dans les médias par certains médecins — comme le docteur Frederick J. Stare, lui-même associé à l'étude Boston-Irlande — et de la parution d'autres études, cliniques celles-là.

Car trois coups de tonnerre allaient retentir consécutivement en 1981, 1982 et 1984 avec les publications, hautement médiatisées, du Oslo Study Group[327], du MRFIT (Multiple Risk Factor Intervention Trial)[328], et du LRC-CPPT (Lipid Research Clinics Coronary Primary Prevention Trial)[329]. Ces trois études étaient différentes et *a priori* plus fiables que les précédentes, en ce sens qu'il s'agissait d'études d'intervention, au cours desquelles on compare l'évolution de deux groupes de participants, l'un qui reçoit un traitement, l'autre qui modifie peu ou pas du tout ses habitudes.

L'étude d'Oslo portait sur 1 232 hommes âgés de 40 à 49 ans, en bonne santé. Elle avait pour objectif d'évaluer l'impact de l'arrêt du tabac et de la baisse du cholestérol sanguin sur le risque cardiovasculaire. Une partie des participants avait reçu des conseils nutritionnels destinés à faire baisser le cholestérol par réduction des graisses saturées, de l'alcool ou du sucre alimentaires, et augmentation des graisses polyinsaturées ou encore consommation de pain complet. Une incitation à diminuer le tabac était aussi prodiguée. L'autre partie des participants avait peu modifié son mode de vie. Au bout de cinq ans, le cholestérol total avait diminué de 17 % dans le groupe d'intervention, et de 4 % seulement dans le groupe de contrôle. Parallèlement, la mortalité dans le groupe d'intervention était inférieure de 33 %, et la mortalité cardiovasculaire de 55 %, par rapport au groupe de contrôle. Le résultat, semble-t-il, ne prêtait pas à discussion.

Le MRFIT, une étude clinique qui portait sur 12 866 hommes âgés de 35 à 57 ans, avait été conçu pour évaluer la possibilité de diminuer la mortalité par maladie cardiovasculaire d'une population à risque en faisant baisser le cholestérol sanguin. Les participants furent suivis sept ans en moyenne. Les résultats du MRFIT furent commentés à grands renforts de tambours et trompettes par le National Heart, Lung and Blood Institute (NHLBI), un organisme affilié aux National Institutes of Health des Etats-Unis. Selon les responsables de l'étude, celle-ci montrait qu'en réduisant de 1 % le taux de cholestérol sanguin, on diminuait de 2 % le risque de maladie cardiovasculaire.

Le LRC-CPPT se proposait d'étudier les effets d'un programme de réduction du cholestérol, par l'emploi d'un médicament. On sélectionna 3 806 hommes âgés de 35 à 59 ans. Un groupe reçut un placebo et des conseils de nutrition destinés à faire baisser le cholestérol. L'autre groupe prit un médicament, la cholestyramine. Les participants furent suivis pendant sept ans. À l'issue de l'enquête, les chercheurs du LRC-CPPT ne jugèrent même pas utile d'attendre la publication des résultats dans le *Journal of the American Medical Association*. Le 12 janvier 1984, ils convoquèrent la presse et lui assenèrent leurs convictions. Selon eux, le LRC-CPPT démontrait de manière concluante que « le risque de maladie coronarienne peut être réduit en abaissant le cholestérol sanguin. Chaque fois que le cholestérol diminue de 1 %, on peut s'attendre à une baisse de 2 % du risque d'attaque cardiaque. Ces résultats ont de larges implications pour plusieurs millions d'Américains et, s'ils sont mis en pratique, peuvent réduire nettement le grand nombre d'attaques cardiaques et de décès par attaques cardiaques que connaissent ce pays et d'autres pays ».

Relayé par la grande presse américaine, le message anti-cholestérol allait s'imposer sans grande contestation pendant les cinq années qui suivirent, modifiant profondément le mode de vie de millions d'Américains et, dans une moindre mesure, d'Européens.

Et puis le vent commença de tourner.

DES ÉTUDES PAS SI CONCLUANTES QUE ÇA

Au Department of Agriculture des USA, comme dans d'autres instances scientifiques, on s'était repenché sur les études qui avaient donné le signal de la grande campagne anti-cholestérol. Et on avait eu des surprises.

L'étude d'Oslo, avec ses différences marquantes dans la mortalité des deux groupes considérés (moins 33 % en faveur du groupe d'intervention), avait frappé les imaginations. Mais, à y regarder de plus près, l'évidence n'était plus aussi flagrante. Ainsi, la consommation de tabac avait chuté de 45 % dans le groupe d'intervention, et le poids moyen des membres de ce groupe de 5 kg en moyenne, deux facteurs qui pouvaient à eux seuls expliquer les différences constatées dans la mortalité. Surtout, ces différences ne résistaient pas à l'analyse. Ainsi, on avait bien enregistré 16 décès dans le groupe d'intervention contre 24 dans le groupe de contrôle, mais après ajustement ces valeurs ne voulaient plus dire grand-chose. Comme l'écrivent les auteurs du rapport : « S'il s'était exclusivement agi d'une étude nutritionnelle, la différence de mortalité entre les deux groupes n'aurait probablement pas eu de signification d'un point de vue statistique. »

Le MRFIT rendait compte des résultats obtenus dans deux groupes de participants. Le premier, appelé *Special Intervention* (SI), s'était donné pour objectif l'arrêt de la cigarette, la réduction de la pression artérielle et du cholestérol sanguin par la perte de poids, la diminution des graisses saturées (8 % au lieu de 14 %) et du cholestérol alimentaire (250 mg/jour au lieu de 450 mg), ainsi qu'un programme de conseils diététiques. Les membres du second, qualifié de *Usual Care* (UC), furent simplement suivis par un médecin local. Au début de l'étude, le cholestérol sanguin total était, dans un groupe comme dans l'autre, de 253 mg/dl environ. A la fin de l'enquête, il était de 235,5 mg/dl dans le groupe SI et de 240 mg/dl dans le groupe UC. Comment la mortalité par maladie coronarienne avait-elle évolué dans les deux groupes ? Il y eut 17,9 décès pour mille participants dans le groupe SI, soit 115 au total, contre 19,3 pour mille participants (124 décès) dans le groupe UC.

Si l'on avait bien constaté 9 décès de moins dans le groupe SI, cette différence était bien inférieure aux attentes des chercheurs. Ceux-ci l'avaient attribuée à la baisse du cholestérol, mais elle aurait tout aussi bien pu être mise sur le compte de l'arrêt du tabac. En effet, 46 % des membres du groupe UC fumaient encore à la fin de l'étude, alors qu'ils n'étaient que 32 % dans le groupe SI. Plus troublant, lorsqu'on fit le cumul des décès, toutes causes confondues, on constata que le taux de mortalité était *plus élevé* dans le groupe SI (41,2 ‰, soit 265 décès) que dans le groupe UC (40,4 ‰, soit 260 décès) ! L'écart était très net chez les hypertensifs traités médicalement, puisqu'ils accusaient 15 décès de plus dans le groupe SI, signe que les antihypertenseurs comportent des risques certains. En réalité, même avec la meilleure volonté du monde, on a du mal à voir dans l'opération MRFIT la preuve incontestable qu'une baisse du cholestérol entraîne une diminution du risque cardiovasculaire.

Les participants à l'étude LRC avaient aussi été divisés en deux groupes, d'environ 1 900 personnes chacun. Le groupe placebo suivait des conseils nutritionnels uniquement, tandis que le groupe d'intervention, qui bénéficiait de la même assistance, prenait aussi la cholestyramine. A l'issue de l'étude, le groupe placebo avait vu son cholestérol total diminuer de 5 %, et le cholestérol LDL (le « mauvais » cholestérol) de 8 %. Dans le groupe d'intervention, le cholestérol total avait baissé de 8,5 % et le cholestérol LDL de 12,6 %. Le groupe placebo avait connu 187 décès coronariens ou attaques, contre 155 seulement dans le groupe d'intervention. Les personnes du groupe d'intervention qui avaient pris les doses de cholestyramine avec le plus de régularité avaient vu leur cholestérol baisser de 25 %, et leur risque coronarien de 5 %, par rapport à celles du groupe placebo, d'où la règle : 1 % de cholestérol en moins = 2 % de risque cardiovasculaire en moins.

Si le bénéfice de la cholestyramine semblait net, il le devait aussi à la manière dont les résultats avaient été présentés. Ainsi, 9,8 % des membres du groupe placebo avaient été victimes d'attaques fatales, contre 8,1 % des membres du groupe d'intervention. Plutôt que de présenter cette différence relative, soit un écart de 1,7 % seulement, les chercheurs avaient choisi de comparer les chiffres absolus, lesquels faisaient apparaître une différence de 19 %.

Mais ce n'était pas la seule critique :

1. Lorsqu'on relève le total des décès d'un groupe à l'autre, on ne constate quasiment pas de différences : 71 dans le groupe placebo, 68 dans le groupe d'intervention. La cholestyramine n'a donc pas permis de réduire la mortalité.

2. Les cancers gastro-intestinaux ont augmenté de 700 % dans le groupe d'intervention. Cet aspect des politiques massives de réduction du cholestérol reste préoccupant. Une étude parue dans le *Journal of the American Medical Association*, en avril 1990, laisse d'ailleurs entendre qu'une baisse du cholestérol précède l'apparition de cancers colorectaux et que cette baisse n'est pas la conséquence du processus de cancérisation. Cela signifie que les régimes anti-cholestérol sont probablement dangereux et que le cholestérol protège certainement contre le développement de cancers[330].

3. L'effet anti-cholestérol de la cholestyramine est loin d'être époustouflant, si l'on en juge par la différence entre les deux groupes. Le coût, lui, est remarquable, puisqu'un tel programme revient à 6 000 francs par personne et par an en moyenne. Il existe des méthodes plus efficaces et moins chères d'améliorer tant le taux de cholestérol que la santé cardiovasculaire, comme sont en train de le démontrer les docteurs Dean Ornish et Lee Lipsenthal au Preventive Medicine Research Institute de Sausalito (Californie)[331, 332].

4. L'étude LRC est loin d'être exemplaire, puisque le « double-aveugle » concernait moins de la moitié des participants (certaines personnes savaient s'ils prenaient le placebo ou le médicament, et les chercheurs le savaient aussi), ce qui est contraire aux règles de déroulement de ces études.

LE RETOUR AU BON SENS

En septembre 1989, le NHLBI avouait qu'il avait « peut-être fait une erreur en pensant que la relation entre le cholestérol sanguin et les maladies coronariennes pouvait être extrapolée de faits concernant des hommes blancs d'âge moyen ». Le NHLBI reconnaissait qu'il n'avait pas d'information clinique pour recommander aux femmes ou aux hommes plus âgés de faire baisser leur taux de cholestérol[333]. Le même mois, la revue *Nutrition Week* faisait remarquer que les hypocholestérolémiants étaient souvent donnés à vie, pour un coût faramineux et une espérance de vie qui se chiffrerait au mieux à 6 mois de plus. Le magazine ajoutait que 93 % des attaques mortelles intervenaient après 50 ans, et qu'à ce moment-là il n'existait absolument aucune relation entre cholestérol sanguin et risque coronarien[334].

En 1990, le docteur Muldoon publiait dans le *British Medical Journal* les résultats de la compilation de 22 études contrôlées destinées à évaluer les effets de la baisse du cholestérol sanguin sur la mortalité cardiovasculaire. Conclusion des chercheurs : le seul effet qui ressort de ces pratiques, c'est... une augmentation de la mortalité globale[335] ! Une démarche similaire a donné lieu à la publication d'un rapport récent dans le journal *Circulation*[336]. Les chercheurs ont passé en revue les résultats de 19 études portant sur près de 650 000 personnes dans le monde entier. Conclusion ? Chez les femmes, la mortalité n'a rien à voir avec le taux de cholestérol. Chez les hommes, la mortalité est identique selon que le cholestérol est modéré ou qu'il est élevé. Et un cholestérol bas est associé à une mortalité *plus importante* qu'un cholestérol élevé.

Aujourd'hui, la communauté médicale reste partagée, même si des voix, et non des moindres, s'élèvent pour réclamer un retour au bon sens. Le professeur Alain Castagne, cardiologue à l'hôpital Henri-Mondor à Créteil, juge que « la mortalité, toutes causes confondues, est peu modifiée dans l'ensemble des études ayant eu pour objet d'abaisser la cholestérolémie[337] ». Un cardiologue californien réputé, le docteur Thomas Bassler, a calculé[338] que « des milliards de dollars et des millions de vies humaines seront gâchés si la guerre contre le cholestérol se poursuit. Cela, le grand public l'ignore certainement[339] ». Une étude récente réalisée par une équipe de chercheurs de Yale University suggère qu'il est inutile de traiter un cholestérol élevé après 70 ans[340].

Alors que la phobie du cholestérol reflue lentement, une question se pose malgré tout. A qui profite-t-elle ? Sommes-nous, à notre insu, manipulés par des intérêts puissants et bien organisés ? Toute une industrie vit sur le message anti-cholestérol. Des millions de personnes sont dirigées à intervalles réguliers vers les laboratoires d'analyses pour y faire contrôler leur taux de cholestérol. Les groupes pharmaceutiques ont bâti de véritables fortunes en commercialisant des médicaments contre le cholestérol élevé. L'industrie agro-alimentaire a tiré un énorme profit de la guerre contre le cholestérol, en multipliant les plats et préparations allégés. Pour mieux saisir la perversité du phénomène, il faut se projeter à nouveau quelques années en arrière.

Vers le milieu des années 80, les responsables du MRFIT et du LRC, forts de leurs résultats, entamèrent une intense campagne de lobbying auprès du National Heart, Lung and Blood Institute et de l'American Heart Association (AHA) pour la création d'un programme de prévention et d'éducation du public, le National Cholesterol Education Program. Alors que le NHLBI traînait les pieds, l'AHA, composée essentiellement de médecins, sautait à pieds joints dans le wagon du cholestérol et déployait tant d'énergie que le programme était finalement adopté en 1987. Il est toujours en place.

Le National Cholesterol Education Program a pour objectif affiché d'amener les Américains à faire contrôler systématiquement leur taux de cholestérol sanguin, dans le but — non avoué — de prescrire à vie des médicaments hypo-cholestérolémiants à 25 millions d'entre eux. Depuis sept ans, cette gigantesque machinerie est une formidable conjonction d'intérêts financiers. Les médecins voient débouler des cohortes de patients anxieux de savoir si leur cholestérol est « normal », les laboratoires écoulent leurs médicaments à la tonne, l'industrie alimentaire engrange les bénéfices apportés par des produits *non-fat* ou *non-cholesterol*. Le message est si bien véhiculé qu'il est devenu quasiment impossible de se procurer dans les supermarchés américains des produits laitiers traditionnels. Stressés, conditionnés, les consommateurs se détournent du lait entier, des fromages, du beurre et se ruent sur les margarines et les produits allégés.

Mais en 1988, l'American Heart Association décida de pousser plus loin son avantage en mettant au point une stratégie censée lui rapporter des millions de dollars. L'AHA décida tout simplement de vendre sa caution. Selon ce stratagème, les industriels de l'alimentaire pourraient acquérir auprès de l'AHA le droit d'utiliser son nom par le biais d'un label intitulé *HeartGuide*. Ce sigle, accordé pour trois ans, aurait été la garantie que le produit alimentaire en question avait des vertus protectrices pour le cœur. L'AHA se mit en rapport avec plusieurs sociétés et les tarifs publicitaires furent fixés à trois millions de dollars par période de trois ans, une somme qui aurait bien sûr été supportée en dernier ressort par les consommateurs. Surpris par une telle démarche, les industriels ne réagirent pas vraiment comme l'escomptait l'AHA. Richard Sullivan, vice-président exécutif de l'Association of Food Industries, résumait peut-être le point de vue de ses collègues lorsqu'il qualifia le programme *HeartGuide* de « racket »[341].

A la fin de l'année 1989, le gouvernement américain brisa net les rêves dorés de l'AHA en interdisant purement et simplement la mise en œuvre de son alléchant programme...

Laissons la conclusion de ce dossier au professeur Marian Apfelbaum, nutritionniste à l'hôpital Bichat de Paris : « Si vous êtes d'une famille à risque coronarien, connaissez bien vos propres facteurs de risque, parmi lesquels un excès de cholestérol. Si vous êtes vraiment en danger, soignez-vous sérieusement, et à vie, si vous voulez qu'elle soit raisonnablement longue. Sinon, mangez sagement de tout, bourgeoisement, sans penser à votre cholestérol (...)[342]. »

Vous trouverez ci-dessous un programme non-médicamenteux de réduction du cholestérol total. Je vous invite aussi à consulter le programme anti-athérosclérose qui fait le point sur deux notions fondamentales, celles de cholestérol HDL et de cholestérol LDL.

Pour lutter contre un cholestérol élevé, commencez par augmenter votre consommation de fibres (céréales complètes) et plus généralement de légumes verts. N'abusez pas des graisses saturées (que l'on trouve dans lait entier, beurre, fromage), car leur surconsommation augmente le cholestérol. Certains aliments (c'est encore le cas du beurre) contiennent aussi du cholestérol alimentaire (200 mg dans 100 g), mais le cholestérol alimentaire n'a quasiment pas d'impact sur le cholestérol sanguin dans le cadre d'un régime alimentaire traditionnel[343]. Aussi, ne soyez pas obnubilé par le contenu en cholestérol alimentaire de ce que vous mangez.

Les mauvaises surprises des médicaments hypocholestérolémiants

Le clofibrate est un médicament contre le cholestérol, communément prescrit. En France, il est vendu sous le nom de Lipavlon 500®. Parmi la liste des effets indésirables, telle qu'elle est publiée par le dictionnaire *Vidal*, on note : « dyspepsies, nausées, (...) vomissements, (...) douleurs abdominales, étourdissements, fatigue, crampes musculaires, baisse de la libido, céphalées, impuissance, (...) prise de poids, (...) augmentation de la fréquence des lithiases biliaires ». Quant au *Physician's Desk Reference*, l'équivalent américain du *Vidal*, il ajoute : « angine de poitrine, arythmies, phlébites, alopécies, anémie, boulimie ». Une étude de l'Organisation mondiale de la Santé a trouvé « une mortalité statistiquement significative supérieure de 36 % dans le groupe traité au clofibrate, par rapport au groupe placebo ». Le clofibrate est-il seulement efficace contre le cholestérol élevé ? A la fin des années 60, une organisation américaine, le Coronary Drug Project, avait conclu que ce médicament ne réduisait pas le cholestérol...

S'il est sage de diminuer le beurre, inutile de l'éliminer totalement de votre régime, en particulier si vous en tirez un plaisir d'ordre gustatif. Des amateurs de beurre se sont du jour au lendemain convertis à la margarine, à la suite de la publicité négative — que je viens d'évoquer — faite au cholestérol et aux graisses saturées, et sous la pression rusée des margariniers. J'imagine le calvaire de ces gourmets, obligés d'agrémenter leurs menus de la bien terne margarine. Tout cela en pure perte. Non seulement la margarine n'a pas d'effet sur le cholestérol sanguin, mais elle pourrait même augmenter le risque cardiovasculaire[344].

N'hésitez pas à abuser d'ail (ou d'oignons) dans la préparation de vos repas. L'ail semble inhiber la production d'une enzyme, la HMG-CoA-réductase, laquelle permet la synthèse de cholestérol. Une consommation importante et régulière d'ail peut à elle seule diminuer de 10 % le cholestérol total[345].

Parallèlement, les nutriments suivants sont tous efficaces contre le cholestérol élevé :

🙠 L'acide nicotinique (vitamine B_3). D'après le National Cholesterol Education Program lui-même, l'acide nicotinique est l'une des toutes premières substances pour traiter l'hypercholestérolémie. A des doses quotidiennes de 2 à 3 g, elle réduit le cholestérol total de 20 à 30 %, et diminue la mortalité par maladie coronarienne et la mortalité totale de 11 %[346]. L'acide nicotinique existe en deux versions, l'une à effet immédiat (Immediate Release, IR), l'autre à effet prolongé (Sustained Release, SR). La première a moins d'effet sur le cholestérol total (10 à 20 % de réduction pour l'IR, 20 à 40 % pour la SR), mais elle est mieux tolérée par les patients. En effet, l'acide nicotinique peut entraîner des manifestations toxiques au niveau du foie, manifestations qui disparaissent avec l'arrêt du traitement ; ces symptômes sont rares avec la forme IR, plus fréquents avec la forme SR. Cela pour souligner que le traitement de l'hypercholestérolémie par l'acide nicotinique *doit être prescrit et contrôlé par un médecin*, qui s'assurera que les données biologiques (notamment : AST, ALT, phosphatases alcalines) restent normales. On préférera donc la forme IR, et elle sera donnée à doses progressives en fin de repas : 250 mg/jour pendant 1 semaine ; puis 500 mg/jour la semaine d'après ; 1 000 mg/jour pendant la 3ᵉ semaine ; 2 000 mg/jour la semaine suivante ; et enfin 3 000 mg/jour qui constituent la dose maximale habituellement utilisée. L'acide nicotinique peut provoquer au début du traitement des symptômes de vasodilatation bénins (rougeurs) qui disparaissent au fur et à mesure que les doses sont augmentées. L'effet sur le cholestérol et les triglycérides est généralement immédiat, mais l'effet maximal peut demander des semaines, voire des mois. Le bénéfice est à la clé : l'effet sur le cholestérol est permanent tant que le traitement se poursuit ! Enfin, il faut rappeler que l'acide nicotinique ne coûte quasiment rien, en comparaison des traitements médicamenteux traditionnels.

✿ Le chrome : plusieurs études ont montré que des suppléments de chrome permettent de réduire le cholestérol total. Dans une étude contre placebo très récente, on a donné chaque jour pendant 8 semaines à un groupe de volontaires 200 µg de chrome et 1,8 mg d'acide nicotinique. Leur cholestérol total a diminué de 14 %. Un autre groupe qui prenait 800 µg de chrome avec 7,2 mg d'acide nicotinique a connu une baisse encore plus importante (18 %)[347].

✿ Le magnésium : une étude de 1984 a montré que des suppléments de magnésium permettaient de diminuer le cholestérol total de 14 % en moyenne[348]. Les malades cardiaques auxquels on donne des suppléments de magnésium voient aussi une amélioration dans le niveau de leur cholestérol[349].

✿ La vitamine C : plus il y a de vitamine C dans le corps, plus le foie est capable de transformer le cholestérol en excès en acides biliaires. Cela a été vérifié expérimentalement tant chez l'animal[350] que chez l'homme : dans une expérience, on a donné pendant 47 jours 300 mg de vitamine C à des personnes ayant des taux de cholestérol très divers[351]. Résultat ? Plus le taux de cholestérol était élevé, plus la réduction de ce taux a été importante. En d'autres termes, la vitamine C fait chuter la valeur du cholestérol sanguin chez ceux qui en ont besoin (cholestérol total supérieur à 200 mg/100 ml) !

Le programme ci-dessous, dans la mesure où il inclut de l'acide nicotinique, nécessite un suivi médical :

- *Multivitamines/multiminéraux : 1 comprimé à chaque repas*
- *Vitamine E : 100 à 400 UI*
- *Acide nicotinique (voir programme ci-dessus)*
- *Vitamine C : 1 000 à 2 000 mg par jour*
- *Chrome : 100 à 200 μg par jour*
- *Magnésium : 500 mg par jour*
- *Calcium : 1 000 mg par jour*

QUAND LE CHOLESTÉROL S'OXYDE

Un cholestérol élevé, on l'a vu, peut être un facteur prédisposant aux maladies cardiovasculaires, mais d'autres conditions sont nécessaires pour que le risque soit réel.

La théorie la plus défendue aujourd'hui pour expliquer que du cholestérol s'accumule dans les parois artérielles, la voici. On pense que tout commence par une lésion des parois des vaisseaux sanguins. L'hypertension, qui fait peser un stress excessif sur les tissus, peut être à l'origine de ces lésions. Lorsque les tissus sont endommagés, du cholestérol vient se nicher dans les interstices. Il s'agit surtout de cholestérol LDL, plus fragile. Les choses vont devenir sérieuses lorsque les dépôts de cholestérol s'oxydent, à la manière dont le beurre rancit. Une fois oxydé, le cholestérol est pris en charge par des cellules du système immunitaire, les macrophages, qui en font une sorte de bouillie, laquelle adhère aux parois des vaisseaux, les abîme, entretient une réaction inflammatoire et constitue à la longue un obstacle au passage du sang. C'est ce qu'on appelle un athérome. D'autres particules de cholestérol vont venir s'agglutiner à cet obstacle, et entraver éventuellement la circulation sanguine, privant le cœur de sang et d'oxygène.

L'oxydation du cholestérol est déclenchée soit par les cellules qui constituent la paroi des vaisseaux, soit directement dans le plasma au contact de particules libres de fer ou de cuivre, mais elle n'est pas systématique. Chez certains, les particules de cholestérol LDL s'oxydent plus facilement que chez d'autres. En d'autres termes, le risque dépend moins de la quantité de cholestérol sanguin que de la propension de ce dernier à s'oxyder. Pourquoi le cholestérol de Monsieur X s'oxydera-t-il, alors que le cholestérol de Madame Y ne sera pas affecté[352] ? De plus en plus de chercheurs pensent que la réponse à cette question tient à la quantité d'antioxydants que chacun de nous possède. Ainsi, les particules de cholestérol LDL renferment-elles naturellement de la vitamine E, qui est censée les protéger de l'oxydation. Il semblerait que l'oxydation est d'autant plus forte que la quantité de vitamine E est faible[353].

On a aussi remarqué que chez les personnes dont les cellules endothéliales (parois des vaisseaux) sont en bonne santé, les macrophages ont beaucoup de difficultés à venir prendre en charge le cholestérol oxydé pour en faire la mousse de débris qui peut provoquer des lésions. Ces cellules produiraient une substance (*endothelium-derived relaxing factor* ou EDRF) qui serait en fait de l'oxyde nitrique[354]. L'oxyde nitrique est l'agent actif de la nitroglycérine qui est donné aux malades cardiaques dans le but de dilater et relaxer les petites artères du cœur après une angine de poitrine ou une attaque. Pour fabriquer de l'oxyde nitrique, les cellules doivent avoir à leur disposition plusieurs ingrédients. L'un des plus importants est l'acide aminé arginine. Dans plusieurs expériences animales[355] et humaines[356], on a montré que des suppléments d'arginine rétablissent la production d'EDRF chez des sujets dont le cholestérol est élevé. Chez les lapins, le redémarrage de la synthèse d'EDRF ralentit ou bloque complètement les aspects connus de l'athérosclérose[357].

Pour lutter contre l'athérosclérose, la stratégie principale va donc consister à :
1. réduire les risques de lésion des parois ;

2. diminuer la fraction de cholestérol LDL et augmenter parallèlement le cholestérol HDL ;
3. réduire la sensibilité du cholestérol à l'oxydation, en renforçant le niveau des antioxydants dans l'organisme et en diminuant les facteurs oxydatifs ;
4. augmenter la production d'EDRF.

L'athérosclérose est aussi associée à d'autres facteurs de risque : l'obésité, les triglycérides élevés (graisses du sang), l'hyperinsulinémie qui va de pair avec un taux de glucose sanguin élevé. A noter que les médicaments hypocholestérolémiants ne semblent pas avoir d'intérêt chez les malades dont le taux de cholestérol est normal (la majorité des malades). Une étude, publiée dans l'édition du 29 octobre 1994 du *Lancet*, est à cet égard éloquente. Les auteurs ont comparé l'effet de médicaments hypocholestérolémiants et d'un placebo sur les paramètres de l'athérosclérose coronarienne (diamètre, sténose) chez des malades coronariens dont le cholestérol est normal. Ils n'ont trouvé aucune différence entre le placebo et les médicaments[358].

NUTRITION ET ATHÉROSCLÉROSE

Si vous souffrez de maladie coronarienne, et que votre médecin vous propose une procédure du type angioplastie ou pontage pour diminuer la fréquence des angines de poitrine, demandez-lui si votre condition vous permet de tenter d'abord le programme qui suit (voir aussi *angine de poitrine* plus loin). Si la réponse est négative, prévoyez l'adoption de ce programme après l'opération. La plupart des gens pensent que la chirurgie les a guéris, alors que les problèmes de fond restent malheureusement en place.

Voici donc votre programme pour prévenir ou faire reculer l'athérosclérose :

🙞 Diminution du stress : c'est l'une des clés du régime mis au point par le docteur Dean Ornish (Lifestyle Heart Trial). Les participants à ce programme (qui sont atteints de troubles coronariens graves ou modérés) suivent d'abord des séances de gestion du stress 1 à 2 fois par semaine. Ils apprennent les techniques de relaxation, stretching, respiration, méditation, visualisation, et les mettent en pratique au quotidien (une heure environ par jour). La relaxation a un effet sur la tension artérielle, donc sur la santé des parois des vaisseaux sanguins. Prenez contact avec un spécialiste pour vous initier à ces techniques.

℣ Réduction de la tension artérielle si elle est élevée (voir cette section).

℣ Perte de poids si vous êtes obèse (voir la section consacrée au sur-poids). Un poids élevé est associé à des manifestations subcliniques de l'athérosclérose et à un cholestérol HDL bas.

℣ Pratique de l'exercice : la sédentarité se traduit par un cholestérol LDL élevé. A l'inverse, l'exercice physique régulier augmente le « bon » cholestérol HDL[359]. L'idéal serait de faire 45 minutes à une heure d'exercice par jour, même de manière modérée : marche, vélo, course lente, natation, musculation. Assurez-vous que votre médecin ne voit pas d'inconvénient à ce que vous repreniez une activité physique.

℣ Arrêt du tabac : les fumeurs sont plus fréquemment que les non-fumeurs touchés par l'athérosclérose, et celle-ci revêt une forme plus sévère. La nicotine élève le rythme cardiaque, ce qui augmente le besoin d'oxygène et probablement les phénomènes oxydatifs. Le tabac fait aussi chuter les réserves de vitamine C, un puissant antioxydant. Il existe plusieurs techniques pour arrêter de fumer, l'une des plus efficaces étant le « patch » de nicotine.

℣ Régime approprié : du point de vue alimentaire, la sagesse consiste à diminuer la part des graisses, en particulier saturées, dans l'alimentation. Pour soigner ses malades, le docteur Ornish s'est fait l'avocat d'un régime draconien, dans lequel la part des graisses ne dépasse pas 10 % du total des calories. Il s'agit d'un régime sans viande, sans poulet, sans poisson, sans produits laitiers. Ce régime semble efficace puisque 82 % des patients qui l'ont adopté dans une expérience récente ont vu leurs lésions athérosclérotiques reculer[360]. Cela dit, il semble possible d'obtenir des résultats équivalents sans consentir à de pareils sacrifices. L'exclusion des produits laitiers est critiquable, car ce sont de bonnes sources de calcium ; on pourra donc se diriger vers des spécialités pauvres en matières grasses, comme les yaourts 0 %. L'exclusion du poisson est également contestable, compte tenu du rôle des acides gras qu'il contient. D'ailleurs des régimes riches en poissons gras : sardines, maquereaux, saumon, thon, ont un effet favorable[361].

L'autre versant de ce régime anti-athérosclérose, c'est la place qu'il doit faire aux légumes, fruits et céréales. Dans une étude, on a montré que le jus quotidien d'un seul oignon suffisait à faire monter de 30 % le taux de cholestérol HDL chez ceux dont ce taux est très bas. De très nombreuses études documentent les effets favorables de l'ail sur l'incidence ou l'évolution d'athérosclérose[362]. Les régimes alimentaires riches en fibres ont la particularité de diminuer le cholestérol[363]. Certaines substances de végétaux comme la pectine (que l'on trouve dans la pomme) font baisser le cholestérol LDL. C'est aussi le cas de nombreuses céréales. Les saponines, que l'on trouve dans les oignons, les haricots, les cacahuètes, diminuent le cholestérol sans affecter la part HDL[364]. Les noix ont aussi un effet sur le cholestérol total, puisqu'une étude clinique récente a montré qu'un régime riche en noix le fait reculer de plus de 12 %, tandis que le cholestérol HDL augmente de 5 %, et que le cholestérol LDL diminue de 16 % environ[365]. Il faut cependant éviter de ne consommer que des fruits, des légumes et des céréales, car un tel régime perturbe l'absorption de minéraux comme le calcium, le magnésium, ou le zinc. Enfin, l'huile d'olive affecte aussi le cholestérol dans le bon sens.

Vous pouvez prendre également les suppléments ci-dessous, qui ont le pouvoir d'affecter favorablement le ratio LDL/HDL, de réduire le risque d'oxydation du cholestérol, de rétablir la production d'EDRF ou encore de faire baisser le taux de glucose sanguin :

🍃 Vitamine C : elle empêche les dépôts de cholestérol de s'oxyder ; elle régénère la vitamine E, un autre antioxydant puissant[366]. Enfin, elle semble aussi favoriser le cholestérol HDL[367].

🍃 Vitamine E : les suppléments de vitamine E (200 UI) font baisser de plus de 25 % le taux de radicaux libres dans le sang ; or, les radicaux libres sont impliqués dans les phénomènes d'oxydation[368]. On a montré que lorsqu'on donne de la vitamine E à des animaux dont les artères sont obstruées à 35 %, ce chiffre est divisé par 2 au bout de deux ans[369]. Vous devez consulter votre médecin avant de prendre de la vitamine E si vous êtes suivi pour un trouble cardiovasculaire qui réclame notamment la prise d'anticoagulants.

🍃 L-arginine : elle favorise la production d'EDRF par les cellules endothéliales, en particulier chez ceux dont le cholestérol LDL est élevé.

🍃 L-lysine : cet acide aminé pourrait empêcher les particules de cholestérol de se fixer sur les parois artérielles. En effet, les lipoprotéines ont une grande affinité pour les résidus de lysine qui tapissent les parois des vaisseaux sanguins. En apportant de grandes quantités de lysine à l'organisme on peut en théorie « saturer » les lipoprotéines et diminuer l'adhésion mécanique aux parois. Telle est la thèse développée par le prix Nobel Linus Pauling peu avant sa disparition[370]. Il n'est pas conseillé de prendre plus de 3 000 mg de lysine par jour hors surveillance médicale. Cette hypothèse est contestée.

🍃 Chrome : il a un effet favorable sur le pronostic de l'athérosclérose[371], augmente le cholestérol HDL et fait baisser le cholestérol LDL[372]. Il fait également baisser le glucose sanguin[373].

🌿 Vanadium : il agit aussi sur le sucre sanguin et améliore l'action de l'insuline[374].

🌿 Flavonoïdes : les personnes qui consomment de grandes quantités de flavonoïdes auraient un risque cardiovasculaire inférieur de 60 à 70 % par rapport à celles qui en consomment le moins[375].

🌿 Coenzyme Q_{10} : cette substance proche de la vitamine E protégerait le cholestérol de l'oxydation et aurait un effet favorable sur le taux de cholestérol LDL[376].

- *Multivitamines/multiminéraux : 1 comprimé à chaque repas*
- *Vitamine E : 200 UI*
- *Vitamine C : 500 à 3 000 mg*
- *L-arginine : 3 à 6 g par jour en 3 prises, loin des repas*
- *Flavonoïdes : 100 à 500 mg*
- *Chrome : 200 µg*
- *Coenzyme Q_{10} : 50 à 100 mg*
- *Magnésium : 500 mg*

INFARCTUS DU MYOCARDE :
L'ANALYSE DU DOCTEUR HORNER

Existe-t-il un moyen de réduire de plus de 50 % la mortalité chez les malades hospitalisés à la suite d'un infarctus du myocarde ? De surcroît sans danger et pratiquement donné ? Vous haussez les épaules : « Ça se saurait ! »

Dans un article publié en 1992 dans le journal médical *Circulation*, le docteur Horner a compilé les résultats de huit études portant sur 930 patients admis à l'hôpital après un infarctus du myocarde. Par rapport à d'autres traitements, l'administration de magnésium en intraveineuse s'est traduite par une diminution de 49 % de la tachycardie ventriculaire et de la fibrillation, deux formes d'arythmies qui sont associées à un risque de mortalité élevé. La fréquence des arrêts cardiaques a été réduite de 58 %. Et la mortalité de 54 %.

Le docteur Horner écrit : « Le traitement de l'infarctus aigu du myocarde par le magnésium montre une diminution significative des arythmies et de la mortalité. [Le magnésium] est peu cher, facile d'emploi et pratiquement sans effet indésirable. (...) Il s'agit pour le moins d'une forme raisonnable de thérapie pour l'infarctus aigu du myocarde[377]. »

D'autres études sont en cours pour confirmer l'efficacité de ce traitement simple. Je vous en tiendrai informé dans un ouvrage à paraître.

Homocystéine et risque cardiovasculaire

L'homocystéine est un marqueur important du risque cardiovasculaire. Cette substance est un métabolite intermédiaire de la méthionine et de la cystéine, deux acides aminés. Par suite d'un trouble génétique ou d'une carence en vitamines B_{12} et B_9, sa concentration a tendance à s'élever dans le sang. Cette condition prédispose à un risque de maladie cardiovasculaire (athérome, infarctus, thrombose) élevé. Les personnes dont le taux d'homocystéine dépasse 15,8 μmol/litre ont ainsi un risque d'infarctus 3 fois supérieur à celles dont les taux sont normaux. La bonne nouvelle, c'est que des suppléments de vitamines B_{12}, B_6 et surtout B_9 peuvent normaliser ces taux et réduire le risque associé (il n'existe pas d'autre traitement aussi efficace et aussi peu toxique). Dans l'attente de résultats d'études d'intervention, deux prestigieux chercheurs américains, Meir Stampfer et Walter Willett (Harvard Medical School), viennent de recommander l'usage de multivitamines à tous ceux (nombreux) dont la consommation de vitamines B_6, B_9 et B_{12} est insuffisante, personnes âgées et femmes enceintes en particulier.

ANGINE DE POITRINE :
L'EXPÉRIENCE DE DEAN ORNISH

Le docteur Dean Ornish est cardiologue à Sausalito (Californie) et directeur du Preventive Medicine Research Institute, un établissement à but non lucratif, associé à l'Université de San Francisco. Dean Ornish a contribué récemment à faire évoluer l'opinion du corps médical américain sur la nutrithérapie et d'autres médecines douces. Il a montré de manière convaincante que les maladies coronariennes, même sévères, peuvent être améliorées par une modification du style de vie des patients.

Les traitements médicaux traditionnels ont pour objectif principal de diminuer la fréquence des angines de poitrine. Ils font appel à des techniques chirurgicales (pontages), parachirurgicales (angioplasties) ou médicamenteuses (hypocholestérolémiants) qui ont pour caractéristique commune de corriger un ou plusieurs des symptômes de la maladie. Ornish et son équipe ont suivi un autre raisonnement. Pour eux, la santé des malades passe d'abord par une diminution réelle des facteurs de risque.

Le programme du docteur Ornish peut avoir un impact non négligeable sur les dépenses de santé. Aux USA, un pontage coûte environ 40 000 dollars ; une angioplastie revient à 15 000 dollars. Chaque année 250 000 personnes y font l'objet d'un pontage et 300 000 d'une angioplastie (25 000 en France). Mais l'approche défendue par Ornish a aussi un autre intérêt, lorsqu'on sait que pour 50 % des personnes qui subissent un pontage, une occlusion réapparaît dans les cinq ans. Dans le cas des angioplasties, une sténose réapparaît chez un malade sur deux au bout de 4 à 6 mois, quelle que soit la méthode utilisée. Il y a donc une réelle motivation, aussi bien pour le malade que pour la collectivité, à réduire le risque de rechute.

Le programme Ornish est-il efficace ?

L'étude la plus récente a été publiée en 1990 dans *Lancet*[378]. Il s'agissait d'une étude clinique contrôlée d'un an, au cours de laquelle vingt-huit malades ont suivi les recommandations du cardiologue. Leur état a été comparé à celui de vingt autres malades qui bénéficiaient du suivi médical traditionnel. En voici les résultats :

— dans le groupe expérimental, 82 % des patients connurent une diminution des lésions sténotiques, alors que 53 % des malades du groupe de contrôle virent ces lésions progresser ;

— dans le groupe expérimental, il y eut une diminution de 91 % de la fréquence des angines, de 42 % de leur durée et de 38 % de leur gravité, à comparer à une augmentation de 165 % de cette même fréquence dans le groupe de contrôle, de 95 % de leur durée et de 39 % de leur sévérité ;

— l'état psychique des membres du groupe Ornish s'améliora sensiblement, avec une augmentation du sentiment de bien-être. Au contraire, le groupe de contrôle connut une détérioration de ces symptômes.

Ces résultats peuvent être rapprochés de ceux obtenus par l'administration d'un médicament (pravastatine, vendue sous les marques Elisor® et Vasten®) à des doses de 40 mg/jour. Le médicament a permis, dans une étude, un ralentissement de 40 à 66 % de l'*évolution* de l'athérosclérose. En clair, avec ce médicament, l'athérosclérose progresse un peu moins vite. La question que se posent les médecins, face à ce résultat, n'est pas de savoir si une approche par nutrithérapie est préférable à l'administration de pravastatine. Non, les médecins se demandent si ce médicament doit être réservé à ceux qui ont un taux de cholestérol supérieur à 270 mg/dl (la minorité) ou à l'immense population de ceux dont le taux est compris entre 215 et 230 mg/dl[379] ! A noter qu'un tel traitement revient à plus de 5 000 FF par an.

Le programme du docteur Ornish (Lifestyle Heart Trial) peut être résumé ci-dessous :

Conseils nutritionnels :
— aucun aliment d'origine animale à part le blanc d'œuf et les produits laitiers allégés ;
— moins de 10 % du total des calories en graisses ;
— moins de 10 mg de cholestérol alimentaire par jour ;
— au moins 15 % de l'apport calorique sous la forme de protéines ;
— au moins 75 % de l'apport calorique sous la forme de glucides complexes ;

— restriction de la consommation de sel pour les hypertendus et ceux qui souffrent d'insuffisance cardiaque et de maladie rénale ;
— pas ou peu d'alcool ;
— pas de caféine.

Exercice :
— cours d'exercice physique d'une heure 3 fois par semaine au cours de la partie principale du programme, puis cours hebdomadaire. Les exercices sont supervisés par des spécialistes et des cardiologues.

Gestion du stress :
— cours de gestion du stress 2 fois par semaine pendant la partie principale du programme, puis cours hebdomadaire. Le but de ces sessions est d'améliorer la relaxation et la concentration par : stretching, techniques de respiration, méditation, visualisation, relaxation progressive.

Support de groupe :
— les patients assistent à des réunions bihebdomadaires pendant la partie principale du programme, puis hebdomadaires.

Ce programme s'adresse tant aux malades qui sont menacés d'une intervention de revascularisation et recherchent une thérapie alternative, qu'aux malades qui ont déjà subi une intervention et souhaitent réduire le risque d'une nouvelle procédure. Cependant, le Preventive Medicine Research Institute a établi une liste de conditions pathologiques qui ne s'accommodent pas d'un tel programme.

Si vous souhaitez en savoir plus, ou si votre médecin veut des renseignements complémentaires, voici les coordonnées du centre : Preventive Medicine Research Institute, 900 Bridgeway, Suite 2, Sausalito, California 94965 USA. Téléphone : (415) 332 2525. Fax : (415) 332 5730.

Une alternative à la greffe cardiaque, voilà ce qu'offre la coenzyme Q_{10}, une substance dont on ignorait l'existence il y a encore cinquante ans.

En 1981, son cardiologue annonçait à Betty Dwyer, une Texane de 50 ans, qu'elle était atteinte de cardiomyopathie (une forme d'insuffisance cardiaque) et lui donnait, dans la foulée, cinq ans à vivre. En 1994, Betty allait très bien, merci, grâce à la coenzyme Q_{10} (CoQ_{10}) qu'elle prend religieusement tous les jours[380]. Cette substance étonnante, que l'on appelle aussi ubiquinone, a été isolée en 1957 dans le cœur de bœuf. Elle aide les cellules à produire de l'énergie sous la forme d'ATP (adénosine triphosphate), mais comme elle ressemble chimiquement beaucoup à la vitamine E, elle participe comme elle à la lutte contre l'oxydation des graisses par les radicaux libres. Elle protégerait ainsi le cholestérol de l'oxydation, ce qui est confirmé par les taux très bas d'ubiquinone relevés chez les malades cardiaques[381]. La coenzyme Q_{10} est concentrée dans le myocarde. Son niveau augmente à partir de la naissance et jusqu'à l'âge de 20 ans, puis décline lentement. Selon le docteur Folkers, un pionnier en la matière, les malades cardiaques présentent souvent des taux très bas de CoQ_{10}.

Selon le docteur Peter Langsjoen, un cardiologue de Tyler, Texas, qui prescrit cette substance à ses malades, « la CoQ_{10} n'est pas spécifique d'un type d'insuffisance cardiaque. Toutes les formes de cardiomyopathie semblent répondre à la CoQ_{10}, y compris les formes idiopathiques, dilatées et ischémiques ». Langsjoen recommande des doses thérapeutiques de 120 à 360 mg par jour. « Chez 80 % de mes patients, je constate une amélioration clinique en 4 semaines, avec une amélioration maximale au bout de 6 à 12 semaines (...). Au fur et à mesure que le cœur va mieux, nous pouvons diminuer les autres médicaments[382]. »

L'American Heart Association (AHA) déconseille aux malades la prise de coenzyme Q_{10}, une substance qui, selon elle, n'a pas fait ses preuves. Mais Karl Folkers recommande aux personnes qui souffrent d'un problème cardiaque grave d'encourager leur médecin à leur prescrire de l'ubiquinone, sous surveillance. Une étude récente conduite auprès de 154 malades cardiaques dans un état désespéré a montré que des suppléments quotidiens (100 à 225 mg) de coenzyme Q_{10} — une quasi-vitamine — avaient permis de maintenir 95 % des patients en vie après trois ans. Ces chiffres stupéfiants sont à comparer au taux de survie de 50 % obtenu après un an de traitement avec des médicaments conventionnels comme l'énalapril[383].

Une autre substance, l'acide aminé taurine, peut aider les personnes qui souffrent d'insuffisance cardiaque *(congestive heart failure)*. Plusieurs études japonaises font état d'une amélioration générale (jusqu'à 70 % des malades) avec des suppléments de taurine (3 à 6 g par jour)[384]. Enfin l'acétyl-L-carnitine facilite la transmission de l'énergie dans le muscle cardiaque[385].

> **Suppléments suggérés en cas d'insuffisance cardiaque** *(ce programme ne constitue pas un traitement médical ; le conseil et le suivi de votre médecin sont indispensables) :*
>
> * *Coenzyme Q_{10} : 90 à 360 mg par jour, en plusieurs fois*
> * *Taurine : 3 000 mg par jour, en 3 prises*
> * *Acétyl-L-carnitine : 2 000 mg par jour, en 4 fois*
> * *Magnésium : 300 mg par jour*

HYPERTENSION

Si votre tension systolique dépasse 14 et que votre tension diastolique dépasse 9, cette section vous concerne. Pour le corps médical, en effet, vous souffrez d'hypertension. Dans la plupart des cas, la cause d'une hypertension reste inconnue. Les années 60-70 ont connu la vogue des régimes sans sel, qui étaient censés venir à bout de l'hypertension. Depuis, on a appris trois choses :

— supprimer le sel de l'alimentation reste largement utopique. En effet, la salière ne contribue que partiellement à la consommation totale de sel, le reste étant apporté par l'alimentation, notamment d'origine industrielle ;
— tous les hypertendus ne sont pas sensibles à une diminution du sodium ;
— plus qu'un excès de sodium, c'est un manque de minéraux comme le calcium, le magnésium et le potassium qui expliquerait l'incidence croissante de l'hypertension dans les pays développés.

Les docteurs Cappuccio et MacGregor du St. George's Hospital Medical School de Londres ont montré, par l'analyse cumulée de 19 études cliniques, que des suppléments de potassium font baisser la pression artérielle[386]. De la même manière, les carences en magnésium s'accompagnent souvent d'hypertension[387]. Quant au calcium, on sait depuis longtemps qu'il prévient une forme d'hypertension (pré-éclampsie) qui apparaît pendant la grossesse ; récemment, le docteur James Dwyer, de University of Southern California School of Medicine, a prouvé qu'en consommant au moins 1 000 mg de calcium par jour on réduisait de 12 % le risque d'hypertension[388]. Si vous vous interrogez sur les effets d'une association des trois minéraux à doses importantes, voici la réponse : le docteur Singh vient d'établir qu'un tel régime permettait non seulement de faire chuter la tension d'un groupe d'hypertendus, mais aussi de diminuer les doses et les quantités de leurs médicaments[389].

A noter que la vitamine C s'est révélée capable, dans certaines études, de faire baisser une tension trop élevée[390].

Parallèlement, une alimentation riche en légumes et fruits est recommandée. Réduisez la part des graisses à 25 % de l'apport calorique et augmentez la part des acides gras polyinsaturés (n'oubliez pas la vitamine E pour limiter la peroxydation de ces graisses). Ce simple changement dans vos habitudes peut se traduire par une baisse de 10 % de la pression artérielle[391]. Enfin, si vous avez des kilos en trop, c'est peut-être le moment de les perdre. La perte de poids superflu s'accompagne souvent d'une baisse de la tension artérielle[392].

Suppléments suggérés contre l'hypertension

- *Multivitamines/multiminéraux : 1 à 3 comprimés*
- *Potassium : 1 000 à 5 000 mg (voir contre-indications en début de livre)*
- *Magnésium : 500 mg*
- *Calcium : 1 000 mg*
- *Zinc : 10 mg*
- *Vitamine C : 1 000 à 2 000 mg*
- *Vitamine E : 100 à 200 UI*
- *GLA (acide gamma-linolénique) : 300 à 600 mg*

DIABÈTE

Il existe deux grands types de diabète sucré. Le premier, appelé insulinodépendant, apparaît chez des enfants et de jeunes adultes. Dans cette maladie, la production d'insuline (qui permet la diffusion du glucose sanguin dans les cellules) est insuffisante. Dans le diabète non insulinodépendant ou de type 2, la sécrétion d'insuline est normale, mais tout se passe comme si cette hormone ne parvenait pas à exercer son action. Le glucose ne pénètre pas dans les cellules, et son taux dans le sang reste élevé, soit parce que les cellules manquent de récepteurs spécialisés, soit parce que le mécanisme même de transport du glucose dans les cellules est perturbé. Le diabète non insulinodépendant apparaît souvent à l'âge adulte. De fait, sa fréquence augmente avec l'âge.

Par rapport à des personnes en bonne santé, les diabétiques ont un risque de cataracte 25 fois plus élevé, d'insuffisance rénale 15 fois plus élevé, de gangrène 5 fois supérieur, de maladie cardiaque 3 fois plus grand.

Entre 1965 et 1973, la fréquence du diabète de type 2 a augmenté de 50 % dans un pays développé comme les USA. En vingt ans, le nombre de diabétiques a doublé en France. Les obèses ont un risque élevé de développer un diabète. Dans de nombreux cas, de simples conseils nutritionnels, accompagnés d'un programme de perte de poids et d'activité physique, peuvent améliorer la tolérance au glucose et l'état général. Dans certains cas, ils peuvent venir à bout de la maladie.

Pour des raisons qui restent inconnues, le chrome améliore l'efficacité de l'insuline et favorise le passage du glucose dans les cellules. Ce minéral est généralement présent en quantités insuffisantes dans nos assiettes, et il est possible qu'une carence d'apport en chrome favorise à long terme l'apparition ou la progression d'un diabète de type 2. En effet, la consommation massive de sucres rapides, qui est caractéristique de l'alimentation des pays occidentaux, s'accompagne d'une augmentation de l'élimination urinaire de chrome. Des suppléments de chrome ont permis à plusieurs reprises (mais pas dans tous les cas) d'améliorer la tolérance au glucose, aussi bien chez des personnes en bonne santé que chez des diabétiques de type 1 et de type 2, avec à la clé une diminution de la glycémie et une diminution de la sécrétion d'insuline. Le chrome a l'autre avantage d'améliorer le profil des lipides (cholestérol, triglycérides), ce qui contribue à réduire le risque cardiovasculaire[393].

Mais, en matière de lutte contre le diabète, le minéral qui fait aujourd'hui le plus parler de lui s'appelle vanadium. Tout comme le chrome, le vanadium améliore la tolérance au glucose. On ne dispose encore que de peu d'études sur l'homme, mais les expériences sur l'animal sont prometteuses. Le docteur John McNeill, un chercheur de University of British Columbia (Vancouver, Canada), a réussi, par des suppléments de vanadium, à éliminer le diabète chez des rats au bout de 3 semaines. 13 semaines après l'arrêt des suppléments, les animaux étaient toujours en bonne santé, comme si le vanadium avait corrigé de manière permanente un défaut d'assimilation du sucre[394]. Le docteur Luciano Rossetti de l'Albert Einstein College of Medicine (New York) vient de publier les résultats d'une étude préliminaire menée auprès d'un petit nombre de diabétiques (type 2) qui ont reçu chaque jour, pendant 3 semaines, 150 mg de vanadyl sulfate. Rossetti a relevé chez ses patients une diminution significative de la résistance à l'insuline et une amélioration dans la régulation du glucose sanguin[395]. La prise de vanadium à ces doses nécessite un suivi médical.

D'autres nutriments présentent un intérêt pour le diabétique : 20 à 25 % des diabétiques manquent de magnésium, et des suppléments peuvent dans ce cas améliorer le contrôle de la glycémie. Des études préliminaires suggèrent que la vitamine C (1 000 mg) peut prévenir ou freiner le développement de cataractes. La vitamine E pourrait avoir le même effet, et prévenir l'athérosclérose chez les diabétiques[396]. La vitamine E a démontré récemment une autre qualité : dans une étude, des suppléments de vitamine E donnés à vingt personnes âgées en bonne santé ont permis d'améliorer l'action de l'insuline. La vitamine E protégerait de l'oxydation certaines enzymes impliquées dans le métabolisme du glucose[397]. L'arginine[398], la coenzyme Q_{10}[399] et la gomme de Guar[400] améliorent la tolérance au glucose.

Enfin, sur le plan alimentaire, la consommation d'acides gras saturés — du type de ceux trouvés dans le beurre — et l'abus d'alcool sont directement associés à l'hyperinsulinémie, un état qui prédispose au diabète de l'adulte et aux maladies coronariennes. En revanche, l'exercice physique et la consommation d'acides gras polyinsaturés (que l'on trouve dans les végétaux) et de fibres permettraient de maintenir la sécrétion d'insuline dans des limites normales. C'est ce qui ressort d'une étude épidémiologique menée aux Pays-Bas auprès de 389 hommes âgés de 70 à 89 ans[401].

Suppléments suggérés contre le diabète

- *Multivitamines/multiminéraux : 1 à 3 comprimés*
- *Vitamines du groupe B : 50 à 100 mg*
- *Chrome picolinate : 200 à 500 µg*
- *Vitamine E : 400 à 800 UI*
- *Vitamine C : 1 000 mg*
- *Zinc : 15 mg*
- *Coenzyme Q_{10} : 60 mg*
- *L-arginine : 5 à 10 g hors des repas*
- *Gomme de Guar : 10 à 12 g*
- *GLA : 300 à 600 mg*

La nutrition joue un rôle considérable dans la prévention du cancer, même s'il est encore difficile d'évaluer son importance relative. Selon les spécialistes, 35 à 60 % des cancers seraient liés aux habitudes alimentaires. Les enquêtes épidémiologiques prouvent qu'il existe des différences considérables dans la fréquence des cancers selon les pays ou les régions considérés, et que ces différences sont liées aux facteurs environnementaux, parmi lesquels l'alimentation. Les études expérimentales montrent que certains nutriments ont le pouvoir d'agir sur les phases d'initiation et de promotion de la cancérogenèse. Les études prospectives indiquent que certains macronutriments (fruits, légumes) ou micronutriments (antioxydants) protègent du risque de cancer. En modifiant l'alimentation, on pourrait probablement prévenir un cancer sur deux.

La nouveauté, c'est que plusieurs études d'intervention sont en cours. Dans le cadre de ces études, on suit l'évolution de la santé de deux populations pendant plusieurs années. Un groupe prend un supplément censé prévenir l'apparition de maladies chroniques, l'autre prend un simple placebo. A l'issue de la période d'observation, on recense dans chaque groupe les cas de maladies et la mortalité associée. De telles études, dont on attend les premiers résultats avant la fin du siècle, devraient apporter un éclairage plus concret sur le pouvoir des vitamines et des minéraux en matière de prévention des maladies chroniques.

Ce sujet de la prévention par la nutrition est vaste. Il fera l'objet d'un prochain ouvrage, en cours d'écriture. J'espère à ce moment-là être en mesure de vous rendre compte de résultats susceptibles de vous aider à définir une démarche de santé globale.

Dans ce chapitre, je vais présenter un certain nombre d'informations qui intéresseront ceux qui souffrent de lésions précancéreuses ou cancéreuses. Le cancer est une maladie complexe, et la nutrition seule permet rarement de parvenir à la guérison. Dans de nombreux cas, cependant,

elle améliore la qualité de vie des malades, réduit les inconvénients des traitements, et peut allonger la durée de vie.
Elle peut donc être envisagée dans le cadre d'un traitement
conventionnel, en collaboration avec le médecin traitant.

Si les traitements alternatifs du cancer vous intéressent,
sachez que les National Institutes of Health (NIH) des USA
ont mis en place un bureau consacré précisément à l'information sur ces approches non conventionnelles, une initiative qui mériterait d'être suivie en France. Le bureau des
NIH propose une documentation complète et très bien faite,
ainsi que des ateliers, des conférences. Ces informations ne
vous seront pas refusées, même si vous n'êtes pas
citoyen(ne) des Etats-Unis. Voici les coordonnées de ce
bureau très original :

NIH Office of Alternative Medicine
Information Center
6120 Executive Boulevard
EPS Suite 450
Rockville, MD 20892-9904
USA

Tél. : (301) 402 2466
Fax : (301) 402 4741

GRAISSES ET CANCER

Le rôle des corps gras alimentaires dans le risque de cancer n'est pas clair, même si les graisses ont fait l'objet de
soupçons répétés pour les cancers du côlon, du sein et de
la prostate. Les autorités américaines de la Santé recommandent, dans le cadre d'un programme de prévention, de
ne pas consommer plus de 30 % de l'apport calorique sous
la forme de corps gras. La National Academy of Sciences
ne fait pas, dans cette recommandation, la distinction entre
les différentes graisses. Plusieurs auteurs jugent le chiffre de
30 % excessif, notamment pour prévenir le cancer de la
prostate, et recommandent de ne pas dépasser 15 à 20 %.

On commence à mieux connaître l'influence des graisses

sur l'évolution de certains cancers. L'acide linoléique, un acide gras polyinsaturé de la famille *n*-6, stimule la croissance de cellules de cancer mammaire in vitro, alors que les acides gras polyinsaturés de la famille *n*-3 (huiles de poisson) suppriment la croissance tumorale in vitro. Un régime alimentaire riche en acide linoléique favorise la croissance et les métastases de certaines cellules cancéreuses mammaires implantées chez la souris, alors que les régimes riches en *n*-3 ont l'effet inverse.

L'acide linoléique stimule de la même manière la croissance de cultures de cellules cancéreuses de la prostate, alors que les acides gras issus des huiles de poisson bloquent ce processus. Comme c'est le cas pour les cellules cancéreuses du sein, les régimes riches en graisses (et en particulier en acide linoléique) augmentent la croissance de cellules cancéreuses humaines de la prostate implantées sur la souris. Des résultats équivalents ont été obtenus sur les métastases du cancer du sein, avec l'acide linoléique favorisant l'invasion, et les acides *n*-3 bloquant celle-ci.

Ces résultats suggèrent une approche nutritionnelle (en combinaison avec les traitements thérapeutiques) pour les cancers du sein et de la prostate, avec réduction de la consommation d'acide linoléique et accroissement de la consommation d'huiles de poisson[402].

Les acides gras *trans*, obtenus par hydrogénation des huiles végétales et que l'on retrouve dans la margarine, ont été aussi soupçonnés de favoriser le développement de cancers[403].

VITAMINE A ET CANCER

Les cancers des tissus épithéliaux représentent 95 % des cas de cancer chez l'homme. Au cours de ces maladies, apparaît une altération dans le processus de différenciation des cellules, c'est-à-dire la capacité à donner des tissus ou des organes spécialisés.

La vitamine A a dès l'origine intéressé les chercheurs, car elle est nécessaire à la croissance et au renouvellement des tissus épithéliaux. Elle peut agir sur des cellules cancéreuses en favorisant la différenciation. Les études chez l'animal suggèrent qu'en augmentant l'apport de vitamine A, on diminue dans la plupart des cas la fréquence d'apparition de cancers dus aux agents chimiques[404]. Dans les études de laboratoire, la vitamine A a permis de supprimer la différenciation anormale de cultures épithéliales de la prostate et de transformer des cellules leucémiques en cellules saines[405]. Des dérivés de la vitamine A ont permis de bloquer la progression de plusieurs cancers chez l'animal (cancers de la peau, cancers mammaires), et d'obtenir la régression de tumeurs ou de retarder leur apparition[406].

Des études cliniques ont aussi été conduites sur l'homme. Au début de l'année 1992, des chercheurs italiens ont indiqué qu'une combinaison de vitamines A, C, E pouvait corriger des anormalités dans les cellules du rectum de personnes auxquelles on avait enlevé des polypes. Ces anormalités, croit-on, peuvent évoluer vers le cancer[407]. Dans une autre étude l'étrétinate, un rétinoïde de synthèse, s'est révélé capable de prévenir la réapparition de tumeurs superficielles de la vessie. Dans une autre, il a favorisé une régression de tumeurs bronchiques[408]. D'autres études encore ont permis de conclure que l'acide rétinoïque pouvait réduire la taille de lésions précancéreuses de la bouche (leucoplasies)[409], de l'œsophage[410] et de la peau[411]. L'acide 13-cis-rétinoïque a aussi été utilisé dans le traitement de cancers du larynx et du pharynx. Dans une étude, publiée en 1990, des malades ont pris soit ce produit, soit un placebo pendant 12 mois. Il n'y eut pas de différences entre les deux groupes pour le nombre des réapparitions de cancers primaires, mais 24 % des membres du groupe placebo devaient faire face à des tumeurs secondaires, contre 2 % seulement des malades qui avaient reçu le médicament[412]. Une autre forme d'acide rétinoïque (*all-trans*) permet d'obtenir une rémission complète chez 90 % des malades atteints de leucémie promyélocytique aiguë[413].

Il existe très peu d'études sur l'utilisation de bêta-carotène dans le traitement du cancer. Les études menées sur l'animal ont montré cependant que :

— les tumeurs se développent plus lentement lorsque les animaux ont reçu du bêta-carotène ;

— même lorsque les tumeurs sont établies, le bêta-carotène permet aux animaux de vivre plus longtemps ;

— des animaux traités avec des radiations et du bêta-carotène ont vu leurs tumeurs disparaître pendant plusieurs semaines. Les cobayes qui continuèrent à recevoir du bêta-carotène connurent une durée de vie normale, mais ceux qui en furent privés moururent dans les 2 mois.

On a injecté à des rats un virus qui provoque un cancer. Les rats qui avaient aussi reçu du bêta-carotène connurent moins de tumeurs. Chez eux, les tumeurs apparurent plus tard et leur taux de régression fut plus important que chez les autres animaux. Lorsqu'on a donné des suppléments après apparition des tumeurs, le bêta-carotène a augmenté sensiblement le taux de régression des tumeurs[414].

Quelques études ont été conduites sur l'homme. En 1986, des chercheurs ont donné pendant 3 mois des suppléments de bêta-carotène à des malades souffrant de leucoplasies (lésions précancéreuses de la bouche). Le traitement fut prolongé de 3 mois chez tous ceux qui répondaient favorablement. Sur les vingt-quatre participants, dix-sept virent leur condition s'améliorer significativement (deux furent guéris)[415]. Des médecins italiens ont donné à quinze patients des suppléments contenant du bêta-carotène pour tenter de prévenir la réapparition de cancers après chirurgie (poumon, sein, côlon, vessie, pharynx, larynx, bouche). Les médecins notèrent que les patients avaient bénéficié d'un « intervalle sans maladie plus long que prévu[416] ».

En Chine, on a relevé des taux de riboflavine bas chez les habitants d'une région particulièrement touchée par le cancer de l'œsophage[417]. En 1983, une étude a été lancée pour évaluer l'effet de suppléments sur l'incidence de cancers. L'étude concernait 7 000 personnes, dont 1 729 étaient atteintes de lésions précancéreuses marquées, 2 411 de lésions modérées. Pendant trois ans, les personnes atteintes de dysplasie modérée reçurent soit un supplément de B₂, soit un placebo. Quant à celles qui avaient une dysplasie avancée, elles reçurent soit une préparation traditionnelle à base d'herbes médicinales, un dérivé de la vitamine A (rétinamide), ou un placebo. L'incidence de cancers de l'œsophage dans le groupe « herbes » fut inférieure de 53 % à celle du groupe placebo. La vitamine A et la riboflavine permirent des réductions de 34 et 19 % respectivement par rapport au groupe placebo.

Une étude en double-aveugle a confirmé que des suppléments de riboflavine, de vitamine A et de zinc réduisaient le nombre de lésions précancéreuses de l'œsophage[418].

VITAMINE B₃ ET CANCER

Une dose unique et forte de nicotinamide, donnée une heure avant un médicament antinéoplasique (melphalan, vendu sous le nom Alkéran ®), semble doubler l'efficacité de cette substance. Des chercheurs britanniques ont montré qu'après cet ajout de nicotinamide le médicament reste trois fois plus longtemps dans le sang[419].

Le nicotinamide augmente aussi l'activité d'un autre médicament (cisplatine). La durée de survie de rats ainsi traités a doublé. La vitamine B₃ semble réduire en même temps la toxicité du médicament[420].

La carence en vitamine B$_6$ provoque une altération des immunités cellulaire et humorale : diminution du taux des lymphocytes et du taux de l'interleukine 2. Lorsqu'on donne du pyridoxal (une forme de la vitamine B$_6$) à des souris, avant de leur injecter des cellules de mélanome malin (cancer de la peau), la croissance des tumeurs est divisée par 2 par rapport à un groupe témoin. Des résultats du même ordre ont été obtenus sur des cultures de cellules humaines. Des chercheurs rapportent avoir traité un malade atteint de mélanome en appliquant sur sa peau une crème à base de B$_6$, 4 fois par jour pendant 2 semaines. A l'issue de cette période, les « papilles cutanées n'étaient plus visibles » et « la taille des nodules sous-cutanés avait été réduite de manière significative »[421, 422]. Ces résultats préliminaires pourraient, selon les chercheurs, « conduire à un traitement plus efficace de ce cancer particulièrement mortel ».

Les animaux qui reçoivent des radiations, ceux qui ont des tumeurs présentent des troubles du métabolisme du tryptophane (un acide aminé) dont les manifestations rappellent beaucoup les carences en vitamine B$_6$. Chez l'homme, de tels troubles sont vus dans la maladie de Hodgkin, les cancers de la vessie et du sein. Cette constatation a conduit des médecins à donner de la vitamine B$_6$ à titre de traitement correcteur. Une étude russe a montré que des injections de vitamine B$_6$ arrêtent la formation de cancers du poumon chez des animaux qui avaient reçu un agent carcinogène[423].

Chez l'humain, des doses de l'ordre de 300 mg par jour ont permis d'atténuer les symptômes liés à la radiothérapie à haute dose (nausées, diarrhée) dans certains cancers féminins.

Une étude suggère aussi qu'une supplémentation de ce type pourrait prévenir la réapparition du cancer de la vessie. Dans une autre étude, une équipe de chercheurs allemands et suisses a donné pendant 7 semaines 300 mg de B$_6$ (pyridoxine) à un groupe de femmes âgées de 45 à 65 ans, qui suivaient une radiothérapie pour un cancer de l'endomètre. Un autre groupe de malades a reçu un placebo. Les chercheurs ont trouvé que les taux de survie de cinq ans étaient supérieurs de 15 % dans le groupe supplémenté par rapport au groupe placebo. Les auteurs de cette dernière étude ont constaté que chez les patientes atteintes de cancers de l'ovaire, de l'utérus, de l'endomètre et du sein, l'évolution de la maladie avait été d'autant plus prononcée que les taux de B_1, B_2 et B_6 étaient bas. Ce constat a été porté avant une radiothérapie[424].

VITAMINE B_9 ET CANCER

C'est probablement l'une des vitamines les plus prometteuses en matière de prévention du cancer et de traitement de certaines lésions précancéreuses.

Des chercheurs de University of Alabama ont trouvé que des femmes qui prenaient la pilule et présentaient à la fois des lésions précancéreuses du col de l'utérus et des signes de carence en folates couraient moins de risques de développer un cancer si elles prenaient des suppléments de B_9[425]. Les patientes qui reçurent de tels suppléments (10 mg par jour pendant 3 mois au moins) virent leur condition s'améliorer : aucune d'entre elles ne développa de cancer, et sept des patientes furent même complètement guéries de leur dysplasie, alors que quatre de celles qui reçurent un placebo développèrent un cancer.

En 1992, le même centre universitaire fit paraître les conclusions d'une nouvelle étude. Selon ces chercheurs, les femmes qui ont été exposées à un virus, souvent à l'origine de cancers du col de l'utérus (human papillomavirus, HPV), ont 5 fois plus de risques de développer un cancer si leurs taux sanguins d'acide folique sont bas[426].

On soupçonne les composants de la fumée de cigarette de provoquer des carences en acide folique dans les tissus des bronches, ce qui les rendrait plus vulnérables aux effets des agents cancérogènes. En 1986, des chercheurs du National Cancer Institute des USA rapportèrent qu'ils avaient trouvé des taux d'acide folique très bas chez des fumeurs dont les cellules des bronches semblaient pouvoir évoluer vers un état cancéreux. A la suite de ce rapport, la même équipe de University of Alabama qui s'était intéressée au cancer du col de l'utérus a voulu voir si des suppléments d'acide folique et de vitamine B_{12} pouvaient, chez de gros fumeurs, empêcher des lésions bronchiques précancéreuses d'évoluer vers le cancer. Un groupe de malades fut constitué, qui reçut pendant 4 mois 10 mg d'acide folique et 500 µg de vitamine B_{12}. Un autre groupe reçut un placebo. Dans le groupe supplémenté, le nombre de patients avec des cellules précancéreuses diminua de manière très sensible. Dans l'autre groupe, il n'y eut aucun changement notable[427].

Les personnes qui souffrent de maladies intestinales inflammatoires (IBD), comme la colite ulcéreuse, la maladie de Crohn, courent le risque de développer un cancer. Ce risque, qui est 25 fois plus élevé que dans la population normale, a probablement deux origines. La première, c'est une mauvaise absorption de la vitamine B_9, par suite de la condition des malades. La seconde, c'est que la molécule médicamenteuse qu'on utilise le plus souvent pour les soigner, la sulfasalazine (Salazopyrine®), diminue encore l'absorption de la vitamine B_9[428]. Mais une étude de 1989 suggère que le risque de cancer chez ces malades chute de 50 % si on leur donne des suppléments d'acide folique[429] !

Le manque d'acide folique pourrait être à l'origine de l'évolution maligne d'autres types de tumeurs. Lorsqu'on crée une carence en acide folique dans des cellules de mélanome de souris et que l'on injecte ensuite ces cellules à l'animal, on constate que la prolifération est accrue par rapport à des cellules qui n'ont pas été privées d'acide folique[430].

VITAMINE C ET CANCER

En 1980, des scientifiques ont montré que la vitamine C venait à bout de cellules cancéreuses (mélanome) in vitro[431]. En 1983, des chercheurs du National Cancer Institute des USA ont réussi à allonger sensiblement la durée de vie de souris qui avaient un mélanome en leur donnant un dérivé de L-dopa (un acide aminé), en restreignant leur consommation de phénylalanine et de tyrosine (deux autres acides aminés) et en administrant de la vitamine C. Cette approche a permis d'augmenter la survie de 123 %[432]. En 1989, des chercheurs belges ont montré qu'une combinaison de vitamines C et K freinait la croissance de cellules cancéreuses humaines (sein, bouche, endomètre)[433]. De telles études in vitro se poursuivent mais, sous l'impulsion de pionniers comme Linus Pauling, on a mis très tôt sur pied des études cliniques sur l'homme. Je vais vous en présenter les résultats.

En 1976, Linus Pauling et Ewan Cameron, un médecin écossais, publièrent les résultats d'une étude menée en Ecosse auprès de malades en phase terminale, destinée à évaluer l'effet de suppléments quotidiens de vitamine C (10 g/jour) sur la durée de survie. Pauling et Cameron comparèrent l'état de cent malades qui avaient reçu la vitamine C en plus du traitement habituel, à celui de mille malades qui n'avaient pas reçu la vitamine C. Le 10 août 1976, rapporte Pauling, les mille malades étaient décédés, alors que 18 % des patients supplémentés étaient encore en vie, soit une durée de survie plus de 4 fois supérieure pour le groupe « vitamine C ». Le 15 septembre 1979, cinq malades de ce groupe étaient encore en vie. En moyenne, les patients traités à la vitamine C avaient vécu 300 jours de plus que les autres. De surcroît, Pauling rapportait son impression que ceux auxquels on avait donné de la vitamine C avaient « vécu des vies plus heureuses au cours de cette phase terminale[434] ».

En 1978, Pauling et Cameron renouvelèrent l'expérience. Ils trouvèrent que la vitamine C avait permis d'allonger de plus de 300 jours la durée de survie moyenne. Pauling concluait en disant : « Il y a peu de doute qu'une consommation élevée de vitamine C est bénéfique à la plupart des patients qui souffrent de cancers avancés[435]. »

Mais les espoirs de Pauling allaient être contredits par les résultats de deux études conduites à la clinique Mayo. La première fut publiée en septembre 1979 et elle conclut que la vitamine C ne permettait pas d'augmenter la durée de survie des cancéreux[436]. Pauling reprocha à cette étude d'avoir été menée auprès de patients qui avaient d'abord reçu de la chimiothérapie, laquelle diminue, disait-il, la capacité de l'organisme à se défendre. Les chercheurs de la clinique Mayo mirent donc sur pied une seconde étude, cette fois avec des participants dont aucun n'avait reçu de chimiothérapie (il s'agissait de victimes du cancer du côlon). On ne constata pas plus de différences de survie entre le groupe « vitamine C » et le groupe « placebo », même si aucun des membres du premier groupe ne décéda alors qu'ils prenaient de la vitamine C (10 g par jour pendant 2,5 mois)[437].

Pauling s'en prit à cette seconde étude, reprochant aux chercheurs de la clinique Mayo d'avoir interrompu le traitement à la vitamine C au moindre signe d'aggravation de l'état des malades. De ce fait, expliqua-t-il, le traitement n'avait duré en moyenne que 10 semaines, une différence importante avec le « protocole Pauling » que cette étude était censée reproduire. Pauling soupçonna aussi des patients du groupe placebo d'avoir pris en cachette de la vitamine C, ce qui ôtait une partie de sa valeur scientifique à l'étude (à cette époque, les effets supposés de la vitamine C dans le traitement du cancer étaient largement commentés dans la presse).

En dépit de la controverse, aucune étude en double-aveugle n'a été menée depuis par des chercheurs indépendants et objectifs. Une étude japonaise, sans être un modèle de rigueur scientifique, a cependant trouvé que des patients qui avaient reçu 5 g de vitamine C avaient vécu plus longtemps que ceux qui n'avaient reçu que 4 g[438]. Pauling a publié en 1990, dans un journal scientifique « non officiel », les résultats d'une autre étude, conjointement avec le psychiatre et biochimiste canadien Abram Hoffer. L'étude s'intéressait à un groupe de femmes qui avaient reçu 10 g de vitamine C, avec du bêta-carotène et d'autres nutriments. La durée moyenne de survie chez les patientes qui n'avaient pas pris les mégavitamines fut de 5,7 mois. Parmi celles qui avaient suivi le traitement, 20 % vécurent 10 mois en moyenne, les autres 80 % restant en vie 16 fois plus longtemps que les femmes qui n'avaient pas reçu de vitamine C. Plusieurs d'entre elles étaient encore en vie au moment de la publication de l'étude. Les résultats étaient particulièrement nets dans les cas de cancers de l'ovaire, du sein et des trompes de Fallope. Sur les onze patientes souffrant de ces affections, qui n'avaient pas pris de vitamines, dix étaient décédées et une survivante était très malade. Dans le même temps, sur les quarante femmes qui avaient suivi le régime mégavitaminé, vingt et une étaient encore en vie, et la plupart étaient dans un état satisfaisant[439].

Indépendamment de la controverse sur l'effet de la vitamine C sur la durée de survie, il existe quelques bonnes raisons pour envisager des suppléments de vitamine C chez ceux qui souffrent d'un cancer. On a montré que le stress lié à cette maladie contribue à diminuer le taux plasmatique de vitamine C chez des malades (cancers gynécologiques, leucémie, lymphome)[440]. On a aussi mis en évidence une baisse des taux de vitamine C (mais aussi de vitamines E, B_9 et B_{12}) pendant une radiothérapie. Mieux : lorsqu'on donne de la vitamine C au cours d'une radiothérapie, on constate souvent une amélioration de l'effet des radiations sur les cellules cancéreuses. Dans une étude, on a suivi l'effet combiné de radiations et de vitamine C auprès de cinquante patients (qui souffraient de cancers de la langue, du col de l'utérus, de l'œsophage, du cou, de la peau, des lèvres, des joues, et du sarcome d'Ewing). Au bout de 4 mois, la maladie avait progressé chez 20 % des malades qui n'avaient pas reçu de vitamine C, contre 7 % seulement de ceux auxquels elle avait été administrée. Les chercheurs constatèrent aussi que la vitamine C avait permis de diminuer l'incidence d'anémie, de réduire la douleur, la perte de poids et d'appétit[441]. Le docteur Okunieff, du Massachusetts General Hospital, estime que la vitamine C protège peau et moelle osseuse des effets des radiations[442].

Chez l'animal, la vitamine C semble protéger le cœur des dommages potentiels occasionnés par le traitement à la doxorubicine (Adriblastine®).

La prise de vitamine C doit être envisagée avec un médecin, en particulier si vous souffrez de leucémie. Quelques expériences ont montré que la vitamine C pouvait favoriser la croissance de cellules leucémiques chez certains

293

patients, et inhiber cette croissance chez d'autres[443]. Et des chercheurs italiens ont constaté que, in vitro, des doses faibles de vitamine C accéléraient la croissance de certaines tumeurs de la souris, alors que des doses élevées avaient l'effet inverse[444].

VITAMINE D ET CANCER

La vitamine D et ses analogues intéressent au plus haut point de très nombreux chercheurs, dans la mesure où ces substances semblent capables d'améliorer l'efficacité de traitements usuels. Le problème de la vitamine D est sa toxicité à doses élevées, qui peut déboucher sur une accumulation de calcium dans les tissus. Or, de nouvelles molécules, appelées analogues de la vitamine D, n'ont pas ces effets secondaires indésirables, et pourraient être utilisées de pair avec d'autres médicaments.

Selon une étude publiée dans l'édition du 1er avril du journal *Cancer Research*, une combinaison d'analogues de la vitamine D et de tamoxifène a permis de faire régresser des tumeurs mammaires chez les rats. Cette approche est confirmée par des chercheurs néerlandais qui publient les résultats de leurs travaux dans l'édition de février 1994 de *Breast Cancer Research and Development*. Ces scientifiques rapportent que les dérivés de la vitamine D bloquent la prolifération de cellules cancéreuses du sein[445].

VITAMINE E ET CANCER

Le docteur Kedar Prasad, l'un des spécialistes mondiaux des vitamines, a montré qu'une forme de vitamine E (succinate) réduit la croissance de tumeurs du mélanome et du sein dans des expériences menées en laboratoire[446]. Dans les expérimentations humaines, des doses élevées d'alpha-tocophérol ont ralenti la croissance de cellules de neuronoblastome et réduit des inflammations bénignes du sein (mastites)[447].

In vitro, la vitamine E améliore l'efficacité de certains traitements à base de chimiothérapie, radiations, hyperthermie, tout en réduisant leur toxicité[448]. Cet aspect de la diminution de la toxicité des traitements anticancéreux par la vitamine E est maintenant bien documenté.

Lorsqu'on donne des médicaments comme le méthotrexate (Ledertrexate®, Méthotrexate Roger Bellon®), la cyclophosphamide (Endoxan Asta®) ou la vincristine (Oncovin®, Vincristine Pierre Fabre®, Vincristine Roger Bellon®) à des rats, le niveau des radicaux libres augmente considérablement. Mais les animaux qui reçoivent de la vitamine E ont des taux de radicaux libres bien inférieurs, ce qui se traduit par une oxydation moindre des lipides de l'organisme[449]. In vitro, la vitamine E s'est révélée capable de protéger des globules blancs humains lors de l'exposition à six médicaments courants, dont les effets toxiques sont connus[450].

La greffe de moelle osseuse (*bone marrow transplantation*, BMT) est parfois employée pour traiter des cancers avancés. Les médecins préparent une intervention de ce type en donnant des doses élevées de médicaments, en association avec une radiothérapie massive. Ce traitement entraîne souvent une diminution notable des taux de vitamine E et bêta-carotène dans l'organisme, qui va de pair avec une augmentation notable des radicaux libres et des phénomènes de peroxydation. Des médecins allemands ont proposé que les patients qui s'apprêtent à recevoir une BMT suivent un programme de supplémentation d'antioxydants[451].

Dans les études animales, des suppléments de vitamine E ont permis de réduire les effets toxiques sur le cœur et la peau de la doxorubicine (Adriblastine®). La vitamine E a aussi diminué les phénomènes de fibrose pulmonaire qui sont liés à la prise de bléomycine (Bléomycine Roger Bellon®)[452]. La doxorubicine est proposée dans le traitement de plusieurs formes de cancers, dont celui du sein. La doxorubicine entraîne une alopécie (chute des cheveux) dans 90 % des cas. Or, dans une étude, la vitamine E (1 600 mg d'acétate de dl-alpha-tocophérol) a permis d'éviter à 69 % des participantes de perdre leurs cheveux. Les chercheurs estiment que les personnes qui malgré tout perdirent leurs cheveux avaient reçu la vitamine E trop tard, celle-ci devant être donnée 5 à 7 jours avant le début de la chimiothérapie[453].

SÉLÉNIUM, ZINC ET CANCER

Les vertus du sélénium pour prévenir le cancer sont reconnues par de très nombreux scientifiques. Le docteur Prasad se fait le porte-parole de ces chercheurs lorsqu'il recommande des suppléments de sélénium (100 µg par jour) dans le cadre d'un programme de prévention[454]. Mais le sélénium présente aussi un intérêt dans le cadre d'un traitement du cancer. Chez l'animal, il a pu ralentir le développement de tumeurs mammaires, réduire le nombre et la taille de certaines cellules cancéreuses et stimuler le système immunitaire[455]. Le sélénium pourrait présenter un intérêt pour les malades qui subissent des traitements de chimiothérapie et radiothérapie, dans la mesure où il s'oppose aux dégâts des radicaux libres et réduit la toxicité d'un grand nombre de substances[456].

Le zinc a un rôle plus ambigu dans la mesure où il peut, selon le cas, favoriser la croissance des tumeurs ou au contraire bloquer leur développement. Cette ambiguïté conduit à recommander aux malades d'éviter les suppléments de zinc, d'autant que le zinc perturbe l'action du sélénium. Certains malades consomment régulièrement des préparations multivitaminées, mais ces compléments contiennent souvent du zinc. Mieux vaut s'orienter vers des préparations individuelles et rechercher le conseil d'un médecin nutritionniste.

COENZYME Q_{10} ET CANCER

La CoQ_{10}, nous l'avons vu, a été isolée en 1957 dans le cœur de bœuf. C'est une quasi-vitamine, dont la structure chimique rappelle celle de la vitamine E. L'un des pionniers de la CoQ_{10} est le docteur Karl Folkers, qui fut le premier à en réaliser la synthèse alors qu'il travaillait pour le laboratoire Marck, Sharp & Dohme. Folkers a montré que la CoQ_{10} pouvait améliorer la condition des malades victimes d'insuffisance cardiaque. Aujourd'hui, il s'intéresse aux effets de cette substance pour le traitement du cancer.

Dans une étude publiée en mars 1994, Karl Folkers et son confrère Knud Lockwood font état des résultats d'une expérience au cours de laquelle trente-deux malades souffrant d'un cancer du sein ont reçu quotidiennement 90 mg de CoQ_{10} (avec des vitamines et minéraux). Chez six des trente-deux patientes, les médecins ont observé une régression partielle des tumeurs. Pour l'une des malades, les doses ont été augmentées jusqu'à atteindre 390 mg par jour ; 2 mois plus tard, la tumeur avait totalement disparu. Le docteur Lockwood indique qu'en dix ans de pratique, après avoir suivi deux cents malades, il n'avait encore jamais assisté à une régression totale de cancer du sein, et que celle-ci est vraisemblablement due à la coenzyme Q_{10}[457].

Cette étude est préliminaire et doit être prise avec prudence, mais elle intéressera certainement les malades et les médecins qui les suivent. Depuis sa parution, des médecins américains ont pris la décision de conseiller à leurs patients dans un état sérieux des suppléments de coenzyme Q_{10} (300 à 600 mg) avec de la vitamine E[458].

CONSEILS NUTRITIONNELS AUX MALADES

La plupart des recommandations qui concernent les doses quotidiennes de vitamines et minéraux, dans le cadre d'un programme de supplémentation, s'adressent à des personnes en bonne santé. Le fait qu'il existe de très nombreuses formes de cancers, pris à divers stades, selon divers protocoles thérapeutiques, rend très difficile la mise au point de programmes types. Il est donc conseillé au lecteur de consulter son médecin ou un médecin nutritionniste.

Cependant, Cancer Treatment Centers of America (Tél. : [918] 496 5000), une organisation américaine spécialisée, propose la formule de base quotidienne suivante à la plupart de ses malades :

- *Immuno-Max®* (formule de multivitamines/multi-minéraux spécialement mise au point)
- *Bêta-carotène : 100 000 UI*
- *Vitamine C : 12 000 mg*
- *Vitamine E : 400 UI*
- *Sélénium : 400 µg (soit un total de 800 µg, compte tenu des 400 µg apportés par Immuno-Max®)*
- *EPA : 2 000 mg*

Parallèlement, les résultats de plusieurs études épidémiologiques conduisent à suggérer une alimentation relativement faible en graisses (moins de 20 % de l'apport calorique quotidien), avec peu de graisses de la série *n*-6 et peu de graisses saturées. Les aliments riches en fibres (céréales entières, fruits, légumes) sont conseillés, ainsi que les aliments riches en caroténoïdes (carottes, épinards, tomates, abricots, pêches) et en vitamines C et B$_9$ (asperges, agrumes, poivrons, épinards). On recherchera les légumes crucifères (choux — et choucroute —, choux de Bruxelles, brocolis, choux-fleurs). Il est préférable d'éviter les aliments qui contiennent des nitrosamines (charcuterie, aliments fumés, cornichons en conserve). L'ail, l'oignon sont d'excellents alliés du système immunitaire. Vous pouvez prendre 1 à 3 gousses d'ail par jour, broyées et mélangées dans un verre de jus de fruits. Veillez à vos apports en calcium et magnésium. Prenez au besoin des suppléments de ces deux minéraux.

UNE APPROCHE NON CONVENTIONNELLE :
LA MÉLATONINE

La mélatonine, dont je vous ai parlé dans le chapitre consacré aux fonctions mentales, mérite quelques lignes dans cette partie du livre consacrée au traitement du cancer.

Une étude publiée en juin 1993 dans le *British Journal of Cancer* montre qu'une combinaison de mélatonine (50 mg) et d'interleukine-2 (3 millions UI) peut être bénéfique dans les cas de cancers avancés du pancréas, du foie, de l'estomac et du côlon, lorsqu'elle est administrée au coucher. Tous les malades concernés par cette étude en étaient au stade terminal. Au total, 23 % d'entre eux répondirent favorablement à ce traitement, et la maladie fut stabilisée dans 31 % des cas. Les chercheurs notèrent que le taux de succès était d'autant plus grand que les malades n'avaient pas reçu de chimiothérapie auparavant.

La sécrétion de mélatonine chute après l'âge de 40 ans. On a montré que les femmes dont les taux sanguins de mélatonine étaient bas avaient un risque plus élevé de développer un cancer du sein. Lorsqu'un tel cancer se déclenche, l'organisme réagit en sécrétant plus de mélatonine, ce qui laisse suggérer que la mélatonine fait partie d'un arsenal de défenses naturelles. Or, la chirurgie, la radiothérapie, la chimiothérapie font chuter la sécrétion de mélatonine. Aux USA, la Life Extension Foundation, qui a compilé les résultats de centaines d'études sur la mélatonine, suggère que les femmes qui souffrent d'un cancer prennent 9 à 20 mg de mélatonine au coucher[459].

La mélatonine ne doit pas être prise par les personnes atteintes de leucémie, lymphome, myélome multiple, maladie de Hodgkin. Elle semble inefficace contre le cancer de la prostate. Les femmes enceintes ou qui souhaitent avoir un enfant ne doivent pas prendre de mélatonine. La mélatonine a été testée à des doses allant de 300 mg à 1 000 mg par jour sur plusieurs semaines, sans entraîner d'effets indésirables autres qu'une certaine fatigue.

Si cette approche vous intéresse, la Life Extension Foundation peut vous adresser sur demande des extraits de la presse scientifique anglo-saxonne que vous pourrez présenter à votre médecin traitant (l'association commercialise aussi de la mélatonine). Ecrivez à Life Extension Foundation, P.O. Box 229120, Hollywood, Florida 33022-9120, USA, en précisant (pour les non-anglophones) : *I request your free set of reprints from medical journals regarding melatonin and cancer.*

Le requin est l'un des seuls animaux à ne contracter (presque) jamais de cancer. Lorsqu'on injecte à un requin des cellules cancéreuses, elles sont en général impitoyablement décimées avant de former une tumeur.

En 1983, des chercheurs du Massachusetts Institute of Technology, les docteurs Robert Langer et Anne Lee, ont montré qu'il existait dans le cartilage de l'animal une substance qui ralentit la croissance de nouveaux vaisseaux sanguins vers les tumeurs implantées dans d'autres animaux. En freinant ce processus de vascularisation, que l'on appelle angiogenèse, le cartilage de requin couperait les cellules cancéreuses de l'approvisionnement nécessaire à une reproduction rapide, empêchant du même coup la formation de masses tumorales[460].

En 1986, le docteur William Lane, un médecin américain, commença d'utiliser le cartilage de requin pour traiter certains cancers, mais la Federal Drug Administration des Etats-Unis (FDA), persuadée qu'il s'agissait là d'un avatar de la corne de rhinocéros, força le médecin à céder son stock aux *clinicas* mexicaines qui fleurissent du côté de Tijuana. Depuis, cependant, des études ont été menées sur l'homme. Elles confirment que le cartilage de requin peut réduire le volume de certaines tumeurs, y compris dans le cas de cancers avancés[461].

Les études sont fondées sur des doses de 50 g par jour, au cours de périodes de 2 mois au moins, avant de réduire les doses. Des doses de 50 g sont souvent difficiles à prendre oralement ; certains patients ont recours à des lavements, suivis d'une période de rétention de 20 minutes. Sachez enfin que le cartilage de requin coûte cher. 100 grammes d'un produit de qualité coûtent entre 30 et 50 dollars sur le marché américain.

Les personnes en bonne santé devraient éviter de consommer du cartilage de requin, car en freinant la croissance de nouveaux vaisseaux, ce produit peut augmenter le risque de maladie cardio- ou cérébro-vasculaire.

Une idée fait son chemin dans la communauté médicale internationale. L'idée que le SIDA apparaît après que l'organisme a été soumis à un stress oxydatif intense, qui a affaibli ses défenses naturelles. Le terme de stress oxydatif est employé par les scientifiques pour désigner un déséquilibre entre le niveau de radicaux libres et le niveau d'antioxydants : lorsque les radicaux libres sont en surnombre, les cellules sont endommagées, détruites ou modifiées.

La progression vers le SIDA après une infection par le virus HIV pourrait être d'autant plus rapide que l'organisme a subi un stress oxydatif important avant même d'être contaminé. Les pratiques en vigueur dans certains milieux homosexuels (partenaires multiples, donc risque accru d'infections ; usage de *poppers*) peuvent contribuer à créer un tel stress oxydatif. Une étude a montré que la maladie se déclarait plus vite chez les séropositifs qui fument, une catégorie dans laquelle le stress oxydatif est vraisemblablement plus élevé[462]. Mais le niveau de stress oxydatif ne dépend pas que du style de vie. Lorsque l'apport d'antioxydants est insuffisant, la balance penche en faveur des radicaux libres. Dans les pays africains, la malnutrition pourrait ainsi faire le lit de la maladie[463], dans la mesure où il existe très probablement des carences saisonnières d'apport dans les antioxydants majeurs que sont les vitamines A, C, E, le zinc et le sélénium.

Si le virus se reproduit plus rapidement dans les organismes préalablement affaiblis par le stress oxydatif, on a aussi des raisons de penser que l'infection elle-même contribue à accélérer encore l'oxydation à laquelle sont soumises les cellules de l'organisme, à la manière d'un cercle vicieux. Dans une conférence organisée à Washington par les National Institutes of Health des Etats-Unis sous la présidence du docteur Howard Greenspan, de nombreux scientifiques ont présenté les résultats d'études qui montrent que l'infection entraîne une surabondance de radicaux libres dans le corps. C'est plus qu'un organisme déjà affaibli ne peut supporter.

« Le virus utilise un certain type de mécanisme qui bloque la défense de l'organisme contre la surproduction de radicaux libres », estime le docteur Greenspan[464]. Le corps fait généralement appel à des vitamines et des minéraux de l'alimentation pour « éteindre » les incendies cellulaires provoqués par les radicaux libres. Dans le cas de l'infection HIV, il semble que le virus perturbe l'absorption normale de ces substances et leur mobilisation par l'organisme. Cette piste du stress oxydatif pourrait expliquer en partie la défaillance du système immunitaire chez les malades. L'oxydation accrue favoriserait la reproduction du virus, et le virus à son tour affaiblirait encore l'arsenal de défenses contre les radicaux libres.

Il s'agit d'une hypothèse récente, mais le fait qu'une personnalité aussi éminente que le professeur Luc Montagnier adhère aujourd'hui à ce point de vue montre l'intérêt d'une telle approche. Cette hypothèse donne à la nutrition un rôle central dans la lutte contre l'apparition et la progression de la maladie, puisque c'est l'alimentation qui fournit l'essentiel de l'arsenal anti-radicaux libres. Elle permettrait d'expliquer pourquoi certains malades infectés développent un SIDA très vite, alors qu'il apparaît chez d'autres plus lentement.

Je vous propose de faire le point sur un certain nombre d'études qui explorent la relation entre oxydation, nutrition et infection HIV.

🙒 Antioxydants (1) : Des chercheurs de Harvard University ont avancé l'hypothèse que la consommation d'antioxydants pourrait perturber le signal intercellulaire anormal qui apparaît en réponse au virus HIV[465]. Une étude conduite pendant six ans par des chercheurs américains auprès de 296 hommes séropositifs a montré que le risque de développer un SIDA était d'autant plus élevé que la consommation de fer, vitamine A, vitamine E, vitamine C, riboflavine (vitamine B_2), thiamine (vitamine B_1) était faible. La consommation quotidienne de multivitamines/multiminéraux était associée à un risque plus faible de développer la maladie (moins 31 %) et un risque moindre d'avoir un décompte faible de globules blancs CD$_4$ (moins 40 %)[466]. Une autre étude, menée pendant près de sept ans auprès de 281 hommes séropositifs, a aussi conclu que des consommations élevées de vitamines C, B$_1$ et B$_3$, qu'elles soient obtenues par l'alimentation ou par les suppléments, retardaient la progression vers la maladie. Les gros consommateurs de vitamine C avaient un risque inférieur de 45 % ; ce chiffre était de 40 % pour les consommateurs de B$_1$, et de 48 % pour les consommateurs de B$_3$. Pour la vitamine A, les plus gros et les plus faibles consommateurs couraient un risque plus élevé que les consommateurs moyens de cette étude[467].

✿ Antioxydants (2) : Le glutathion (GSH) est une substance indispensable à l'arsenal de défenses intracellulaires contre les radicaux libres et le stress oxydatif. Le GSH est sensiblement plus bas chez les malades infectés par le virus HIV. Or, lorsque le taux de glutathion est inférieur de 10 à 40 % à la normale, l'action des lymphocytes-T en particulier est complètement inhibée in vitro, c'est-à-dire que le système immunitaire se trouve en partie désarmé. Ces constatations ont conduit des chercheurs de Stanford University School of Medicine à recommander aux malades l'utilisation d'antioxydants comme la vitamine C, ainsi que les substances qui permettent de restaurer le GSH. Parmi ces substances figure la N-acétylcystéine (qui est utilisée dans le traitement de la fibrose cystique), la L-cystéine et le GSH lui-même[468]. Un autre acide aminé, la taurine, possède des propriétés antioxydantes et pourrait présenter un intérêt dans la lutte contre la maladie[469].

✿ Antioxydants (3) : Lors d'une exposition continue au virus HIV, la vitamine C inhibe de manière significative la réplication de celui-ci dans des lymphocytes-T in vitro. Les auteurs de cette étude notent que « les concentrations auxquelles cet effet anti-HIV a été constaté in vitro peuvent être physiologiquement atteintes dans le plasma sanguin humain. Par exemple, dans une étude clinique sur un cancéreux au stade terminal, E. Cameron (...) a montré que l'administration orale de 10 g d'ascorbate se traduisait par un taux plasmatique moyen de 28,91 µg/ml. B. Jaffe (...) qui utilise l'ascorbate dans le traitement du SIDA a indiqué qu'un taux de 93 µg/ml était obtenu chez des personnes consommant [de la vitamine C] par voie orale afin d'atteindre un taux urinaire supérieur à 1 mg/ml. (...) Des infusions intraveineuses de 50 g d'ascorbate par jour [chez des malades du SIDA] se sont traduites par des niveaux plasmatiques maximaux de l'ordre de 796 µg/ml[470] ». La vitamine C agit en synergie avec la N-acétylcystéine pour supprimer l'activité d'une enzyme du virus nécessaire à sa réplication, ce qui suggère qu'une combinaison des deux substances peut avoir un intérêt clinique[471].

❧ Antioxydants (4) : Une étude menée par Oregon Health Sciences University indique que des suppléments de bêta-carotène semblent activer les lymphocytes-T du système immunitaire. Les chercheurs ont donné à vingt et un malades 300 000 UI (180 mg) de bêta-carotène chaque jour pendant 4 semaines. Les patients qui recevaient un placebo n'ont vu aucun changement dans l'activité de leurs globules blancs. Il s'agit d'une étude préliminaire. On ignore l'effet à long terme du bêta-carotène sur cet aspect de l'immunité. On ignore aussi si de telles doses données sur une longue période sont sans danger[472].

❧ Antioxydants (5) : Dans une expérience, le docteur Karl Folkers, a administré de la coenzyme Q_{10} de pair avec de la vitamine B_6 à des personnes en bonne santé. Les deux nutriments ont aussi été étudiés séparément. Les chercheurs ont constaté que l'administration de CoQ_{10} entraînait une augmentation des taux d'immunoglobulines G (IgG). Vitamine B_6 et CoQ_{10}, administrées ensemble ou séparément, contribuaient aussi à une élévation des taux de lymphocytes T_4 et du ratio lymphocytes T_4/lymphocytes T_8. Folkers estime que ces résultats « ont une importance clinique pour des essais sur le SIDA, d'autres maladies infectieuses et le cancer[473] ».

❧ Antioxydants (6) : Le niveau de sélénium chez les malades du SIDA est anormalement bas, et une carence semble

associée à une progression de la maladie. Une étude de 1994 suggère que 17 % des séropositifs ne reçoivent pas une quantité suffisante de sélénium dans leur alimentation, contre 71 % des malades du SIDA hospitalisés[474]. On a obtenu une amélioration de plusieurs symptômes (cardiomyopathie notamment) par l'administration de sélénium, sans toutefois améliorer les paramètres de l'immunité[475]. Gerard Schrauzer, un spécialiste international du sélénium, estime pourtant que des suppléments de sélénium, s'ils sont donnés aux malades récemment contaminés, pourraient retarder l'apparition de la maladie. Selon ce même chercheur, sélénium et vitamines antioxydantes pourraient aussi réduire le risque de transmission du virus au fœtus pendant la grossesse[476].

ℬ Vitamine A : Une étude conduite par Johns Hopkins School of Hygiene and Public Health montre qu'une carence en vitamine A conduit à un déclin plus rapide des malades du SIDA. Des patients dont le taux de vitamine A était normal ont bénéficié d'une durée moyenne de survie de 50 mois, alors que pour ceux dont le taux était bas, la durée de survie a été de 39 mois. Les auteurs de l'étude estiment que la vitamine A et d'autres nutriments peuvent présenter un intérêt thérapeutique au cours de l'infection HIV[477].

ℬ Vitamine B_{12} : Plusieurs études ont trouvé des niveaux de vitamine B_{12} bas chez environ un quart des malades. On a montré qu'il existait une corrélation entre le statut en vitamine B_{12} et les capacités mentales, chez des malades au stade II ou III de l'infection (selon la classification de Walter Reed). De nombreux médecins donnent des injections de vitamine B_{12} à leurs malades, même si l'effet sur la performance mentale est incertain[478]. Malgré tout, une communication parue dans le *Journal of Internal Medicine* fait état de la guérison d'un malade atteint d'une forme de démence, et qui présentait un taux anormalement bas de vitamine B_{12}. Au bout de 2 mois de supplémentation, les symptômes de démence avaient disparu[479].

ℬ Zinc : Le cas du zinc est ambigu et reste donc controversé. Une étude a montré que les malades hospitalisés avec des infections bactériennes ont souvent des taux de zinc bas, alors que les malades hospitalisés avec des infections virales ont des taux proches de la normale[480]. Une autre étude laisse entendre que plus la consommation de zinc est forte, plus la progression vers la maladie semble rapide[481]. Mais lorsque des chercheurs ont donné des suppléments de zinc à onze malades au stade V de la maladie, ils ont noté chez tous les malades une nette remontée de la concentration de zinc dans le sérum, un gain progressif de poids et une légère augmentation du nombre des cellules CD_4+, sans aucun effet secondaire[482].

🐾 Graisses : Le métabolisme de certains acides gras semble affecté par l'infection HIV. Des chercheurs canadiens et britanniques ont mesuré la composition en acides gras des phospholipides (constituants des membranes cellulaires) des globules rouges chez des malades (stade CDC III ou IV) et l'ont comparée à celle de personnes en bonne santé. Ils ont constaté des différences marquées entre les deux groupes. Les malades avaient des taux sensiblement plus élevés d'acide palmitique (saturé), stéarique (saturé) et oléique (monoinsaturé). En revanche, les niveaux de tous les acides polyinsaturés étaient plus bas chez les malades, à l'exception de l'acide alpha-linolénique. Les auteurs de l'étude concluent en proposant la mise en place « d'études d'intervention soigneusement contrôlées apportant des polyinsaturés à des malades[483] ». En particulier, les acides gras EPA et DHA de la famille *n*-3 sont connus pour leurs effets inhibiteurs sur la production de substances (cytokines) qui favorisent la réplication du virus. Plusieurs études suggèrent que la progression de la maladie serait liée à l'activité des cytokines[484]. En théorie, une augmentation de la consommation d'acides gras polyinsaturés rendrait les membranes cellulaires plus fluides et améliorerait leur activité.

🐾 Arginine (ARN) : Des chercheurs ont testé les effets d'une alimentation enrichie quotidiennement en arginine (7,8 g), acide alpha-linolénique (1,8 g) et ARN (0,75 g) sur le statut nutritionnel et l'immunité de dix malades séropositifs. Les patients furent suivis pendant 8 mois (4 mois avec des suppléments, 4 mois sans suppléments). En dépit d'un apport calorique et d'un apport protéique identiques, la formule supplémentée entraîna un gain de poids (+ 2,9 kg en 4 mois contre – 0,5 kg en 4 mois)[485].

❧ Réglisse : La glycyrrhizine est un extrait de la racine de réglisse, qui s'est révélée efficace in vitro contre plusieurs types de virus, dont celui de l'herpès simplex (type 1) ou de la polio (type 1)[486]. On a aussi montré que cette substance bloquait la reproduction du virus HIV in vitro. Un dérivé, le sulfate de glycyrrhizine, serait encore plus efficace contre le virus HIV[487]. J'ai eu en août 1994 un entretien avec le docteur Herbert Pierson, ex-chercheur du National Cancer Institute, et l'un des experts mondiaux en caroténoïdes, flavonoïdes et polyphénols. Pierson s'est fait l'écho d'expériences encourageantes menées au Japon pour stopper le cours de la maladie par des suppléments d'extraits de réglisse, administrés par voie intraveineuse ou orale. « Il y a une énorme consommation d'extraits de réglisse chez les séropositifs et les malades américains », a ajouté Pierson. Je n'ai pu me procurer les études japonaises en question, et je donne cette information avec prudence.

❧ Autre traitement : L'inosine acédobène dimépranol (Isoprinosine®) est un stimulant de l'immunité, en vente libre. Une étude a montré que ce médicament (3 g par jour) améliorait certains symptômes cliniques chez les malades du SIDA. Dans une étude de 1989, on a donné pendant 21 semaines ce médicament (1 g, 3 fois par jour) ou un placebo à 831 séropositifs. Dans le groupe traité, deux malades développèrent le SIDA, contre dix-sept malades dans le groupe placebo[488].

L'ostéoporose est une maladie dégénérative des os caractérisée par une déminéralisation (perte de calcium, en particulier). L'ostéoporose touche surtout les mâchoires, la colonne vertébrale, le bassin, les os des jambes. Elle progresse silencieusement pendant des années et peut se manifester brutalement par des fractures. L'ostéoporose affecte surtout les femmes. Parmi les facteurs déclenchants :

— les changements hormonaux qui accompagnent la ménopause ;

— une alimentation chroniquement carencée en calcium et autres minéraux ;

— une vie marquée par le manque d'exercice physique ;

— la consommation excessive de protéines animales, café, tabac, alcool.

Aujourd'hui, le traitement privilégié par le corps médical fait appel à l'administration d'œstrogènes, en particulier dans les toutes premières années qui suivent la ménopause. Il s'agit d'une démarche de longue durée, souvent — mais pas toujours — efficace, qui comporte des risques (incidence possible d'un cancer de l'endomètre) et des contre-indications (cancers du sein et de l'endomètre). On prescrit aussi de la calcitonine (une hormone) aux femmes qui ont dépassé 70 ans, avec des résultats contrastés. Le calcium est souvent donné en complément de ces traitements, mais rarement en intervention primaire.

Pourtant, le calcium occupe une place primordiale, tant dans la prévention que le traitement de l'ostéoporose. Les os commencent à perdre leur calcium dès la trentaine. Il est donc important de constituer un « stock » avant cet âge et, très certainement, d'encourager les enfants à manger plus de produits laitiers (3 à 5 verres de lait ou yaourts par jour). L'apport conseillé en France est de 900 mg pour les adultes, hors grossesse et allaitement. Non seulement ce chiffre est jugé trop faible par de nombreux spécialistes, mais il ne serait pas atteint par les trois quarts des femmes. Ainsi, plus de la moitié des femmes de plus de 60 ans consommeraient moins de 600 mg par jour, ce qui constitue un seuil d'alerte absolue[489]. Cette période de la vie s'accompagne de surcroît d'une baisse de la capacité d'absorption du calcium alimentaire. D'où l'idée d'augmenter la consommation de calcium, y compris pendant et après la ménopause, pour freiner la perte de substance osseuse. Car s'il est préférable d'atteindre la trentaine avec un bon stock de calcium, il est possible à tout âge de freiner, voire inverser, le processus de décalcification par la prise de calcium et d'autres compléments. De très nombreuses études confirment qu'activité physique + calcium + éventuellement vitamine D permettent d'augmenter de manière significative la densité osseuse, y compris après la ménopause[490, 491]. Il faut cependant distinguer deux périodes :

Dans les années qui suivent immédiatement la ménopause, la nutrithérapie à base de calcium seule n'est pas toujours efficace. Si vous souhaitez tenter cette approche de préférence à l'hormonothérapie, votre médecin devra faire contrôler votre densité osseuse de manière régulière, pour s'assurer qu'elle ne continue pas à décliner en dépit du calcium. Cela dit, même si vous êtes sous traitement hormonal, le programme qui vous est proposé ci-dessous vous sera bénéfique. Il vous suffira de diminuer un peu les doses de calcium par rapport aux chiffres recommandés.

Au-delà des cinq premières années qui suivent la ménopause, les choses changent et le calcium redevient le facteur primordial pour le maintien de la densité osseuse. A ce moment, le programme qui suit prend non seulement tout son sens, mais devrait constituer la base de l'approche thérapeutique[492].

La plupart des femmes, même jeunes, devraient prendre des suppléments de calcium, probablement 500 à 1 000 mg par jour[493]. Le type de calcium a aussi son importance. L'électrosylate de coquilles d'huîtres semble mieux absorbé que le carbonate de calcium. Mais le calcium seul est insuffisant. Il doit être accompagné d'un apport satisfaisant de vitamines D et C, et d'autres minéraux. Enfin, il est conseillé de ne pas abuser des protéines animales (viandes).

Programme de lutte contre l'ostéoporose

- *Multivitamines/multiminéraux (avec manganèse et cuivre) : 1 comprimé à chaque repas*
- *Calcium : 1 500 mg (1 000 mg si œstrogènes)*
- *Vitamine D : 400 UI*
- *Vitamine C : 1 000 à 1 500 mg*
- *Vitamine B$_6$: 50 mg*
- *Potassium (bicarbonate) : 2 000 à 3 000 mg*
- *Magnésium : 750 mg*
- *Zinc : 15 à 30 mg*
- *Exercice aérobie : marche, jogging ; au minimum 30 minutes, 3 fois par semaine*
- *Exercice anaérobie : musculation ; au minimum 60 minutes, 3 fois par semaine.*

LES VITAMINES

Les vitamines sont des substances présentes en quantités infimes dans l'alimentation d'origine naturelle. Les vitamines ne sont pas uniquement, comme on l'a vu, des antioxydants. Elles sont nécessaires à notre croissance et à notre santé. Certaines d'entre elles contribuent aussi à la production de globules du sang, d'hormones et de substances chimiques qui transmettent l'influx nerveux.

Les vitamines sont des nutriments, au même titre que les protéines, les glucides, les graisses, les minéraux et l'eau. Tous ces nutriments sont nécessaires à la production d'énergie, à la croissance cellulaire, au fonctionnement des organes. Ils sont apportés à l'organisme par la nourriture et utilisés au terme du processus de digestion.

Il existe deux types de vitamines. Celles qui sont solubles dans l'eau (hydrosolubles) et celles qui sont solubles dans les graisses (liposolubles).

Les vitamines liposolubles peuvent être stockées par l'organisme. Il s'agit des vitamines A, D, E et K.

Les vitamines hydrosolubles doivent être apportées en permanence à l'organisme. Ce sont le bêta-carotène, les vitamines du groupe B et la vitamine C. Je vous en propose une présentation rapide.

VITAMINE A et PROVITAMINE A (BÊTA-CAROTÈNE)

La vitamine A est une vitamine liposoluble. On la trouve dans les aliments d'origine animale (foie, huiles de poisson) sous une forme appelée rétinol. Sous cette forme, elle est prête à être utilisée directement par le corps.

On la trouve aussi dans les végétaux. Certains végétaux renferment une très vaste famille de substances, les caroténoïdes. Une petite partie des caroténoïdes ont la propriété de donner naissance dans l'organisme à la vitamine A. Ces caroténoïdes précurseurs de la vitamine A sont tout naturellement appelés provitamine A. Le plus connu, parce que le plus répandu et le plus efficacement transformé par le corps, est le bêta-carotène.

Fonctions

Maintient la vision, en particulier la vision de nuit. Protège les cellules des radicaux libres. Aide à la formation des os et des dents, favorise la santé de la peau, des gencives, des muqueuses et participe à leur lutte contre les infections. Nécessaire à la reproduction.

Sources naturelles

— bêta-carotène et autres caroténoïdes provitamine A : tomates, choux, carottes, légumes verts (épinards, brocolis, feuilles de salade), abricots, potirons, melons, mangues ;

— vitamine A : foie, huiles de foie de poisson, œufs et matière grasse des laitages.

Apports conseillés (adultes)

900 à 1 400 µg ou ER.

Note : Les doses de vitamine A ont longtemps été exprimées en UI (unités internationales). Ce système n'est plus utilisé par les scientifiques, mais vous le trouverez encore chez les fabricants de suppléments. Les scientifiques rendent compte de l'activité vitaminique A grâce à une nouvelle unité, les ER (équivalents-rétinol) :

1 ER = 1 µg de rétinol = 6 µg de bêta-carotène
1 UI = 0,3 ER

Précautions
— pas de toxicité connue pour le bêta-carotène (sauf coloration orange de la peau) ;
— rétinol : ne pas dépasser 25 000 ER par jour sur de longues périodes (3 000 ER chez les enfants) ; ne pas prendre plus de 500 000 ER à la fois (20 000 ER chez les enfants). Grossesse : ne pas dépasser 3 000 ER par jour, ne pas utiliser de crème à l'acide rétinoïque ou aux rétinoïdes de synthèse.

VITAMINE D

La vitamine D est une vitamine liposoluble qui est apportée à l'organisme par l'alimentation, mais aussi par l'action des rayons ultraviolets sur la peau. La vitamine D est stockée dans le foie principalement (mais aussi dans les muscles et le tissu adipeux).

Fonctions
Favorise l'absorption du calcium et du phosphore, donc indispensable à la croissance et à la santé des os et des dents. Participe à plusieurs fonctions cellulaires (division, activité métabolique).

Sources naturelles
Poissons et huiles de foie de poisson, œufs, foies de bœuf, mouton, porc.

Apports conseillés (adultes)
400 à 800 UI par jour.

Précautions
Mieux vaut ne pas dépasser 8 000 UI par jour sur de longues périodes, même si les intoxications sont généralement observées à partir de 25 000 UI (enfants) et 60 000 UI (adultes) sur plusieurs semaines. Ne pas prendre de fortes doses de vitamine D (100 000 UI) pendant la grossesse.

VITAMINE E

Le terme vitamine E s'applique à des substances nommées tocotriénols et tocophérols (subdivisées en alpha, bêta, gamma, etc.).

Fonctions
Protège des radicaux libres. Participe à la formation et à la protection des globules rouges et des tissus.

Sources naturelles
Germes de céréales, soja, choux, céréales complètes, légumes verts à feuilles, tomates, huiles végétales.

Apports conseillés (adultes)
18 UI.
Note : 1 UI = 1 mg de dl-alpha-tocophérol acétate (vitamine de synthèse).

Précautions
Pas de toxicité. Si vous prenez des anticoagulants ou si vous souffrez de troubles de la coagulation (hémophilie), sachez que des doses élevées de vitamine E peuvent entraîner des hémorragies. Prenez l'avis du médecin si vous souffrez d'hypertension.

VITAMINE K

Fonctions
Participe à la formation de prothrombine, un coagulant naturel du sang. Prévient ainsi les hémorragies. Participe aussi à la formation des os.

Sources naturelles
Huiles végétales, laitages, légumes verts à feuilles, foie.

Apports conseillés (adultes)

35 à 55 µg.

Précautions

Peu toxique. Ne pas dépasser 200 µg sur de longues périodes.

THIAMINE (VITAMINE B₁)

Fonctions

Aide à la transformation des glucides et des graisses en énergie. Joue également un rôle dans la transmission de l'influx nerveux.

Sources naturelles

Viandes, volailles, poissons, légumes secs, flocons d'avoine, riz brun, lait, pain complet, levure de bière.

Apports conseillés (adultes)

1,5 à 1,8 mg (milligrammes).

Précautions

Toxicité quasi nulle (effet diurétique à haute dose).

RIBOFLAVINE (VITAMINE B₂)

Fonctions

Essentielle à la production d'énergie : elle participe à la dégradation des glucides, des graisses et des protéines.

Sources naturelles

Foie, levure, œufs, laitages, poissons, céréales complètes.

Apports conseillés (adultes)

1,5 à 1,8 mg.

Précautions

Pas de toxicité connue.

NIACINE (VITAMINE B$_3$ ou PP)

Le terme de niacine est donné à deux substances : l'acide nicotinique et le nicotinamide. La niacine peut être synthétisée dans l'organisme à partir du tryptophane, un acide aminé.

Fonctions

Joue un rôle crucial dans la production d'énergie, la transmission de l'influx nerveux et la synthèse des acides gras et de certaines hormones (œstrogène, testostérone, progestérone, cortisone, insuline, thyroxine).

Sources naturelles

Germe de blé, levure de bière, pain complet, foie, viande blanche, œufs, poisson, dattes, figues, avocat, beurre de cacahuètes, café torréfié.

Apports conseillés (adultes)

1,5 à 1,8 mg.

Précautions

— nicotinamide : non toxique ;
— acide nicotinique : rougeurs, démangeaisons à doses modérées. A fortes doses (plus de 2 000 mg par jour) : risque d'hépatites.

Ne pas prendre ces substances si vous souffrez de maladies hépatiques.

ACIDE PANTOTHÉNIQUE (VITAMINE B$_5$)

Fonctions

Essentiel à la production d'énergie à partir des graisses et des glucides. Intervient dans la synthèse du cholestérol, des graisses, des anticorps et de l'acétylcholine (un neurotransmetteur qui transmet les impulsions nerveuses).

Sources naturelles

Gelée royale, germe de blé, pain complet, céréales, abats, viandes, levure de bière, légumes verts.

Apports conseillés (adultes)

7 à 10 mg.

Précautions

Pas de toxicité connue.

PYRIDOXINE (VITAMINE B$_6$)

Fonctions

Intervient dans la dégradation et la synthèse des acides aminés, le métabolisme des acides gras. Permet la synthèse des neuromédiateurs. Joue également un rôle important dans la conversion du glycogène en glucose et la fourniture d'énergie à l'organisme. Régénère les globules rouges, participe à la production d'anticorps.

Sources naturelles

Céréales, germe de blé, levure de bière, choux, abats, viandes, volailles.

Apports conseillés (adultes)

2,2 à 2,5 mg.

Précautions

Risque de polynévrites à fortes doses (1 000 à 2 000 mg/jour) sur plusieurs mois. Ne pas associer de L-dopa (lévodopa, prescrite dans la maladie de Parkinson) à des suppléments de B_6.

BIOTINE (VITAMINE B_8 OU H)

Fonctions
Participe au métabolisme des protéines, des graisses et des hydrates de carbone pour la fourniture d'énergie. Intervient dans la synthèse des acides gras, des protéines et des acides nucléiques (matériau génétique de la cellule).

Sources naturelles
Levure de bière, lait, riz brun, abats, fruits, noix.

Apports conseillés (adultes)
Les bactéries intestinales fournissent une partie des besoins. Ceux-ci seraient de 100 à 300 µg.

Précautions
Pas de toxicité connue.

ACIDE FOLIQUE (VITAMINE B_9)

Fonctions
Essentielle à la synthèse de l'ADN et de l'ARN de certains acides aminés et des protéines. Participe à la formation de l'hémoglobine.

Sources naturelles
Légumes verts à feuilles, carottes, avocats, abricots, haricots, blé complet, maïs, amandes, châtaignes, jaune d'œuf, foie.

Apports conseillés (adultes)
400 µg.

Précautions d'emploi

Pas de toxicité connue. Une supplémentation importante en B_9 peut masquer une forme d'anémie causée par une carence en B_{12}. Il est préférable d'accompagner une supplémentation en acide folique par une alimentation ou une supplémentation riche en B_{12} (femmes enceintes, végétariens stricts).

COBALAMINE (VITAMINE B_{12})

Fonctions

Nécessaire à la synthèse de l'ADN, la santé du système nerveux, la maturation et la multiplication des globules rouges.

Sources naturelles

Viandes, laitages, œufs, poissons, crustacés.

Apports conseillés (adultes)

3 à 4 µg.

Précautions d'emploi

Pas de toxicité connue, même à fortes doses. Cependant, risque d'allergies si vous souffrez d'eczéma ou d'asthme. Consultez votre médecin. Les personnes atteintes d'un cancer doivent envisager une supplémentation de B_{12} avec prudence (elle favorise la multiplication des cellules) et consulter leur médecin. Ne pas prendre ces substances si vous souffrez d'hypotension.

VITAMINE C (ACIDE ASCORBIQUE)

Fonctions

Antioxydant. Nécessaire à la formation de collagène. Participe à la synthèse de neurotransmetteurs. Soutient l'immunité. Favorise l'absorption du fer et du calcium alimentaires.

Sources naturelles

Agrumes, fruits rouges (fraises, framboises, groseilles, cassis), kiwis, pommes de terre, légumes verts à feuilles, tomates, choux, poivrons.

Apports conseillés

60 à 100 mg.

Précautions d'emploi

Pas de toxicité, mais des doses supérieures à 3 g par jour peuvent provoquer des troubles digestifs (diarrhée, brûlures gastriques) et, chez les rares personnes prédisposées, entraîner l'apparition de lithiases (calculs) rénales. Solution : boire beaucoup d'eau et prendre un supplément de magnésium. Les personnes atteintes d'hémochromatose (excès de fer) doivent éviter les suppléments de vitamine C.

La vitamine C n'est pas un excitant et ne nuit pas au sommeil.

LES QUASI-VITAMINES

Ce sont des substances qui ont été un temps considérées comme vitamines (choline, ex-B_7) ou ont failli l'être (inositol). Ou encore une substance comme le PABA (acide para-aminobenzoïque) que certains auteurs rangent dans la catégorie des vitamines. La coenzyme Q_{10} est aussi considérée comme une quasi-vitamine avec des arguments plus convaincants que pour le PABA.

Quel est l'avenir de ces produits ? Les verra-t-on un jour sur les listes officielles ? La choline fait une remontée en force dans la réflexion scientifique. Elle a certainement les propriétés d'une vraie vitamine, sauf une : le corps peut en faire la synthèse. Même handicap pour la CoQ_{10}. Mais le débat n'est pas clos.

CHOLINE

— Substance aux propriétés lipotropes (émulsifiant des graisses). Prévient l'accumulation des graisses dans le foie. Pourrait jouer un rôle thérapeutique dans les cirrhoses et les hépatites A, B, C.

Préviendrait l'athérosclérose. Participe à la formation d'un neurotransmetteur : l'acétylcholine (voir la section consacrée aux fonctions mentales). Protège les neurones de la dégénérescence.

— Sources naturelles : légumes verts à feuilles, germe de blé, lécithine.

— Besoins : probablement environ 1 g par jour.
— Pas de toxicité connue. Risque d'odeur de poisson (sueur, urine).

INOSITOL

— Intervient dans le métabolisme des graisses et en association avec choline et biotine. S'oppose aux dépôts de graisses dans les organes.
— Sources naturelles : abats, germe de blé, levure de bière, fruits, choux-fleurs.
— Besoins : probablement environ 1 g par jour.
— Pas de toxicité connue.

PABA (ACIDE PARA-AMINOBENZOÏQUE)

— Antioxydant. Stimule la synthèse de l'acide folique dans les intestins et participe à l'assimilation de l'acide pantothénique. Protège la peau du rayonnement UV.
— Sources naturelles : levure de bière, céréales complètes, germe de blé, légumes.
— Besoins : probablement 30 à 100 mg par jour.
— Pas de toxicité connue, mais des effets secondaires possibles (nausées) dans le cas de doses supérieures à 2 000 mg par jour. Certaines personnes sont allergiques au PABA et risquent de développer des dermites et de l'urticaire, même à doses faibles ; la supplémentation doit alors être interrompue. Des doses quotidiennes supérieures à 2 000 mg sont déconseillées. Quelle que soit la supplémentation, celle-ci devrait être limitée à 1 ou 2 mois, en respectant des pauses de 2 jours après 5 jours de prise. Le PABA neutralise l'action des sulfamides ; ne pas prendre de PABA si des sulfamides vous ont été prescrits.

— Participe à la production d'énergie. Améliore la capacité cardiaque. Antioxydant.

— Sources naturelles : cœur, viandes, abats.

— Besoins : inconnus.

— Pas de toxicité connue, mais très peu d'études existent.

LES MINÉRAUX

Les minéraux sont indispensables à la croissance et à la santé du corps. Ils doivent être apportés régulièrement par l'alimentation, car l'organisme les élimine tout aussi régulièrement (transpiration, excrétions).

Il existe deux types de minéraux. Le corps a besoin des premiers en quantités relativement importantes : calcium, phosphore, magnésium, potassium, chlore, sodium.

Les autres minéraux (oligo-éléments) n'existent qu'en faibles quantités dans l'alimentation. De la même manière, le corps n'en réclame que des quantités infimes. Parmi les oligo-éléments essentiels : le fer, l'iode, le zinc, le cuivre, le sélénium, le fluor, le manganèse, le chrome...

CALCIUM

Fonctions

Participe à la structure et à la constitution des os et des dents. Agit comme régulateur du rythme cardiaque. Essentiel à la coagulation. Intervient dans la transmission de l'influx nerveux.

Sources naturelles

Laitages, épinards, brocolis, choux de Bruxelles, légumes verts, céréales, graines de sésame, soja, pain, rhubarbe, moelle, sardines en boîte, saumon.

Apports conseillés (adultes)
800 à 1 200 mg.

Précautions
Evitez de prendre plus de 2 000 mg de calcium par jour : risque d'hypercalcémie, d'hypercalciurie ou de calculs rénaux chez certains sujets sensibles. Ne pas prendre si vous souffrez de calculs calciques rénaux ou d'insuffisance cardiaque traitée par digitaliques. Le calcium ne doit jamais être pris sans magnésium, car celui-ci prévient son dépôt dans les tissus mous et son entrée excessive dans les cellules.

CHROME

Fonctions
Intervient dans le métabolisme du glucose, la synthèse des acides gras et celle du cholestérol.

Sources naturelles
Fruits de mer, viandes, levure de bière.

Apports conseillés (adultes)
50 à 200 µg.

Précautions
Pas de toxicité connue, mais évitez de prendre plus de 200 µg.

CUIVRE

Fonctions
Entre dans le mécanisme de formation de l'hémoglobine en favorisant le transport du fer. Aide à convertir les graisses et les glucides en énergie. Aide à la formation des os, à la santé des nerfs et du cœur.

Sources naturelles
   Crustacés, foie, blé entier, prunes, légumes verts.

Apports conseillés (adultes)
   2 à 3 mg par jour.

Précautions d'emploi
   Peu toxique. Restreindre le cuivre cependant pour ne pas favoriser les phénomènes d'oxydation. Attention à maintenir le ratio zinc/cuivre dans la proportion de 10 à 1 si vous prenez des suppléments de zinc. Le zinc perturbe l'absorption du cuivre et peut créer une carence. Dans certains cas d'atteinte hépatique (maladie de Wilson, hépatite chronique, cirrhose) il faut restreindre l'apport de cuivre à l'organisme, car il y a risque d'aggravation de la maladie par accumulation excessive dans le foie.

FER

Fonctions
   Essentiel à la production d'hémoglobine (pigment des globules rouges du sang qui transporte l'oxygène aux cellules du corps), constituant de la myoglobine (qui stocke l'oxygène dans les muscles).

Sources naturelles
   Céréales complètes, huîtres, asperges, poireaux, persil, pommes de terre, choux, légumes secs, cerises, viande rouge.

Apports conseillés (adultes)
   8 à 16 mg (grossesse : 30 mg).

Précautions d'emploi
   Hors catégories à risques (enfants, femmes préménopausées, femmes enceintes), éviter les suppléments de fer. Si vous prenez des multivitamines choisissez les marques qui en contiennent le moins. Le fer favorise les phénomènes d'oxydation. Autre raison : l'organisme élimine difficile-

ment le fer qu'il a absorbé, et a tendance à le stocker dans le foie. Les conséquences sont alors parfois plus graves encore que l'anémie due à la carence en fer : risque de cirrhose et de diabète dit « bronzé », tachycardie, risque d'arthrite (par accumulation de fer aux articulations), risque d'impuissance ou de stérilité. Enfin, si vous perdez du sang par suite d'une maladie telle que le cancer du côlon, une supplémentation en fer peut masquer la réalité et retarder le diagnostic. Les personnes atteintes d'hémochromatose peuvent voir leur condition aggravée par une supplémentation en fer. Une supplémentation en fer sur une longue période doit être suivie par un médecin.

Iode

Fonctions
Intervient dans le fonctionnement de la glande thyroïde en participant à la formation de deux hormones thyroïdiennes (thyroxine et triiodo-thyronine). La thyroïde agit à son tour sur le métabolisme (thermogenèse, système cardiovasculaire, système nerveux, fonction respiratoire, fonction rénale).

Sources naturelles
Oignons, navets, radis, légumes verts, sel de mer, fruits de mer, kelp, ananas.

Apports conseillés (adultes)
150 à 200 µg.

Précautions
Ne pas dépasser 1 000 µg par jour.

Fonctions

Contribue à la production d'énergie au niveau cellulaire, ainsi qu'à la synthèse des protéines. Joue un rôle capital dans la contraction musculaire, la régulation du rythme cardiaque et la transmission de l'influx nerveux. Intervient dans la formation des os.

Sources naturelles

Légumes secs, agrumes, chocolat, amandes, noix, noisettes, figues, pommes, maïs.

Apports conseillés (adultes)

6 mg par kg et par jour ; 9 à 10 mg pendant la grossesse.

Précautions

Risque de toxicité si vous souffrez d'insuffisance rénale grave, de myasthénie. Consultez votre médecin si vous souffrez de bloc auriculo-ventriculaire. Si vous prenez des tétracyclines par voie orale, respectez un délai de trois heures avec la prise de magnésium. Si vous prenez des inhibiteurs calciques, leur dose devra peut-être être diminuée. Ne pas prendre de magnésium si vous souffrez de cystite (risque de calculs).

MANGANÈSE

Fonctions

Participe à la lutte contre les radicaux libres. Participe aussi à la synthèse du tissu conjonctif, des os et des articulations, du cholestérol, à la régulation du glucose, au métabolisme des graisses. Joue un rôle dans l'activité hormonale, en favorisant la production de lait maternel, la synthèse de certaines hormones sexuelles et celle d'acétylcholine et de dopamine.

Sources naturelles

Céréales, noix, graines, gingembre, feuilles de thé.

Apports conseillés
   2 à 5 mg.

Précautions
   Peu toxique. Ne pas dépasser 10 mg.

PHOSPHORE

Fonctions
   Intervient dans la formation des os. Aide à maintenir l'équilibre acide-base.
   Intervient dans la fourniture d'énergie cellulaire sous la forme d'adénosine triphosphate (ATP). Essentiel à la synthèse des phospholipides. Constituant des acides nucléiques qui portent notre code génétique. Entre aussi dans la composition de la myéline, une substance qui recouvre les nerfs.

Sources naturelles
   Lait, fromages, fruits secs, viandes, poissons, œufs.

Apports conseillés (adultes)
   800 à 1 000 mg.

Précautions
   Peu toxique, mais risque de déminéralisation (calcium) à fortes doses. Ne pas dépasser 1 000 mg en suppléments. Hors traitement médical de carence, les suppléments sont inutiles. L'acide phosphorique (contenu dans certaines préparations) peut avoir des effets indésirables si vous souffrez d'ulcère ou de lithiase urique. Les suppléments sont à manier avec précaution dans les cas d'insuffisance rénale.

POTASSIUM

Fonctions
   Agit sur l'excitabilité neuromusculaire, la régularité du rythme cardiaque et la teneur en eau de l'organisme (donc la pression artérielle). Intervient dans le métabolisme des protéines et des glucides.

Sources naturelles
Bananes, pommes de terre, volailles, poissons, abricots, tomates.

Apports conseillés (adultes)
2 à 5 g.

Précautions
Au-delà de 25 g, le chlorure de potassium est toxique. A manipuler avec précaution en cas d'insuffisance rénale, de diabète ou de prise de médicaments diurétiques épargneurs de potassium.

SÉLÉNIUM

Fonctions
Participe à la lutte contre les radicaux libres. Protège des effets toxiques de métaux tels que le cadmium, le mercure, le plomb et l'arsenic.

Sources naturelles
Céréales complètes, germe de blé, levure de bière, ail, oignons, fruits, certains poissons (thon), coquillages, crustacés.

Apports conseillés
70 à 80 µg.

Précautions
Ne pas dépasser 500 µg.

VANADIUM

Fonctions
Améliore l'efficacité de l'insuline.

Sources naturelles

Poivre noir, céréales entières, viandes, produits laitiers, coquillages, crustacés.

Apports conseillés (adultes)

Non établi. Besoins probables : 20 µg.

Précautions

Ne pas dépasser 10 mg sur de longues périodes. Au-delà, suivi médical nécessaire. Cette substance est encore expérimentale et peut être toxique.

ZINC

Fonctions

Participe à la synthèse des protéines, de l'ADN et de l'ARN. Est indispensable à la reproduction, la fertilité, la multiplication cellulaire, la cicatrisation. Intervient dans la synthèse des prostaglandines, dans la structure de l'insuline, de la thymuline (système immunitaire) et d'autres hormones comme la gustine (qui agit sur la sensation de goût). Participe à la lutte contre les radicaux libres par sa présence dans l'enzyme superoxyde-dismutase (SOD).

Sources naturelles

Huîtres, coquillages, viandes, produits laitiers, jaune d'œuf, levure de bière, haricots, féculents.

Apports conseillés

15 à 20 mg, 30 à 60 mg pendant la grossesse.

Précautions

Peu toxique. Ne dépassez pas des doses de 150 mg par jour sur de longues périodes. Le zinc perturbe l'absorption du cuivre (voir ce minéral).

LES ACIDES AMINÉS

Les protéines entrent dans la composition de virtuellement tous les constituants de votre organisme : muscles et tissus, bien sûr, mais aussi enzymes, hormones, sang et anticorps.

Les protéines sont elles-mêmes constituées de molécules appelées acides aminés. Les acides aminés sont ce qu'il reste des protéines après la digestion. L'organisme va utiliser ces petits morceaux pour entretenir et réparer les cellules, construire de nouveaux tissus, fabriquer des enzymes...

Les acides aminés se combinent entre eux sous forme de chaînes. Il existe des milliers de combinaisons possibles et chacune d'entre elles correspond à un type de protéine : protéine des os, des cheveux, des ongles, etc. Ces combinaisons ne se font pas au hasard. Elles sont commandées et organisées par deux « superviseurs » : l'ADN (acide désoxyribonucléique) et l'ARN (acide ribonucléique). L'ADN contient le code génétique (ce qui vous différencie des autres humains), les instructions qui gouvernent le processus de reproduction cellulaire, tandis que l'ARN agit comme « messager » en transmettant ces instructions à la cellule, là où intervient la synthèse des protéines.

En plus de contribuer à la synthèse des protéines, certains acides aminés participent à la formation de neurotransmetteurs du cerveau.

Tout dépend de votre âge, de votre poids et de votre activité. Vous pouvez déterminer facilement la quantité quotidienne de protéines (en grammes) qui vous est nécessaire en multipliant votre poids par :

- 0,9 si vous avez entre 15 et 19 ans ;
- 0,8 si vous avez 20 ans et plus.

Exemple : vous avez 30 ans et pesez 75 kg. Vos besoins quotidiens sont de : $75 \times 0,8 = 60$ g.

Il y a fort à parier que votre alimentation actuelle vous procure beaucoup plus de protéines que vous n'en avez besoin. Que deviennent ces protéines en surplus ? Le corps les transforme en graisses et en glucides s'il n'est pas capable de les utiliser (1 g de protéines apporte 4 calories). Un excès de protéines se traduit donc généralement par un excès de graisses dans le corps.

Seuls les *body-builders* et les sportifs qui font appel à la musculation pour progresser dans leur discipline ont des besoins en protéines légèrement supérieurs à la normale. Mais, là encore, l'alimentation leur en apporte probablement suffisamment.

POURQUOI IL NE FAUT PAS ABUSER DES PROTÉINES

Il y a des dangers à fournir trop de protéines à l'organisme, que ce soit par l'alimentation ou la supplémentation. Après avoir été assimilées et synthétisées par le corps, les protéines libèrent de l'urée et de l'ammoniaque, deux substances toxiques qui doivent être traitées et éliminées par le foie et les reins. Plus il y a de protéines, plus ces deux organes sont sollicités, parfois jusqu'à la défaillance. Les troubles qui touchent foie et reins sont alors rendus encore plus aigus par l'impossibilité dans laquelle se trouve le corps de se débarrasser des substances toxiques...

Il n'est pas non plus inutile d'augmenter sa consommation de minéraux. En effet, le corps a tendance à produire plus d'urine pour éliminer les résidus du métabolisme des protéines, lorsque ceux-ci sont en excès. Disparaissent avec eux de nombreux minéraux essentiels, tels le magnésium ou le potassium. Enfin, la consommation de protéines animales fait monter l'acidité du sang, ce qui peut entraîner une déminéralisation si le corps puise dans le calcium des os pour faire baisser l'acidité.

Quelles protéines consommer

Pour que la synthèse des protéines soit complète, celles-ci doivent contenir simultanément (au cours du même repas) et dans les bonnes proportions les huit acides aminés essentiels. Si l'un seulement de ces acides aminés est absent ou s'il est largement moins présent que nécessaire, la synthèse des protéines s'en trouve affectée. Supposons par exemple que vous preniez un bol de céréales qui contient tous les acides aminés essentiels dans les proportions requises, mis à part la phénylalanine dont la proportion est inférieure de moitié à ce qui est nécessaire. Dans ce cas, votre organisme n'utilisera les autres acides aminés qu'à 50 %.

Les protéines qui contiennent ces huit acides aminés essentiels dans les proportions idéales pour satisfaire les besoins de l'organisme sont dites « complètes ». Vous les trouverez dans les œufs (protéines complètes à 94 %, soit quasiment l'équilibre parfait entre les acides aminés essentiels), mais aussi le lait de vache (82 %), le poisson (80 %), le fromage (70 %), la viande (67 %), le soja (65 %), la levure de bière, le germe de blé, les céréales complètes, le pollen.

Les autres protéines sont dites « incomplètes ». La plupart des végétaux sont constitués de protéines « incomplètes ». Voilà pourquoi les régimes strictement végétariens s'accompagnent souvent de carences. Si votre alimentation est exclusivement végétarienne, assurez-vous toutefois d'y inclure par exemple de la levure de bière ou des protéines de soja.

C'est en combinant des aliments à protéines incomplètes et des aliments à protéines complètes que l'on peut optimiser l'apport des acides aminés essentiels. Chacun de nous se livre d'ailleurs à ce petit exercice en associant au hasard plusieurs aliments différents au cours d'un repas, mais il est possible de tirer le maximum de ces combinaisons. Par exemple, un verre de lait pris avec des céréales peut doubler ou tripler la valeur protéique des céréales car le lait « apporte » aux céréales la lysine et l'isoleucine qui leur manquent : du coup l'ensemble céréales-lait devient un aliment à protéines complètes. Voici d'autres combinaisons idéales :

— levure de bière et tous les végétaux ;
— laitages et tous les végétaux (tomates et mozzarella, par exemple) ;
— riz et petits pois (riz cantonais) ;
— haricots et maïs (tortillas) ;
— riz et lentilles.

Le corps utilise vingt acides aminés pour synthétiser des protéines. Huit d'entre eux sont dits « essentiels » non parce qu'ils sont plus indispensables que les autres, mais parce qu'ils ne peuvent être fabriqués par l'organisme et doivent donc être apportés par l'alimentation.

Voici les huit acides aminés essentiels :

Isoleucine	Phénylalanine
Leucine	Thréonine
Lysine	Tryptophane
Méthionine	Valine

Leucine, Isoleucine et Valine sont appelées acides aminés branchés (*branched-chain amino acids*, ou BCAAs).

Voici les douze autres acides aminés :

Acide aspartique	Glutamine
Acide glutamique	Glycine
Alanine	Histidine
Arginine	Proline
Asparagine	Sérine
Cystéine	Tyrosine

Les compléments nutritionnels contiennent d'autres acides aminés : carnitine, ornithine, taurine, cystine qui ont des fonctions précises dans l'organisme.

Hormis pour quelques-uns, les effets des acides aminés sous la forme de suppléments sont mal connus.

Arginine (et ornithine)

Arginine et ornithine sont deux acides aminés très proches l'un de l'autre : l'arginine est constituée à partir d'ornithine et celle-ci est libérée dans le corps après l'assimilation de la première.

Fonctions

Améliorent l'immunité. Stimulent la sécrétion d'hormones de croissance. Améliorent la cicatrisation. Améliorent la fertilité en augmentant la mobilité et le nombre de spermatozoïdes chez l'homme.

Sources naturelles

Riz brun, chocolat, noix et tous les aliments riches en protéines.

Précautions

Ne pas dépasser des doses de 10 g par jour, car il existe alors un risque de déformation osseuse. Ne pas prendre de suppléments si vous souffrez de troubles du foie ou des reins, sauf avec l'accord d'un médecin. Il est déconseillé de donner des suppléments d'arginine et d'ornithine, aux personnes qui souffrent de schizophrénie, ainsi que pendant la grossesse et l'allaitement. L'arginine est contre-indiquée (mais pas l'ornithine) si vous souffrez d'herpès. L'ornithine a les propriétés de l'arginine, mais la quantité nécessaire peut être alors divisée par 2.

Cystéine (et glutathion)

La cystéine est un acide aminé à base de soufre ; la cystine est la forme stable de la cystéine. La cystéine est un précurseur du glutathion (les autres ingrédients sont acide glutamique et glycine), un antioxydant majeur qui neutralise les radicaux libres.

Fonctions
Participe à la lutte contre les radicaux libres. Protège des substances toxiques et des polluants (aldéhyde, produit de la décomposition de l'alcool).

Sources naturelles
Œufs, viandes, produits laitiers.

Précautions
Ne pas dépasser 2 g par jour. Prudence en cas de cystinurie, une maladie qui se caractérise par la formation de calculs dans les reins, la vessie et l'urètre. Par ailleurs, la cystéine vous est contre-indiquée si vous êtes diabétique. Dans ces deux cas, consultez votre médecin.

Lysine

Fonctions
Participe à la formation des anticorps. Réduit la fréquence et la sévérité des attaques d'herpès.

Sources naturelles
Viandes, poissons, œufs, fromages ; elle est absente des protéines du blé.

Précautions
1,5 g pour prévenir les attaques d'herpès. Ne pas aller au-delà.

Phénylalanine

La phénylalanine (PA) existe sous deux formes de base qui sont l'image miroir l'une de l'autre, comme peuvent l'être une main droite et une main gauche : la L-phénylalanine ou L-PA (L signifie « lévogyre », c'est-à-dire que dans une solution cette molécule dévie la lumière vers la gauche) et la D-phénylalanine (D pour « dextrogyre » car cette molécule dévie la lumière vers la droite). La L-PA a une valeur nutritionelle et thérapeutique alors que la D-PA est un acide aminé non protéique à effet thérapeutique. Une troisième forme, la DL-phénylalanine ou DL-PA est composée des deux formes de base.

Fonctions
Participe à la synthèse de dopamine, adrénaline, noradrénaline, trois substances qui jouent un rôle majeur dans la transmission des impulsions nerveuses. Analgésique et anti-inflammatoire (DL-PA).

Sources naturelles
Viandes, fromages.

Précautions
Traitement de la douleur chronique : 2 g par jour en 3 prises. Quelques cas de troubles du comportement (agitation) ont été relevés avec des doses importantes de L-phénylalanine. La phénylalanine ne doit pas être prise par les personnes qui souffrent de phénylcétonurie. Elle est contre-indiquée pendant la grossesse et dans certains types de cancers (mélanome). Elle ne doit pas être prise avec un traitement antidépresseur aux MAOI. Des doses de DL-PA ou L-PA supérieures à 2 g par jour peuvent provoquer insomnie, irritabilité et hypertension ; si votre pression artérielle est élevée, si vous souffrez de troubles cardiovasculaires, consultez votre médecin avant de prendre des suppléments de DL-PA ou L-PA (des doses de départ plus faibles sont recommandées — 100 mg — et la tension doit être contrôlée régulièrement). Autres contre-indications : arythmie cardiaque, hyperthyroïdie, phéochromocytome, manie, psychose.

Tryptophane

Fonctions
   Précurseur de la sérotonine, un neuromédiateur aux effets calmants et antidépresseurs.

Sources naturelles
   Lait et laitages.

Précautions
   Depuis 1990, le tryptophane n'est plus délivré que sur ordonnance (voir chapitre consacré aux performances mentales). A éviter si vous suivez un traitement antidépresseur aux MAOI (inhibiteurs de la monoamine oxydase). Ce produit est contre-indiqué chez les personnes avec antécédents d'infarctus, angine de poitrine, artérite, dyslipidémie, accident vasculaire cérébral, antécédent d'accident ischémique transitoire, antécédent de phlébite, antécédent d'embolie pulmonaire, diabète, hypertension artérielle, surpoids, migraine. Il est aussi déconseillé aux femmes qui prennent la pilule et aux personnes âgées de plus de 65 ans.

Tyrosine

Fonctions
   Utilisée par la glande thyroïde pour produire une hormone importante, la thyroxine (métabolisme des graisses, vivacité mentale, croissance des tissus). Précurseur de trois neuromédiateurs : dopamine, adrénaline et norépinéphrine.

Sources naturelles
   Viandes, fromages.

Précautions
   Les contre-indications de la tyrosine sont celles de la phénylalanine (voir plus haut). Préférer cependant la tyrosine à la phénylalanine pour le traitement du stress et de la dépression.

LES AUTRES ACIDES AMINÉS

Acide aspartique

Fonctions
   Neurotransmetteur. La consommation régulière de drogues entraîne la chute du taux d'acide aspartique dans le cerveau, ce qui explique que cette substance soit utilisée avec succès dans les programmes de désintoxication. Selon une étude récente, l'acide aspartique est plus efficace sur les symptômes de privation que le diazépam (Valium®) et la chlorpromazine (Largactil®). L'acide aspartique augmenterait la résistance à la fatigue. Les sels d'acide aspartique entrent dans le régime des sportives roumaines des épreuves d'athlétisme de fond et demi-fond.

Précautions
   Ne pas dépasser 1 500 mg.

BCAAs (leucine, isoleucine, valine)

Fonctions
   Anabolisants (utiles après une opération ou une maladie du foie). Intérêt potentiel (non confirmé) dans le traitement de la sclérose amyotrophique latérale, et la maladie de Parkinson.

Sources
   Viandes, noix, céréales.

Précautions
Ne pas dépasser 1 000 à 2 000 mg sur de longues périodes.

Carnitine

Fonctions
Transport des acides gras à longues chaînes vers les mitochondries (pour y être brûlés). Protection des fonctions cardiovasculaires.

Sources
Viandes, abats.

Précautions
Ne pas dépasser 1 500 mg sur de longues périodes.

Glutamine et acide glutamique

Fonctions
L'acide glutamique est un précurseur de l'acide gamma-aminobutyrique (GABA) et de la glutamine. Le GABA et l'acide glutamique sont deux neuromédiateurs. La glutamine pourrait aider au sevrage de l'alcool. L'acide glutamique améliorerait les fonctions cérébrales et la mémoire (non confirmé).

Précautions
Ne pas dépasser 1 000 à 1 500 mg par jour. Si vous êtes allergique au glutamate de monosodium, vous n'êtes pas à l'abri d'une réaction allergique avec la L-glutamine. Consultez votre médecin avant de prendre des suppléments.

Histidine

Fonctions
Précurseur de l'histamine. Diminuerait les symptômes d'arthrite rhumatoïde. Augmenterait la résistance au stress et à l'anxiété.

Sources
Laitages, viandes.

Précautions
A éviter si vous souffrez de schizophrénie. Ne pas dépasser 1 500 mg.

Méthionine

Fonctions
Antioxydant. Chélateur/détoxifiant : se combine avec des éléments toxiques, tels le mercure ou le plomb, et les élimine du corps. La méthionine participe à la synthèse de la phosphatidyl-choline, qui joue un rôle crucial dans le maintien de la fluidité de la membrane cellulaire.

Sources
Laitages, viandes.

Précautions
Ne pas dépasser 1 500 mg. Prendre avec des suppléments de magnésium.

Taurine

Fonctions
Détoxifiant (chez l'animal, des suppléments de taurine protègent les poumons des dégâts occasionnés par une substance utilisée en chimiothérapie, la bléomycine). Diminue le taux d'acétaldéhyde dans le sang, une substance toxique

issue du métabolisme de l'alcool dans le foie. Antioxydant probable. Effet favorable possible sur l'épilepsie.

Précautions

Peut perturber la mémorisation à court terme. Ne pas dépasser 1 000 mg.

LES ACIDES GRAS

Le métabolisme des graisses est complexe, et je n'en développerai pas les aspects ici. Je vais tâcher de vous en donner un aperçu.

Les graisses de l'alimentation nous parviennent surtout sous la forme de triglycérides (triacylglycérols). Les triglycérides sont composés de trois acides gras et d'une molécule de glycérol. Le corps utilise ces triglycérides après en avoir séparé les constituants. Il existe trois grands types d'acides gras :

— les acides saturés ;
— les acides monoinsaturés ;
— les acides polyinsaturés.

Les acides saturés sont surtout rencontrés dans les graisses animales (beurre, lait, charcuterie), un peu dans certaines graisses végétales. La plupart, mais pas tous, peuvent poser un risque pour le système cardiovasculaire lorsqu'ils sont majoritaires dans l'alimentation. C'est la raison pour laquelle votre cardiologue vous conseillera de limiter votre consommation de beurre. Ces acides saturés sont : les acides butyrique, caproïque, caprylique, caprique, laurique, myristique, palmitique, stéarique. Je n'en parlerai plus, car ils ne font pas l'objet de supplémentation.

Les acides monoinsaturés (huile d'olive, huile de colza) et polyinsaturés (maïs), dont l'origine est souvent végétale, ont un effet plus favorable sur les artères, mais ils sont aussi plus vulnérables aux attaques des radicaux libres. Si votre alimentation vous en apporte beaucoup, il est judicieux de prendre des suppléments de vitamine E, un antioxydant.

Les poissons gras apportent aussi des acides gras polyinsaturés à longues chaînes carbonées, dont l'intérêt est très important.

Sur le plan nutritionnel, il faudrait réaliser un équilibre entre graisses saturées, graisses monoinsaturées, graisses polyinsaturées de la série *n*-3 et de la série *n*-6. En clair : utilisez de manière régulière comme corps gras :

— un peu de beurre si vous l'aimez ;
— de l'huile d'olive (acide oléique, monoinsaturé) ;
— de l'huile de lin, de colza ou de soja (acide alpha-linolénique, essentiel, polyinsaturé *n*-3) ;
— de l'huile de maïs ou de tournesol (acide linoléique, polyinsaturé *n*-6).

Mangez du poisson gras au moins une fois par semaine.

Et jetez votre margarine, faite en partie d'acides gras transformés industriellement que l'organisme ne sait pas utiliser. Sur le plan cardiovasculaire, la margarine ne fait pas mieux que le beurre, et pourrait même être plus dangereuse. Sur le plan gustatif... Vous m'avez compris.

Les suppléments, quant à eux, sont surtout du type polyinsaturé. Les suppléments d'huile de chair de poisson gras (EPA, DHA) intéressent beaucoup les chercheurs. Ils apportent des acides gras qui améliorent la fluidité des membranes, diminuent l'agrégation des plaquettes du sang, dilatent les vaisseaux, freinent l'inflammation, et garantissent la santé du système nerveux, gros consommateur de ces graisses.

Voici les deux classes de suppléments que l'on trouve dans le commerce.

Les acides linoléique (C_{18} : 2n-6) et gamma-linolénique (GLA, C_{18} : 3n-6)

L'acide linoléique est un acide essentiel (le corps ne peut en faire la synthèse). C'est un précurseur de l'acide gamma-linolénique.

Fonctions
   Précurseurs de prostaglandines. Propriétés anti-inflammatoires possibles (arthrite rhumatoïde).

Sources naturelles
   Huile d'onagre, huile de bourrache.

Précautions (suppléments)
   A éviter dans les cas d'épilepsie et de syndrome maniaco-
dépressif.

Les acides eicosapentaénoïque (EPA, C_{20} : 5n-3) et docosahexaénoïque (DHA, C_{22} : 5n-3)

Fonctions
   Affectent la synthèse des prostaglandines dans un sens
qui diminue l'agrégation des plaquettes et les processus
inflammatoires. Bénéfiques dans le traitement des états
inflammatoires. Protecteurs du système cardiovasculaire.
Efficaces dans certains troubles rénaux.

Sources naturelles
   Hareng, saumon, thon.

Précautions (suppléments)
   Ne pas dépasser 2 à 4 g par jour, hors surveillance médicale. Prendre des suppléments de vitamine E pour prévenir
la peroxydation. Surveillance médicale si vous êtes sujet
aux hémorragies et si vous êtes diabétique.

Saturé, monoinsaturé, polyinsaturé : un peu de chimie pour comprendre

Les acides gras sont composés d'atomes de carbone (4 à 22) liés les uns aux autres et se terminant par un groupement carboxyle (COOH). Lorsque chaque atome de carbone est lié au nombre maximal d'atomes d'hydrogène (2 à 3) qu'il peut accepter, l'acide est dit saturé. Si 2 atomes de carbone voisins sont joints en une double liaison, et peuvent de ce fait accepter de l'hydrogène, l'acide gras est monoinsaturé. Lorsqu'il existe plus d'une double liaison, l'acide gras est polyinsaturé.

Un corps gras insaturé est plus fluide à température donnée qu'un corps gras saturé, par suite de leurs structures respectives. Lorsque la chaîne de carbones est saturée d'atomes d'hydrogène, sa forme est régulière et les acides s'organisent de manière uniforme et dense, un peu à la manière des cuillères dans un tiroir, ce qui donne rigidité au corps gras. A l'inverse, les acides insaturés n'ont pas de structure linéaire et ne se regroupent pas de manière compacte. L'hydrogénation industrielle leur confère une structure plus rectiligne et augmente ainsi le point de fusion.

Quelques clés pour déchiffrer la nomenclature biochimique des acides gras :

— exemple de l'acide butyrique : C_4 : 0, où C_4 représente le nombre d'atomes de carbone, et 0 le nombre de doubles liaisons. Cet acide gras à chaîne courte est saturé ;

— exemple de l'acide linoléique : C_{18} : 2 (n-6), acide gras à 18 atomes de carbone, 2 doubles liaisons (polyinsaturé). Quant à (n-6), c'est le signe que la première double liaison se rencontre au niveau du 6e atome de carbone en partant du groupement méthyle (CH_3). A la place de la notation n, les biochimistes utilisent volontiers le terme *Omega* : série *Omega* 3, série *Omega* 6, etc.

NOTES

1. In *U.S. News and World Report*, pp. 64-77, 22/11/1993.
2. In *New Scientist*, pp. 23-26, 17/09/1994.
3. In *U.S. News and World Report*, pp. 64-77, 22/11/1993.
4. In *Le Quotidien du médecin*, p. 18, 15/11/1994.
5. In *Le Quotidien du médecin*, p. 4, 31/10/1994.
6. Willcox : Inappropriate Drug Prescribing for the Community-Dwelling Elderly, *J. amer. med. Ass.*, 272 (4) : 292-296, 1994.
7. Roden : Risks and Benefits of Antiarrhythmic Therapy, *New Engl. J. Med.*, 331 (12) : 785-791, 1994.
8. Diuretic Therapy and the Risk of Cardiac Arrest (Correspondance), *New Engl. J. Med.*, 331 (18) : 1235-1236, 1994.
9. In *Men's Fitness*, pp. 22-24, 01/1993.
10. In *Newsweek*, pp. 47-51, 1994.
11. In *Le Quotidien du médecin*, 27/09/1994.
12. In *Libération*, p. 22, 23/09/1994.
13. In *Libération*, p. 25, 04/01/1995.
14. The Alpha-Tocopherol, Beta-Carotene Cancer Prevention Study Group : The Effect of Vitamin E and Beta-Carotene on the Incidence of Lung Cancer and Other Cancers in Male Smockers, *New Engl. J. Med.*, 330 (15) : 1029-1035, 1994.
15. In *New England Journal of Medicine* (lettre), 331 (9) : 613-614, 1994.
16. Hercberg, Desjeux, Favier, Deheeger : Etude nutritionnelle sur le statut vitaminique et minéral, enquête sur la population du Val-de-Marne, Conférence de presse INSERM du 26/03/1991.
17. Le Grusse : Les vitamines, *CEIV*, p. 50, 1993.
18. Garland, Garland : Do Sunlight and Vitamin D Reduce the Likelihood of Colon Cancer ? *Int. J. Epidemiol.*, 9 : 227-231, 1980. Garland : Geographic Variation in Breast Cancer Mortality in the United States : A Hypothesis Involving Exposure to Solar Radiation, *Prevent. Med.*, 19 : 614-622, 1990
19. *Le Moniteur des pharmacies*, no 2025 du 17/04/1993.
20. *Les Nouvelles pharmaceutiques*, no 47 du 13/04/1993.
21. Opie : Role of Carnitine in Fatty Acid Metabolism of Normal and Ischemic Myocardium, *American Heart J.*, 97 : 375-388, 1979.

22. Maebashi : Lipid-Lowering Effect of Carnitine in Patients with Type IV Hyperlipoproteinemia, *Lancet*, 2 : 805-807, 1978.

23. Pola : Carnitine in the Therapy of Dylipidemic Patients, *Curr. ther. Res.*, 27 : 208-216, 1980.

24. Rossi : Effect of Carnitine on Serum HDL-Cholesterol, *Johns Hopk. med. J.*, 150 : 51-54, 1982.

25. Union technique intersyndicale pharmaceutique, Paris.

26. Rimm, Stampfer, Ascherio, Giovanucci, Colditz, Willett : Vitamin E Consumption and the Risk of Coronary Disease in Men, *New Engl. J. Med.*, 328 (20), 1450-1457, 1993.

27. Ferstrom, Wurtman : Brain Serotonin Content, Physiological Dependance on Plasma Tryptophan Levels, *Science*, 173 : 149-152, 1971a.

28. Ferstrom, Wurtman : Brain Serotonin Content, Increase Following Ingestion of Carbohydrate Diet, *Science*, 174 : 1023-1025, 1971b.

29. Fernstrom, Wurtman : Brain Serotonin Content, Physiological Regulation by Plasma Neutral Amino Acids, *Science*, 178 : 414-416, 1972a.

30. Pardridge, Oldendorf : Kinetic Analysis of Blood-Brain Barrier Transport of Amino-Acids, *Biochim. bipophys. Acta*, 401 : 128-136, 1986.

31. Wurtman J. : Neurotransmitter Control of Carbohydrate Consumption, *Ann. N. Y. Acad. Sci.*, 443 : 145-151, 1985.

32. Schauss : A Centrical Analysis of the Diets of Chronic Offenders, Part K, *J. orthomol. Psychiat.*, 8 : 149-157, 1979.

33. Spring : Behavorial Effects of Foods and Nutrients on the Behavior of Normal Individuals, in *Nutrition and the Brain*, Vol. 7, Wurtman R. J., Wurtman J. J., (eds.), Raven Press, pp. 1-47, 1986.

34. Ahlborg, Felig, Hagenfeldt : Substrate Turnover During Prolonged Exercise in Man, *J. clin. Invest.*, 53 : 1080-1090, 1974.

35. In *Prevention Magazine*, 06/1992.

36. Conners, Caldwell J., Caldwell L., Schwab, Kronsberg, Wells, Leong, Blouin : Experimental Studies of Sugar and Aspartame on Autonomic, Cortical and Behavioral Responses to Sugar, *Nut. Rev.* (Supplement), 1985.

37. Hassmen, Blomstrand, Ekblom, Newsholme : Branched-Chain Amino Acid Supplementation During 30 Km Competitive Run, Effects on Mood and Performance, *Nutrition*, 10 : 406, 1994.

38. Brown, Goodwin, Ballenger, Goyer, Major : Aggression in Humans Correlated with Cerebrospinal Fluid Amine Metabolites, *Psychiat. Res.*, 1 : 131-139, 1979.

39. In Fear Clouds Search for Genetic Roots of Violence, *Los Angeles Times*, p. A1830/12/1993.

40. Glaeser, Maher, Wurtman : Changes in Brain Levels of Acidic, Basic and Neutral Amino Acids After Consumption of Single Meals Containing Various Proportions of Proteins, *J. Neurochem.*, 37 : 410-417, 1981.

41. Moller : Effects of Various Oral Protein Doses on Plasma Neutral Amino Acid Levels, *J. neural Transm.*, 61 : 183-191, 1985.

42. Yokohoshi, Wurtman : Meal Composition and Plasma Amino Acids

Ratios, Effect of Various Proteins or Carbohydrates and of Various Protein Concentrations, *Metabolism*, 35 : 837-842, 1986.

43. Ashley, Barclay, Chauffard : Plasma Amino Acid Responses in Humans to Evening Meals of Different Nutritional Composition, *Amer. J. clin. Nutr.*, 36 : 143-153, 1982.

44. Fernstrom, Fernstrom, Grubb : Twenty-Four Hour Variations in Rat Blood and Brain Levels of the Aromatic and Branched-Chain Amino Acids, Chronic Effect of Dietary Protein Content, *Metabolism*, 36 : 643-650, 1987.

45. Curzon : Availability of Amino Acids to the Brain, in *Amino Acids in Psychiatric Disease*, Richardson (ed.), American Psychiatric Press, pp. 33-48, 1990.

46. Yokohoshi, Wurtman, *op. cit.*

47. Young : Factors Influencing the Therapeutic Effect of Tryptophan in Affective Disorders, Sleep, Aggression, and Pain, in *Amino Acids in Psychiatric Disease, op. cit.*

48. Young, Gauthier : Effect of Tryptophan Administration on Tryptophan, 5-Hydroxyindoleacetic Acid and Indoleacteic Acid in Human Lumbar and Cisternal Cerebrospinal Fluid, *J. Neurol. Neurosurg. Psychiat.*, 44 : 323-328, 1981.

49. Smith, Prockop : Central-Nervous System Effects of Ingestion of L-Tryptophan by Normal Subjects, *New Engl. J. Med.*, 267 : 1338-1341, 1962.

50. Hartmann, Greenwald : Tryptophan and Human Sleep, in *Progress in Tryptophan and Serotonin Research*, Schlossberger, Kochen, Linzen, Berlin (eds.), Walter de Gruyter, pp. 297-304, 1984.

51. Hartmann, Cravens, List : Hypnotic Effects of L-Tryptophan, *Arch. gen. Psychiat.*, 31 : 394-397, 1974.

52. Hartmann, Spinweber, Ware : L-Tryptophan, L-leucin and Placebo, Effects on Subjective Alertness, *Sleep Res.*, 5 : 57, 1976.

53. Gnirss, Schneider-Helmert, Schenker : L-Tryptophan + Oxprenolol, A New Approach to the Treatment of Insomnia, *Pharmacopsychiatr.*, 11 : 180-185, 1978.

54. Spinweber : L-Tryptophan Administered to Chronic Sleep-Onset Insomniacs, *Psychopharmacology*, 90 : 151-155, 1986.

55. Schneider-Helmert : Interval Therapy with L-Tryptophan in Severe Chronic Insomniacs, A Predictive Laboratory Study, *Int. Pharmacopsychiat.*, 16 : 162-173, 1981.

56. Bender, Totoe : High Doses of Vitamin B_6 in the Rat are Associated with Inhibition of Hepatic Tryptophan Metabolism and Increased Uptake of Tryptophan in the Brain, *J. Neurochem.*, 43 : 733-736, 1984.

57. Lewin : *Vitamin C : Its Molecular Biology and Medical Potential*, Academic Press, p. 56-57, 1976.

58. Young : Factors Influencing the Therapeutic Effect of Tryptophan in Affective Disorders, *op. cit.*

59. Pardridge : Potential Effects of the Dipeptide Sweetener Aspartame on the Brain, in *Nutrition and the Brain*, Vol. 7, pp. 199-241, *op. cit.*

60. Reiter : Normal Patterns of Melatonin Levels in the Pineal Gland and Body

Fluids of Humans and Experimental Animals, *J. of neural Transm.*, 21 : 35-54, 1986.

61. Quay : Circadian and Estrous Rhythms in Pineal Melatonin and 5-OH Indole-3-Acetic Acid, *Proc. Soc. exp. Biol. N. Y.*, 115 : 710-713, 1964.

62. Lewy, Newsome : Different Types of Melatonin Circadian Secretory Rythms in Some Blind Subjects, *J. clin. Endocr.*, 56 : 1103-1107, 1983.

63. Waldhauser, Saletu, Trinchard-Lugan : Sleep Laboratory Investigations of Hypnotic Properties of Melatonin, *Psychopharmacology*, 100 : 222-226, 1990.

64. Arendt, Aldhous, Marks : Alleviation of Jet-Lag by Melatonin, Preliminary Results of Controlled Double-Blind Trial, *Brit. med. J.*, 292 : 1170, 1986.

65. Poeggeler, Reimer, Huether : The Origin of Elevated Plasma Melatonin after Tryptophan Administration, in *Endocrine and Nutritional Control of Basic Biological Functions*, Lehnert, Murison, Weiner, Hellhammer, Beyer, (eds.), Hogrefe and Huber Publishers, pp. 77-84, 1993.

66. Hajak, Huether, Rodenbeck, Rüther : Pharmalogical Control of Narcolepsy and REM Sleep, in *Endocrine and Nutritional Control of Basic Biological Functions*, pp. 315-332, *op. cit.*

67. Karczmar, Longo, Scotti de Carolis : A Pharmacological Model of Paradoxical Sleep, The Role of Cholinergic and Monoamine Systems, *Physiol. Behav.*, 5 : 175-182, 1970.

68. Anonymous : Tryptophan Aids Adjustment to Jet Lag, Shift Work, *Internal med. News*, 20 (4) : 53, 1987.

69. Van Praag, Lemus : Monoamine Precursors in the Treatment of Psychiatric Disorders, in *Nutrition and the Brain*, pp. 89-138, *op. cit.*

70. Van Praag, Korf : Retarded Depression and the Dopamine Metabolism, *Psychopharmacology*, 19 : 199-203, 1971.

71. Entretiens avec l'auteur, 09/1993.

72. Van Praag, Lemus, *op. cit.*

73. Calil, Yesavage, Hollister : Low Dose Levodopa in Schizophrenia, *Commun. Psychopharmacol.*, 1 : 593-596, 1977.

74. Leathwood : Nutritional Modulation of Neurotransmitter Metabolism, in *Perspectives in Clinical Nutrition*, Kinney, Borum, (eds.), Urban & Schwartzenberg, pp. 233-260, 1989.

75. Van Praag : Catecholamine Precursor Research in Depression, The Practical and Scientific Yield, in *Amino Acids in Psychiatric Disease*, pp. 79-97, *op. cit.*

76. Van Praag : Catecholamine Precursor Research in Depression, *op. cit.*

77. Hunt, Atrens, Chesher, Alpha-Noradrenergic Modulation of Hypothalamic Self-Stimulation, Studies Employing Clonidine, L-Phenylephrine and Alpha-Methyltyrosine, *Europ. J. Pharmacol.*, 37 : 105-111, 1976.

78. Stein : Reward Transmitters, Catecholamines and Opioid Peptides, in *Psychopharmacology, A Generation of Progress*, Lipton, DiMascio, Killam, Raven Press, pp. 569-581, 1978.

79. Thompson, Rankin, Ashcroft : The Treatment of Depression in General Practice, A Comparison of L-Tryptophan, Amitriptyline and a Combina-

tion of L-Tryptophan and Amitriptyline and Placebo, *Psychol. Med.*, 12 : 741-751, 1982.

80. Rao, Broadhurst : Tryptophan and Depression, *Brit. med. J.*, 2 : 460, 1976.

81. Lindberg, Ahlfors, Dencker : Symptom Reduction in Depression After Treatment with L-Tryptophan or Imipramine, *Acta psychiat. scand.*, 60 : 287-294, 1979.

82. Chouinard, Young, Annable : Tryptophan-Nicotinamide, Imipramine and their Combination in Depression, A Controlled Study, *Acta psychiat. scand.*, 59 : 395-414, 1979b.

83. Broadhurst : L-tryptophan versus E.C.T., *Lancet*, 1 : 1392-1393, 1970.

84. Coppen, Whybrow, Noguerra : The Comparative Antidepressant Value of L-Tryptophan and Imipramine with and without Attempted Potentiation by Liothyronine, *Arch. gen. Psychiat.*, 26 : 234-241, 1972.

85. Kline, Shah : Comparable Therapeutic Efficacy of Tryptophan and Imipramine, Average Therapeutic Ratings Versus « True » Equivalence : an Important Difference, *Curr. ther. Res.*, 15 : 484-487, 1973.

86. Herrington, Bruce, Johnstone : Comparative Trial of L-Tryptophan and E.C.T. in Severe Depressive Illness, *Lancet*, 2 : 731-734, 1976.

87. Bennie : Mianserin Hydrochloride and L-Tryptophan Compared in Depressive Illness, *Brit. J. clin. social Psychiat.*, 1 : 90-91, 1982.

88. Murphy, Baker, Goodwin, Miller, Kotin, Bunney : L-Tryptophan in Affective Disorders, *Psychopharmacology*, 34 : 11-20, 1974.

89. Prange, Wilson, Lynn : L-Tryptophan in Mania : Contribution to a Permissive Hypothesis of Affective Disorders, *Arch. gen. Psychiat.*, 30 : 56-62, 1974.

90. Chouinard, Young, Annable : A Controlled Clinical Trial of L-Tryptophan in Acute Mania, *Biol. Psychiat.*, 20 : 546-557, 1985.

91. Morand, Young, Ervin : Clinical Response of Aggressive Schizophrenics to Oral Tryptophan, *Biol. Psychiatry*, 18 : 575-578, 1986.

92. Van Praag, Kahn, Asnis : Therapeutic Indications for Serotonin Potentiating Compounds : A Hypothesis, *Biol. Psychiatry*, 22 : 205-212, 1987b.

93. Van Praag, Kahn, Asnis : Denosologization of Biological Psychiatry on the Specificity of 5-HT Disturbances in Psychiatric Disorders, *J. affective Disord.*, 13 : 1-8, 1987a.

94. Young, Gauthier : Effect of Tryptophan Administration on Sleep, *op. cit.*

95. Chouinard, Young, Annable, Sourkes, Kiriakos : Tryptophan-Nicotinamide Combination in the Treatment of Newly Admitted Depressed Patients, *Commun. Psychopharmacol.*, 2 : 311-318, 1978.

96. Bradley : How Lithium Limits Mood Swings, *New Scientist*, p. 19, 15/10/1994.

97. Lewy, Sack, Miller, Hoban : Antidepressant and Circadian Phase-Shifting Effects of Light, *Science*, 235 : 352-354, 1987.

98. Cité par *Prevention magazine, The Complete Books of Vitamins and Minerals*, p. 348, *op. cit.*

99. *American Journal of Psychiatry*, cité par *Prevention magazine, The Complete Books of Vitamins and Minerals*, p. 353, *op. cit.*

100. In *J. Family Pract.*, 35 : 524, 1992.

101. Cité par *Prevention magazine, The Complete Books of Vitamins and Minerals*, p. 354, *op. cit.*

102. Cohen, Lipinski, Altesman : Lecithin in the Treatment of Mania, *Amer. J. Psychiat.*, 139 : 1162-1164, 1982.

103. Lonsdale, Schamberger : Red Cell Transketolase as an Indicator of Nutritional Deficiency, *Amer. J. clin. Nutr.*, 33 : 205-211, 1980.

104. Skelton, Skelton : Thiamine Deficiency Neuropathy : It's Still Common Today, *Postgrad. Med.*, 85 (8) : 301-306, 1989.

105. In *Age and Aging*, 11 : 101, 1982.

106. Gaitonde : The Effect of Deficiency of Thiamine on the Metabolism of Glucose and Ribose and the Levels of Amino Acids in the Brain, *J. Neurochem.*, 22 : 53-61, 1974.

107. Finglas : Thiamin, *Internat. J. Vit. Nutr. Res.*, 63 (4) : 270-274, 1993.

108. Cleckley, Sydenstricker, Geeslin : Nicotinic Acid in the Treatment of Atypal Psychotic States, *J. Amer. med. Ass.*, 112 : 2107-2110, 1939.

109. Hoffer : Niacin Therapy, *Psychiatry*, *op. cit.*

110. Davis, *Let's Eat right to Keep Fit*, *op. cit.*

111. Pfeiffer, *Mental and Elemental Nutrients*, Keats, 1976.

112. Sachar, Hellman, Roffwarg, Halpern, Fukushima, Gallagher : Disrupted 24-Hour Patterns of Cortisol Secretion in Psychotic Depression, *Arch. gen. Psychiat.*, 28 : 19-24, 1973.

113. Lehnert, Beyer, Hellhammer : Amino Acid Control of Brain Catecholamine Synthesis and Release and Anterior Pituitary Functions, in *Endocrine and Nutritional Control of Basic Biological Functions*, pp. 175-190, *op. cit.*

114. Kant, Lenox, Bunnell : Comparison of Stress Responses in Male and Female Rats : Pituitary Cyclic AMP and Plasma Prolactic Growth Hormone, *Psychoneuroendocrinology*, 8 : 421-428, 1983.

115. Langer, Foldes, Kvetnansky : Pituitary-Thyroid Function During Acute Immobilization Stress in Rats, *Exp. clin. Endocrinol.*, 82 : 51-60, 1983.

116. Entretien avec l'auteur.

117. In *Life Extension Report*, 14 (6) : 45, 1994.

118. In *Life Extension Report*, 14 (6) : 45-46, 1994.

119. Peet, *Postgrad. med. J.*, 64 (S2) : 45-49, 1988.

120. Weiss, Goodman, Losito, Corrigan, Charry, Baily : Behavioral Depression Produced by an Uncontrollable Stressor Relationship to Norepinephrine, Dopamine and Serotonin Levels in Various Regions of Rat Brain, *Brain Res. Rev.*, 3 : 167-205, 1981.

121. Lehnert, Beyer, Hellhammer : Amino Acid Control of Brain Catecholamine Synthesis and Release and Anterior Pituitary Functions, in *Endocrine and Nutritional Control of Basic Biological Functions*, pp. 175-190, *op. cit.*

122. Lehnert, Beyer, Reinstein, Richardson, Wurtman : Relationship Between Pituitary ACTH Content and Hypothalamic Catecholamines in the Rat, *Res. exp. Med.*, 189 : 289-293, 1989.

123. Curzon : Availability of Amino Acids to the Brain, *op. cit.*

124. In *Los Angeles Times*, 26/01/1994.

125. In *Los Angeles Times*, 22/12/1993.

126. Cornford, Braun, Oldendorf : Carrier Mediated Blood-Brain Barrier Transport of Choline and Certain Choline Analogs, *J. Neurochem.*, 30 : 299-308, 1978.

127. Wecker : Choline Utilization by Central Cholinergic Neurons, in *Nutrition and the Brain,* Vol. 8, Wurtman R., Wurtman J. (eds.), Raven Press, New York, pp. 147-162, 1990.

128. Blusztajn, Wurtman : Choline and Cholinergic Neurons, *Science*, 221 : 614-620, 1983.

129. Bartus : Age-Related Changes in Passive Avoidance Retention, Modulation with Dietary Choline, *Science*, 209 : 301-303, 1980.

130. Honegger, Conrad, Honegger : Occurence and Quantitative Determination of 2-Dimethylaminoethanol in Animal Tissue Extracts, *Nature*, 184 : 550-552, 1959.

131. Ceder : Effects of 2-Dimethylaminoethanol on the Metabolism of Choline in Plasma, *J. Neurochem.*, 30 : 1293-1296, 1978.

132. Pfeiffer : Parasympathetic Neurohumors. Possible Precursors and Effect on Behavior, *Int. Rev. Neurobiol.*, 195-244, 1959.

133. Osvaldo : 2-Dimethylaminoethanol : A Brief Review of Its Clinical Efficacy and Postulated Mechanism of Action, *Curr. ther. Res.*, 16 (11) : 138-1242, 1974.

134. Legros : Influence of Vasopressin on Learning and Memory, *Lancet*, pp. 41-42, 07/01/1978.

135. Laczi : Effects of Lysine-Vasopressin and 1-Deamino-8-D-Arginine-Vasopressin on Memory in Healthy Individuals and Diabetes Insipidus Patients, *Psychoneuroendocrinology*, 7 (2) : 185-192, 1982.

136. Hindmarch : Activity of Ginkgo Biloba Extract on Short-Term Memory, *Presse méd.*, 15 (31) : 1592, 1986.

137. Bush : Rapid Induction of Alzheimer Aß Amyloid Formation by Zinc, *Science*, 265 : 1464-1467, 1994.

138. *Food Safety Notebook*, 3 (9) : 85-87, 1992.

139. Kraus, Forbes : Aluminium, Fluoride and the Prevention of Alzheimer's Disease, *Canad. J. publ. Health*, 83 (2) : 97-100, 1992.

140. Liukkonen-Lilja, Piepponen : Leaching of Aluminium From Aluminium Dishes and Packages, *Food Addit. Contamin.*, 9 (3) : 213-223, 1992.

141. Leathwood, *op. cit.*, p. 254.

142. In *Life Extension Update*, The Life Extension Foundation, 6 (2), 1993.

143. Hendler, *The Doctor's Vitamin and Mineral Encyclopedia*, Fireside, New York, USA, p. 272, 1990.

144. Freedman, Tighe, Amato : Vitamin B_{12} in Alzheimer's Disease, *Age and Aging*, 13 : 101-105, 1984.

145. Blass : Thiamine and Alzheimer's Disease : A Pilot Study, *Arch. Neurol.*, 45 : 833-835, 1988.

146. In *Le Figaro*, 12/10/1994.

147. In *Life Extension Update*, The Life Extension Foundation, 6 (12), 1993.

148. Thomas, Chung-A-On, Dickerson : Tryptophan and Nutritional Status of Patients with Senile Dementia, *Psychol. Med.*, 16 : 297-305, 1986.

149. Hendler, *The Doctor's Vitamin and Mineral Encyclopedia*, pp. 302-305, *op. cit.*

150. Carta, Calvani : Acetyl-L-Carnitine : A Drug Able to Slow the Progress of Alzheimer's Disease ?, *Ann. N. Y. Acad. Sci.*, 640 : 228-232, 1991.

151. Nasman, Olsson, Backstrom, Eriksson, Grankvist, Viitanen, Bucht : Serum Dehydroepiandosterone Sulfate in Alzheimer's Disease and in Multi-Infarct Dementia, *Biol. Psychiat.*, 30 (7) : 684-690, 1991.

152. In *The American Journal of Psychiatry*, 02/1993.

153. McClain, Stuart, Kasarskis, Humphries : Zinc, Appetite Regulation and Eating Disorders, in *Essential and Toxic Trace Elements in Human Health and Disease : An Update*, Wiley-Liss, Inc., pp. 47-64, 1993.

154. Yamaguchi, Arita, Hara, Kimura, Nawat : Anorexia Nervosa Responding to Zinc Supplementation : A Case Report, *Gastroenterology*, 27 (4) : 554-558, 1992.

155. In *Muscle and Fitness*, p. 26, 01/1993.

156. Hensrud, Weinsier, Darnell, Hunter : A Prospective Study of Weight Maintenance in Obese Subjects Reduced to Normal Body Weight Without Weight-Loss Training, *Amer. J. clin. Nutr.*, 60 : 688-694, 1994.

157. Montignac, *Je mange, donc je maigris*, Editions Artulen, 1992.

158. Montignac, *Je mange, donc je maigris*, p. 38, *op. cit.*

159. Atkins, *Dr. Atkins' Diet Revolution*, David McKay, 1972.

160. Garrow, James, *Human Nutrition and Dietetics*, Churchill Livingstone, Edinburgh, UK, p. 102, 1993.

161. Garrow, James, *Human Nutrition and Dietetics*, Churchill Livingstone, Edinburgh, UK, p. 529, 1993.

162. *Hormones*, Beaulieu, Kelly (eds.), Hermann, Paris, p. 499, 1990.

163. Boulanger, Polonovski, Biserte, Dautrevaux, *Biochimie médicale. 2. Métabolismes et régulations*, Masson, Paris, pp. 45-53, 1981.

164. Sjöstrom : Carbohydrate-Stimulated Fatty Acid Synthesis De Novo in Human Adipose Tissue of Different Cellular Types, *Acta med. scan.*, 194 : 387-404, 1973.

165. Devlin, *Textbook of Biochemistry*, Wiley-Liss, New York, USA, p. 582, 1992.

166. American Medical Association Council on Food and Nutrition, *J. amer. med. Ass.*, 224 : 1418, 1973.

167. Kreitzman, Coxon, Szaz : Glycogen Storage : Illusions of Easy Weight Loss, Excessive Weight Regain, and Distortions in Estimates of Body Composition, *Amer. J. clin. Nutr.*, 56 : 292S-293S, 1992.

168. Truswell : Pop Diets for Weight Reduction, *Brit. med. J.*, 285 : 1519, 1982.

169. Devlin, *Textbook of Biochemistry*, Wiley-Liss, New York, USA, p. 295, *op. cit.*

170. Saltman, Gurin, Mothner, *The University of California San Diego Nutrition Book*, Little, Brown, and Co., Boston, USA, p. 32, 1993.
171. Katch, Ardle, *Nutrition, Masse corporelle et Activité physique*, Edi-sem-Vigot, p. 102, 1985.
172. Montignac, *Je mange, donc je maigris*, pp. 77-80, *op. cit.*
173. Garrow, James, *Human Nutrition and Dietetics*, Churchill Living-stone, Edinburgh, UK, p. 303, *op. cit.*
174. Montignac, *Je mange, donc je maigris*, p. 80, *op. cit.*
175. American Medical Association Council on Food and Nutrition, *J. amer. med. Ass.*, *op. cit.*
176. Statement of Robert C. Atkins, M.D. to the Senate Select Committee on Nutrition and Human Needs, 12/04/1973.
177. Fricker, Apfelbaum : Le Métabolisme de l'obésité, *Recherche*, nº 207, 02/1989.
178. Saltman, Gurin, Mothner, *The University of California San Diego Nutrition Book*, Little, Brown, and Co., Boston, USA, pp. 135-136, 1993.
179. Nestler, Barlascini, Clore, Blackard : DHEA Reduces Serum Low Density Lipoprotein Levels and Body Fat But Does Not Alter Insulin Sensitivity in Normal Men, *J. clin. Endocrinol.*, 66 (1) : 57-61, 1988.
180. Fricker, Apfelbaum : Le Métabolisme de l'obésité, *Recherche, op. cit.*
181. Dulloo, Miller : Obesity : A Disorder of the Sympathetic Nervous System, *World Rev. Nutr. Diet.*, 50 : 1, 1987.
182. Landsberg : Diet, Obesity and Hypertension : An Hypothesis Involving Insulin, the Sympathetic Nervous System, and Adaptive Thermogenesis, *Quart. J. Med.*, 61 : 1081, 1986.
183. Katch, Ardle, Nutrition, Masse corporelle et Activité physique, Edi-sem-Vigot, p. 89, *op. cit.*
184. Goth : Aetiologic Factors in Obesity, *Proc. Nutr. Soc.*, 32 : 175-179, 1973.
185. Flatt : Energetics of Intermediary Metabolism, in Garrow, Halliday (eds), *Substrate and Energy Metabolism in Man*, John Liberty and Co., London, U.K., pp. 58-69, 1985.
186. Gazzaniga, Burns : Relationship Between Diet Composition and Body Fatness, with Adjustment for Resting Energy Expenditure and Physical Activity in Preadolescent Children, *Amer. J. clin. Nutr.*, 58 : 21-28, 1993.
187. Slattery, McDonald, Bild, Caan, Hilner, Jacobs, Kiang Liu : Associations of Body Fat and Its Distribution with Dietary Intake, Physical Activity, Alcohol, and Smoking in Blacks and Whites, *Amer. J. clin. Nutr.*, 55 : 943-949, 1992.
188. Hutson, Dourish, Curzon : Evidence That the Hyperphagic Response to 8-OH-DPAT is Mediated by 5-HT1a Receptors, *Europ. J. Pharmacol.*, 150 : 361-366, 1988.
189. Entretien avec l'auteur.
190. Curzon, Joseph, Knott : Effects of Immobilization and Food Depriva-

tion on Rat Brain Tryptophan Metabolism, *J. Neurochem.*, 19 : 1969-1974, 1972.

191. Curzon : Availability of Amino Acids to the Brain, *op. cit.*

192. Slattery, McDonald, Bild, Caan, Hilner, Jacobs, Kiang Liu : Associations of Body Fat and Its Distribution with Dietary Intake, Physical Activity, Alcohol, and Smoking in Blacks and Whites, *Amer. J. clin. Nutr., op. cit.*

193. Oscai : Effects of Exercise and of Food Restriction on Adipose Tissue Cellularity, *J. Lipid Res.*, 13 : 590, 1972.

194. In Natural Health, p. 20, 07/1993.

195. Freedson : Physique, Body, Composition and Psychological Caracteristics of Competitive Female Bodybuilders, *Physician Sportsmed.*, 06/1983.

196. In *Muscle and Fitness*, p. 36, 01/1993.

197. In *Prevention Magazine*, pp. 51-52, 05/1994.

198. In *Muscle and Fitness*, p. 34, 06/1993.

199. Whatley, Gillepsie, Honig, Walsh, Blackburn A.L., Blackburn G.L. : Does the Amount of Endurance Exercise in Combination with Weight Training and a Very-Low-Energy Diet Affect Resting Metabolic Rate and Body Composition ?, *Amer. J. clin. Nutr.*, 59 : 1088-1092, 1994.

200. *Hormones*, Beaulieu, Kelly (eds.), p. 567, *op. cit.*

201. Merimee : Arginine-Initiated Release of HGH, *New Engl. J. Med.*, 280 (26) : 1434-1438, 1969.

202. Hasten, Rome, Franks : Anabolic Effects of Chromium Picolinate on Beginning Weight Training Students, Annual Meeting South East American College of Sports Medicine, 02/1991.

203. In *Men's Fitness*, pp. 33-34, 04/1993.

204. Entretien avec Barbara Lara-Kopf, Laguna Beach, California, 04/1994.

205. In *Natural Health*, p. 118, 03/1994.

206. Dean, Morgenthaler, *Smart Drugs and Nutrients*, Health Freedom Publications, Menlo Park, California, USA, p. 144, 1991.

207. Lee : Effects of Panax Ginseng on Blood Alcohol Clearance in Man, *Clin. exp. Pharmacol. Physiol.*, 14 : 543-546, 1987.

208. Bosco, *The People's Guide to Vitamins and Minerals*, Contemporary Books, New York, USA, pp. 157-158, 1989.

209. Springe : Protectants Against Acetaldehyde Toxicity : Sulfhydryl Compounds and Ascorbic Acid, *Fed. Proc., Abstract* n° 172, 03/1974.

210. In *Le Quotidien du médecin*, 5513 : 37, 14/11/1994.

211. Bicknell, *The Vitamins in Medicine*, Heinneman, Londres (U.K.), 1945.

212. In *American Journal of Clinical Nutrition*, 37 : 509, 1983.

213. In *American Journal of Clinical Nutrition*, 31 : 2140, 1978.

214. In *Journal of Nutrition*, 116 : 36, 1986.

215. In *Annals of the New York Academy of Sciences*, 258 : 458, 1975.

216. In *International Journal for Vitamin and Nutrition Research*, 54 : 55, 1984.

217. In *Annals of the New York Academy of Sciences*, 258 : 377, 1975.

218. In *Medical Journal of Australia*, 1 (24) : 904, 1977.
219. Sumida, Tanaka, Kitao Nakamodon : Exercise-Induced Lipid Peroxidation and Leakage of Enzymes Before and After Vitamin E Supplementation, *Int. J. Biochem.*, 21 : 835-838, 1989.
220. Simon-Schnass, Pabst : Influence of Vitamin E on Physical Performance, *Int. J. Vitam. Nutr. Res.*, 58 : 49-54, 1988.
221. In *Journal of Applied Physiology*, 40 (1) : 6, 1976.
222. In *Journal of Sports Medicine*, 1 (24) : 904, 1977.
223. In *Journal of Nutrition*, 116 : 36, 1986.
224. Schena : BCAA Supplementation Decreases Peak Plasma Ammonia After Prolonged Exercice in Well-Trained Athletes, in *BCAA : Biochemistry, Physiopathology and Clinical Science*, Schauder (ed.), Raven Press, New York (USA), pp. 255-258, 1992.
225. In *Journal of Molecular Medicine*, 2 : 431, 1977.
226. In *Acta Physiologica Scandinavica*, 74 : 238, 1968.
227. In *Indian Journal of Physiology and Pharmacology*, 24 : 233, 1980.
228. In *Arztliche Praxis*, 33 (44) : 1784, 1981.
229. In *Muscle and Fitness*, p. 36, 01/1993.
230. In *Life Extension Update*, 1993.
231. Evans : The Effects of Chromium Picolinate on Insulin Controlled Parameters in Humans, *Int. J. biosoc. med. Res.*, 11 : 163-180, 1989.
232. In *Current Medical Research Opinion*, 7 (7) : 136, 1981.
233. In *Nutrition Research*, 6 : 1397, 1986.
234. Morse, Horrobin, Manku : Meta-Analysis of Placebo-Controlled Studies of the Efficacy of Epogam in the Treatment of Atopic Eczema, *Brit. J. Dermatol.*, 121 : 75-90, 1989.
235. Maurice, Bather, Allen : Arachidonic Acid Metabolism by Polymorphonuclear Leukocytes in Psoriasis, *Brit. J. Dermatol.*, 114 : 57-64, 1986.
236. In *Acta dermato-venereologica*, 60 : 337, 1980.
237. Husain : Oral Zinc Sulphate in Leg Ulcers, *Lancet*, 2 : 1069-1071, 1969.
238. Ohsawa, Watanabe, Matsukawa, Yoshimura, Imameda : The Possible Role of Squalene and its Peroxide of the Sebum in the Occurence of Sunburn and Protection from the Damage Caused by UV Irradiation, *J. toxicol. Sci.*, 9 : 151-159, 1984.
239. Pugliese, Saylor, Salter : The Effects of Dl-Alpha-Tocopherel-Acetate on UV Light Induced Epidermal Ornithine Decarboxylase Activity, Annual Meeting of the SCC, New York, December 1-2, 1988.
240. Dainow : La vitamine E dans le traitement de l'acné, *Dermatologica (Basel)*, 106 : 197-200, 1953.
241. Melkumian, Tumanian, Aghajanov : Histologic Estimation of Regenerative Ability of Skin in Treatment of Burn Traumas with the Ointment, Prepared on the Basis of Vitamin E, *Zh. Eksp. Klin. Med.*, 18 : 52-53, 1978.
242. In *Cereal Foods World*, 30 : 851, 1985.
243. Otake : Anticaries Effects of Polyphenolic Compounds From Japanese Green Tea, *Caries Res.*, 25 (6) : 438-443, 1991.

244. In *Research Communications in Chemical Pathology and Pharmacology*, 12 : 11, 1975.
245. In *Journal of Oral Medicine*, 33 : 20, 1978.
246. Bhat : Nutritional Status of Thiamine, Riboflavin and Pyridoxine in Cataract Patients, *Nutr. Rep.*, 33 : 665-668, 1986.
247. Sperduto : The LinXian Cataract Studies, *Arch. Ophtal.*, 111 : 1246-1253, 1993.
248. In *Nutrition Research Newsletter*, 12 (3) : 29-30, 1993.
249. Bhat : Plasma Calcium and Trace Metals in Human Subjects with Mature Cataract, *Nutr. Rep.*, 37 : 157-163, 1988.
250. Lane : Calcium, Chromium, Protein, Sugar and Accomodation in Myopia, *Docum. ophtal. Proc. Ser.*, 28 : 141-148, 1981.
251. Lane : Elevation of Intraocular Pressure with Daily Sustained Close-work Stimulus to Accomodation, Lowered Tissue Chromium and Dietary Deficiency of Ascorbic Acid (Vitamin C), *Docum. ophtal. Proc. Ser.*, 28 : 141-148, 1981.
252. Newsome : Oral Zinc in Macular Degeneration, *Arch. Ophtal.*, 106 : 192-198, 1988.
253. Life Extension Foundation, *The Physician's Guide to Life Extension Drugs*, pp. 100-101, 1994.
254. Favier, Hercberg, Arnaud, Galan, *op. cit.*
255. In *Lancet*, p. 895, 29/10/1977.
256. In *Annals of Internal Medicine*, 97 : 357, 1982.
257. In *Lancet*, 2 : 1125, 1977.
258. Reid : Double-Blind Trial of Yohimbine in Treatment of Psychogenic Impotence, *Lancet*, 2 : 421-423, 1987.
259. Auguet : Bases pharmacologiques de l'impact vasculaire de l'extrait de ginkgo biloba, *Presse méd.*, 15 (31) : 1524, 1986.
260. Passwater, *Supernutrition*, p. 79, *op. cit.*
261. In *British Journal of Clinical Pharmacology*, 84 (18) : 461-462, 1979.
262. Bosco, *The People's Guide to Vitamins and Minerals From A to Zinc*, Contemporary Books, New York, USA, p. 65, 1980.
263. Kosin Amatayakul : Vitamin Metabolism and the Effects of Multivitamin Supplementation in Oral Contraceptive Users, *Contraception*, 30 (2) : 179-196, 1984.
264. Shojanic : Oral Contraceptive ; Effects on Folate and Vitamin B_{12} Metabolism, *Canad. med. Ass. J.*, 126 : 244-247, 1982.
265. Hudiburgh : Influence of Oral Contraceptives on Ascorbic Acid and Triglyceride Status, *J. amer. diet. Ass.*, 75 : 19-22, 1979.
266. Horwit : Relationship Between Levels of Blood Lipids, Vitamins C, A and E, Serum Copper Compounds, and Urinary Excretions of Tryptophan Metabolites in Women Taking Oral Contraceptive Therapy, *Amer. J. clin. Nutr.*, 28 : 403-412, 1975.
267. Abraham, Hargrove : Effect of Vitamin B_6 on Premenstrual Symptomatology in Women with Premenstrual Tension Syndromes : A Double-Blind Crossover Study, *Infertility*, 3 : 155-165, 1980.
268. In *British Journal of Clinical Pathology*, 42 : 448-452, 1988.

269. Abraham : Nutritional factors in the Etiology of the Premenstrual Tension Syndromes, *J. Reprod. Med.*, 28 : 446-464, 1983.
270. London : Efficacy of Alpha-Tocopherol in the Treatment of the Premenstrual Syndrome, *J. Reprod. Med.*, 32 : 400-404, 1987.
271. In *Muscle and Fitness*, p. 30, 04/1994.
272. Hargrove, Abraham : Effect of Vitamin B_6 on Infertility in Women with the Premenstrual Tension Syndrome, *Infertility*, 2 (4) : 315-322, 1979.
273. Dawson : Infertility and Folate Deficiency : Case Reports, *Brit. J. Obstet. Gynaecol.*, 89 : 678, 1982.
274. Masao Igarashi : Augmentative Effect of Ascorbic Acid Upon Induction of Human Ovulation in Clomiphene-Ineffective Anovulatory Women, *Int. J. Fertil.*, 22 : 3, 168-173, 1977.
275. Wilson, Loh, *op. cit.*
276. In *Fertility and Sterility*, 32 : 455, 1979.
277. In *Prevention Magazine, The Complete Book of Vitamins and Minerals*, p. 224, *op. cit.*
278. Favier : Actualités sur la place du zinc en nutrition, *op. cit.*
279. Schachter : Treatment of Oligospermia with the Amino Acid Arginine, *J. Urol.*, 110 : 311-313, 1973.
280. In *Fertility and Sterility*, 23 : 1333, 1977.
281. Levine : Nutrition Recommendations and Practices of Obstetrician-Gynecologists Before Conception and During Pregnancy, *Ann. N. Y. Acad. Sci.*, 678 : 353-355, 1993.
282. Czeizel : Prevention of Congenital Abnormalities by Periconceptional Multivitamin Supplementation, *Brit. med. J.*, 306 : 1645-1648, 1993.
283. Bendich : Folic Acid and Neural Tube Defects, *op. cit.*
284. Wald : Folic Acid and the Prevention of Neural Tube Defects, *Ann. N. Y. Acad. Sci.*, 678 : 113-129, 1993.
285. Kamen, Kamen, *Total Nutrition During Pregnancy*, Keats, 1986.
286. Belizan, Villar, Gonzalez, Campodonico, Bergel : Calcium Supplementation to Prevent Hypertensive Disorders of Pregnancy, *New Engl. J. Med.*, 325 (20) : 1399-1405, 1991.
287. Favier : Actualités sur la place du zinc en nutrition, *Rev. Prat. (Paris)*, 43 (2) : 146-151, 1993.
288. Favier A., Favier M. : Conséquences des déficits en zinc durant la grossesse pour la mère et le nouveau-né, *Rev. franç. Gynéc.*, 85 (1) : 14-27, 1990.
289. Bendich : Folic Acid and Neural Tube Defects, *Ann. N. Y. Acad. Sci.*, 678 : 108-111, 1993.
290. Simopoulos : Omega-3 Fatty Acids in Health and Disease and in Growth and Development, *Amer. J. clin. Nutr.*, 54 : 438-463, 1991.
291. Bazan : Supply of N-3 Polyunsaturated Fatty Acids and Their Significance in the Central Nervous System, in *Nutrition and the Brain*, vol. 8, Wurtman R., Wurtman J. (eds.), Raven Press, New York, USA, pp. 1-24, 1990.
292. Diamond : Diet and Headache, *Nutr. Rep.*, 5 : 12-13, 1987.

293. Mc Carron, Hitzemann, Smith : Amelioration of Severe Migraine by Fish Oil Fatty Acids, *Amer. J. clin. Nutr.*, 43 : 710, 1986.

294. Seelig : Interrelationship of Magnesium and Estrogen in Cardiovascular and Bone Disorders, Eclampsia, Migraine and Premenstrual Syndrome, *J. amer. Coll. Nutr.*, 12 : 442-458, 1993.

295. De Belleroche, Cook, Das : Erythrocyte Choline Concentrations and Cluster Headaches, *Brit. med. J.*, 288 : 268-270, 1984.

296. Harrison : Copper as a Factor in the Dietary Precipitation of Migraines, *Headache*, 26 : 248-250, 1986.

297. Clemetson : Histamine and Ascorbic Acid in Human Blood, *J. Nutr.*, 110 : 662-668, 1980.

298. Garrison, Sommer, *The Nutrition Desk Reference*, Keats Publishing, New Canaan, Connecticut, USA, p. 210, 1990.

299. Anonyme : Vitamin B_{12} Confirmed as Effective Sulfite Allergy Blocker, *Allergy Observ.*, 4 (2) : 1, 1987.

300. Fischer, Seuss : Antioxidans-Therapierheumatische Erkrankungen, *Heilkunst*, 3 : 145-148, 1985.

301. Dr. Julian Whitaker, *Dr. Whitaker's Favorite Folk Remedies*, Philips Publishing, Maryland, USA, p. 1, 1994.

302. Di Toro, Captorti : Gianlanella, Zinc and Copper Status of Allergic Children, *Acta paediat. scand.*, 76 : 612-617, 1987.

303. Drevon : Marine Oils and their Effects, *Nutr. Rev.*, 50 (4) : 38-45, 1992.

304. In *Science*, 161 : 1727-1730, 1993.

305. Life Extension Foundation, *The Physician's Guide to Life Extension Drugs*, pp. 77-83, 1994.

306. Machtey, Ouaknine : Tocopherol in Ostheoarthritis, *J. amer. Geriat. Soc.*, 26 : 328, 1978.

307. Blankenhorn : Klinische Wirksamkeit von Spondyvit (Vitamin E) bei Aktivierten Arthrosen, *Zeit. Orthop.*, 124 : 340, 1986.

308. Scherak, Kolarz, Schödl, Blankenhorn : Hochdosierte Vitamin E Therapie bei Patienten mit Aktivierter Arthrose, *Zeit. Rheumatol.*, 49 : 369-373, 1990.

309. Kremer, Jubiz, Michalek : Fish-Oil Fatty Acid Supplementation in Active Rhumatoid Arthritis. A Double-Blinded, Controlled, Crossover Study, *Ann. intern. Med.*, 106 : 497-503, 1987.

310. Dr. Julian Whitaker, *101 Medical Alternatives to Drugs and Surgery*, Philips Publishing, Maryland, USA, p. 7, 1994.

311. Helliwell, Coombes, Moody : Nutritional Status in Patients with Rheumatoid Arthritis, *Ann. rheum. Dis.*, 43 : 368-390, 1984.

312. Munthe, Aaseth : Treatment of Rheumatic Arthritis with Selenium and Vitamin E, *Scand. J. Rheumatol.*, S53 : 103, 1984.

313. In *Health and Healing*, 4 (6) : 5, 06/1994.

314. Hemilä : Does Vitamin C Alleviate the Symptoms of the Common Cold ? A Review of Current Evidence, *Scand. J. infect. Dis.*, 26 : 1-6, 1994.

315. Godfrey J.C., Conant Sloane, Smith, Turco, Mercer, Godfer N.J. :

Zinc Gluconate and the Common Cold : A Controlled Clinical Study, *J. int. med. Res.*, 20 : 234-246, 1992.

316. Weber : In Vitro Virucidal Effects of Allium Sativum (Garlic) Extract and Compounds, *Planta Med.*, 58 : 417-423, 1992.

317. Castleman, *Cold Cures*, Fawcett Columbine (Ed.), 1987.

318. Stephensen : Vitamin A is Excreted in the Urine During Acute Infection, *Amer. J. clin. Nutr.*, 60 : 388-392, 1994.

319. Payer, *Medicine and Culture*, Holt, 1988.

320. Passwater, *Supernutrition*, Pocket Books, New York, USA, pp. 166-228, 1991.

321. Shekelle, Shyrock, Paul : Diet Serum Cholesterol and Death from Coronary Heart Disease, The Western Electric Study, *New Engl. J. Med.*, 304 : 65-70, 1981.

322. Kromhout, Bosschieter, Drijver : Serum Cholesterol and 25-Year Incidence of and Mortality from Myocardial Infarction and Cancer, The Zutphen Study, *Arch. intern. Med.*, 148 : 1051-1055, 1988.

323. McGee, Reed, Yano : Ten-Year Incidence of Coronary Heart Disease in the Honolulu Heart Program, Relationship to Nutrient Intake, *Amer. J. Epidemiol.*, 119 : 667-676, 1984.

324. Friedman, Klatsky, Siegelaub : Kaiser-Permanente Epidemiologic Study of Myocardial Infarction, *Amer. J. Epidemiol.*, 99 : 101-116, 1974.

325. Keys, Menotti, Karvonen : The Diet and 15-Year Death Rate in the Seven Countries Study, *Amer. J. Epidemiol.*, 124 : 903-915, 1986.

326. Kushi, Lew, Stare : Diet and 20-Year Mortality from Coronary Heart Disease. The Ireland-Boston Diet-Heart Study, *New Engl. J. Med.*, 312 : 812-818, 1985.

327. Hjermann, Velve Byre, Holme, Leren : Effect of Diet and Smoking Intervention on the Incidence of Coronary Heart Disease : Report From the Oslo Study Group of a Randomised Trial in Healthy Men, *Lancet*, 2 : 1303-1310, 1981.

328. Multiple Risk Factor Intervention Trial Research Group : Multiple Risk Factor Intervention Trial : Risk Factors Changes and Mortality Results, *J. amer. med. Ass.*, 248 : 1465-1477, 1982.

329. Lipid Research Clinics Program : The Lipid Research Clinics Coronary Primary Prevention Trial Results : 1. Reduction in Incidence of Coronary Heart Disease, *J. amer. med. Ass.*, 251 : 351-364, 1984.

330. Winawer, Flehinger, Buchalter, Herbert, Shike : Declining Serum Cholesterol Levels Prior to Diagnosis of Colon Cancer, *J. amer. med. Ass.*, 263 (15) : 2083-2085, 1990.

331. Multi-Center Lifestyle Heart Trial : Summary of Demonstration Project by the Preventive Medicine Research Institute, 1994.

332. Entretien avec le docteur Lipsenthal, 18/04/1994.

333. In *Nutrition Week*, 28/09/1989.

334. In *Nutrition Week*, 07/09/1989.

335. Muldoon, Manuck, Mathews : Lowering Cholesterol Concentrations and Mortality : A Quantitative Review of Primary Prevention Trials, *Brit. med. J.*, 301 : 309-314, 1990.

336. In *Muscle and Fitness*, p. 26, 04/1993.

337. In *The Journal of the amer. med. Ass.* (édition française), 233 : 913-914, 1991.

338. Bassler T.J., Bassler T.J. Jr. : Long-Term Mortality After Primary Prevention for Cardiovascular Disease, *J. amer. med. Ass.*, 267 : 2183, 1992.

339. In *The New England Journal of Medicine* (lettre), 331 (9) : 614-615, 1994.

340. In *Le Quotidien du médecin*, 5508 : 8, 04/11/1994.

341. In *Nutrition Week*, 26/10/1989.

342. In *Que Choisir ? Santé*, n° 20, p. 8, 06/1992.

343. Hopkins : Effects of Dietary Cholesterol on Serum Cholesterol : A Meta-Analysis and Review, *Amer. J. Clin. Nutr.*, 55 : 1060-1070, 1992.

344. Beardsley : Trans Fat : Does Margarine Really Lower Cholesterol ?, *Sci. Amer.*, p. 34, 01/1991.

345. In *Muscle and Fitness*, p. 84, 04/1993.

346. McKenney, Proctor, Harris, Chinchili : A Comparison of the Efficacy and Toxic Effects of Sustained- vs Immediate-Release Niacin in Hypercholesterolemic Patients, *J. amer. med. Ass.*, 271 (9) : 672-677, 1994.

347. Lefavi, Anderson, Keith, Wilson : Lipid-Lowering Effect of a Dietary Chromium (3)-Nicotinic Acid Complex in Male Athletes, *Fed. Proc.*, 5 (6) : A1645.

348. Davis, Leary, Reyes, Olhaberry : Monotherapy with Magnesium Increases Abnormally Low High Density Lipoprotein Cholesterol, *Curr. ther. Res.*, 36 : 341-346, 1984.

349. Rasmussen, Aurup, Goldstein, McNair, Mortensen, Larsen, Lawaetz : Influence of Magnesium Substitution Therapy on Blood Lipid Composition in Patients with Ischemic Heart Disease, *Arch. intern. Med.*, 149 : 1050-1053, 1989.

350. Ginter : The Role of Vitamin C in Cholesterol Catabolism and Atherogenesis, The Slovak Academy of Sciences, Bratislava (Tchécoslovaquie), 1975.

351. In *Nutrition and Metabolism*, 12 : 76, 1970.

352. In *Circulation*, 88 (S) : I-563, 1993.

353. Witztum : The Oxidation Hypothesis of Atherosclerosis, *Lancet*, 344 : 793-795, 1994.

354. Casino : The Role of Nitric Oxide in Endothelium-Dependent Vasodilatation of Hypercholesterolemic Patients, *Circulation*, 88 (6) : 2541-2547, 1993.

355. Cooke : Antiatherogenic Effects of L-Arginine in the Hypercholesterolemic Rabbit, *J. clin. Invest.*, 90 : 1163-1172, 1990.

356. Radomski : An L-Arginine/Nitric Oxide Pathway Present in Human Platelets Regulates Aggregation, *Proc. nat. Acad. Sci. (Wash.)*, 87 : 5193-5197, 1990.

357. Cooke : Antiatherogenic Effects of L-Arginine in the Hypercholesterolemic Rabbit, *op. cit.*

358. Sacks, Pasternak, Gibson, Rosner, Stone : Effect on Coronary Athero-

sclerosis of Decrease in Plasma Cholesterol Concentrations in Normo-cholesterolaemic Patients, *Lancet*, 344 : 1182-1186, 1994.

359. Kavanagh : Influences of Exercise and Lifestyle Variables Upon High Density Lipoprotein Cholesterol after Myocardial Infarction, *Arterios-clerosis*, 3 : 249-259, 1983.

360. Preventive Medicine Research Institute : Multi-Center Lifestyle Heart Trial (document interne), 1994.

361. Kinsella : Food Components with Potential Therapeutic Benefits : The *N*-3 Polyunsaturated Fatty Acids of Fish Oils, *Food Tech.*, 02 : 89-97, 1986.

362. Kendler : Garlic and Onion : A Review of their Relationship to Car-diovascular Disease, *Prevent. Med.*, 16 : 670-685, 1987.

363. Albrink, Davidson, Newman : Lipid-Lowering Effect of a Very High Carbohydrate, High Fiber Diet, *Diabetes*, 25 : 324, 1976.

364. Malinow, Connor, McLaughlin : Cholesterol and Bile Balance in Macaca Fascicularis, *J. clin. Invest.*, 67 : 156-162, 1981.

365. Sabaté : Effects of Walnuts on Serum Lipid Levels and Blood Pressure in Normal Men, *New Engl. J. Med.*, 328 (9) : 603-607, 1993.

366. Kläui, Pongcraz : Ascorbic Acid and Derivatives as Antioxydants in Oils and Fats, in *Vitamin C*, Counsell, Hornig (eds), Applied Science Publishers, pp. 139-166, *op. cit.*, 1981.

367. Hallfrisch, Singh, Muller, Baldwin, Bannon, Andres : High Plasma Vitamin C Associated with High Plasma HDL- and HDL2 Cholesterol, *Amer. J. clin. Nutr.*, 60 : 100-105, 1994.

368. Wartanowicz : The Effect of Alpha-Tocopherol and Ascorbic Acid on the Serum Lipid Peroxide Level in Elderly People, *Ann. Nutr. Metab.*, 28 : 186-191, 1984.

369. In *Science News*, 141 : 198, 28/03/1992.

370. In *Longevity*, pp. 83-84, 02/1994.

371. Schroeder, Nason, Tipton : Chromium Deficiency as a Factor in Atherosclerosis, *J. chron. Dis.*, 23 : 132-142, 1969.

372. Press, Geller, Evans : The Effect of Chromium Picolinate on Serum Cholesterol and Apolipoprotein Fractions in Human Subjects, *West. J. Med.*, 152 : 41-45, 1990.

373. Liu, Morris : Relative Chromium Response as an Indicator of Chro-mium Status, *Amer. J. clin. Nutr.*, 31 : 972-976, 1978.

374. In *Life Extension Update*, 6 (9) : 2-3, 09/1993.

375. In *Lancet*, 324 : 1007, 1993.

376. Hanaki, Sugiyama, Ozawa, Ohno : Ratio of Low-Density Lipoprotein Cholesterol to Ubiquinone as a Coronary Risk Factor, *New Engl. J. Med.*, 325 : 814-815, 1991.

377. Horner : Efficacy of Intravenous Magnesium in Acute Myocardial Infarction in Reducing Arrhythmias and Mortality, *Circulation*, 86 : 774-779, 1992.

378. Ornish, Brown, Scherwitz : Can Lifestyle Change Reverse Coronary Heart Disease ?, The Lifestyle Heart Trial, *Lancet*, 336 : 129-133, 1990.

379. In *Le Quotidien du Médecin*, p. 15, 15/11/1994.

380. In *Natural Health*, pp. 44-50, 03/1994.

381. Hanaki, Sugiyama, Ozawa, Ohno : Ratio of Low-Density Lipoprotein Cholesterol to Ubiquinone as a Coronary Risk Factor, *New Engl. J. Med.*, 325 : 814-815, 1991.

382. In *Natural Health*, pp. 44-50, 03/1994.

383. In *The Journal of Optimal Nutrition*, 2 (4), 1994.

384. Taurine Better than Low-Dose CoQ_{10} for Congestive Heart Disease, *Life Extension Update*, 6 (10) : 1, 1993.

385. Paradies : The Effect of Aging and Acetyl-L-Carnitine on the Activity of the Phosphate Carrier and on the Phospholipid Composition in Rat Heart Mitochondria, *Biochim. biophys. Acta Biomemb.*, 1103 (2) : 324-326, 1992.

386. Capuccio, MacGregor : Does Potassium Supplementation Lower Blood Pressure ?, A Meta-Analysis of Published Trials, *J. Hypertension*, 9 : 465-473, 1990.

387. Singh, Rastogi, Mehta, Cameron : Magnesium Metabolism in Essential Hypertension, *Acta cardiol.*, 44 : 313-322, 1989.

388. In *Science News*, p. 340, vol. 142.

389. Singh R.B., Sircar, Rastogi, Singh R. : Does Dietary Supplementation of Minerals Prevent Aggravation of Hypertension in Humans ?, *Trace Elem. Med.*, 7 (3) : 149-154, 1990.

390. Jacques : Effects of Vitamin C on High-Density Lipoprotein Cholesterol and Blood Pressure, *J. amer. Coll. Nutr.*, 11 (2) : 139-144, 1992.

391. Iacono, Puska, Dougherty : Effect of Dietary Fat on Blood Pressure in a Rural Finnish Population, *Amer. J. clin. Nutr.*, 38 : 860-869, 1983.

392. The Trials of Hypertension Prevention Collaborative Research Group : The Effects of Nonpharmacologic Interventions on Blood Pressure of Persons with High Normal Levels, *J. amer. med. Ass.*, 267 (9) : 1213-1220, 1992.

393. Anderson : Recent Advances in the Clinical and Biochemical Effects of Chromium Deficiency, in *Essential and Toxic Trace Elements in Human Health and Disease : An Update*, Wiley-Liss, New York, USA, pp. 221-234, 1993.

394. Thompson : Studies of Vanadyl Sulfate as a Glucose-Lowering Agent in TZ-Diabetic Rats, *Biochem. biophys. Res. Comm.*, 197 (3) : 1549-1555, 1993.

395. Rossetti : In Vivo Metabolic Effects of Vanadium on Skeletal Muscle and Hepatic Glucose Metabolism, *Canad. J. Physiol. Pharm.*, 72 (3) : 11, 1994.

396. Baker, Compbell : Vitamin and Mineral Supplementation in Patients with Diabetes Mellitus, *Diabetes Educ.*, 18 (5) : 420-427, 1992.

397. Paolisso, Di Maro, Galzerano, Cacciapuoti, Varrichio G., Varrichio M., D'Onofrio : Pharmacological Doses of Vitamin E and Insulin Action in Elderly Subjects, *Amer. J. clin. Nutr.*, 59 : 1291-1296, 1994.

398. In, *J. of Nutr.*, 116 : 36, 1986.

399. In *J. of Vitaminology*, 12 : 293, 1966.

400. In *Lancet*, 2 : 779, 1977.

401. In *Amer. J. of Epidemiology*, 140 (4) : 350-360, 1994.

402. Wynder, Rose, Cohen : Nutrition and Prostate Cancer : A Proposal for Dietary Intervention, *Nutr. Cancer,* 22 (1) : 1-10, 1994.

403. Keeney : Comments on the Effects of Dietary Trans-Fatty Acids in Humans, *Cancer Res.,* 41 : 3743-3744, 1981.

404. National Academy of Sciences, National Research Council, Committee on Diet, Nutrition and Cancer, *Diet, Nutrition and Cancer,* National Academy Press, Washington, DC, USA, 1982.

405. Bollag : Vitamin A and the Retinoids, *Lancet,* 8329 (1) : 860-863, 1983.

406. Greenwald : Principles of Cancer Prevention, Diet and Nutrition, in *Cancer : Principles and Practice of Oncology,* De Vita (ed.), J.B. Lippincott Company, Philadelphia, USA, p. 169, 1989.

407. Paganelli : Effect of Vitamin A, C, and E Supplementation on Rectal Cell Proliferation in Patients with Colorectal Adenomas, *J. nat. Cancer Inst.,* 84 : 47-51, 1992.

408. Bollag : Vitamin A and the Retinoids, *Lancet, op. cit.*

409. Waun Ki Hong : 13-Cis-Retinoic Acid in the Treatment of Oral Leukoplakia, *New Engl. J. Med.,* 315 : 1501-1505, 1986.

410. Le Grusse, Watier, *Les Vitamines,* CEIV, p. 52, 1993.

411. Meyskens : Prevention and Treatment of Cancer with Vitamin A and the Retinoids, in *Vitamins, Nutrition and Cancer,* Prasad (ed.), Karger, Bâle, Suisse, p. 266, 1984.

412. Hong, Doos : Chemoprevention of Head and Neck Cancer, *Otoralyngol. clin. N. Amer.,* 18 : 543-549, 1985.

413. Clifford, Kramer : Diet as Risk and Therapy for Cancer, *Med. Clin. N. Amer.,* 77 (4) : 731, 1993.

414. Seifter : Moloney Murine Sarcoma Virus Tumors in CBA/J Mice, *J. nat. Cancer Inst.,* 68 : 835-840, 1982.

415. Garewal : Response of Oral Leukoplakia to Beta-Carotene, *J. clin. Oncol.,* 8 : 1715-1720, 1990.

416. Santamaria : Cancer Chemoprevention by Supplemental Carotenoids and Synergism with Retinol in Mastodynia Treatment, *Med. Oncol. Tumor Pharmacother.,* 7 : 153-167, 1990.

417. Lu, Lin : Recent Research on the Etiology of Oesophageal Cancer in China, *J. Gastroenterol.,* 20 : 361-367, 1982.

418. Munoz : Effect of Riboflavin, Retinol, Zinc on Micronuclei of Buccal Mucosa and Oesophagus, *J. Nat. Cancer Inst.,* 79 : 687-691, 1987.

419. Horsman : Changes in the Response of the RIF-1 Tumour to Melphalan in Vivo Induced by Inhibitors of Nuclear ADP-Ribosyl Transferase, *Brit. J. Cancer,* 53 : 247-254, 1986.

420. Chen, Pan : Potentiation of the Antitumor Activity of Cisplatin in Mice by 3-Aminobenzamide and Nicotinamide, *Cancer Chemother. Pharmacol.,* 22 : 303-307, 1988.

421. DiSorbo, Wagner, Nathanson : In Vivo and In Vitro Inhibition of B_{16} Melanoma Growth by B_6, *Nutr. Cancer,* 7 : 43, 1985.

422. Reynolds : Vitamin B_6 Deficiency and Carcinogenesis, in *Essential Nutrients in Carcinogenesis,* Poirier (ed.), Plenum Press, New York, USA, pp. 339-345, 1986.

423. Draudin-Krylenko : Anticarcinogenic Action of Vitamins PP and B_6 in the Natural Initiation of Malignant Growth in Mice, *Vopr. Onkol.*, 35 : 34-38, 1989.

424. Ladner, Salkeld : Vitamin B_6 Status in Cancer Patients, in *Nutrition, Growth and Cancer*, Tryfiates, Prasad (eds.), Alan Liss, New York, USA, pp. 273-281, 1988.

425. Butterworth, Norris : Folic Acid and Vitamin C in Cervical Dysplasia, *Amer. J. clin. Nutr.*, 37 : 332-333, 1983.

426. Butterworth : Folate Deficiency and Cervical Dysplasia, *J. amer. med. Ass.*, 267 (4) : 528-533, 1992.

427. Heimburger : Improvement in Bronchial Squamous Metaplasia in Smokers Treated with Folate and Vitamin B_{12}, *J. amer. med. Ass.*, 259 : 1525-1530, 1988.

428. *Vidal*, Editions du Vidal, p. 1243, 1993.

429. Maso : Folate : Colitis, Dysplasia and cancer, *Nutr. Rev.*, 47 : 314-317, 1989.

430. Eto, Krumdieck : Role of Vitamin B_{12} and Folate Deficiencies and Carcinogenesis, *Advanc. exp. Med. Biol.*, 206 : 313-330, 1986.

431. Bram : Vitamin C Preferential Toxicity for Malignant Melanoma Cells, *Nature* (Lond.), 284 : 629-631, 1980.

432. Pierson, Meadows : Sodium Ascorbate Enhancement of Carbidopa-Levodopa Methyl Ester Antitumor Activity Against Pigmented B_{16} Melanoma, *Cancer Res.*, 43 : 2047-2051, 1983.

433. Noto : Effects of Sodium Ascorbate and 2-Methyl-1,4-Naphtoquinone Treatment on Human Tumor Cell Growth in Vitro, *Cancer*, 63 : 901-906, 1989.

434. Pauling, *Cancer and Vitamin C*, Camino Books, Philadelphia, Pennsylvanie, USA, pp. 134-135, 1993.

435. Pauling, *Cancer and Vitamin C*, pp. 135-139, *op. cit.*

436. Creagan : Failure of High Dose Vitamin C Therapy to Benefit Patients with Advanced Cancer : A Controlled Trial, *New Engl. J. Med.*, 301 : 687-690, 1979.

437. Moertel : High Dose Vitamin C Versus Placebo in the Treatment of Patients with Advanced Cancer Who Have Had no Prior Chemiotherapy : A Randomized Double-Blind Comparison, *New Engl. J. Med.*, 312 : 137-141, 1985.

438. Hornig : Ascorbic Acid, in *Modern Nutrition in Health and Disease*, Shils and Young (eds.), Lea & Fibegger, Philadelphia, Pennsylvanie, USA, p. 425, 1988.

439. Hoffer, Pauling : Hardin Jones Biostatistical Analysis of Mortality Data for Cohorts of Cancer Patients with a Large Fraction Surviving at the Termination of the Study and a Comparison of Survival Times of Cancer Patients Receiving Large Regular Oral Doses of Vitamin C and Other Nutrients with Similar Patients not Receiving Those Doses, *J. Orthomolec. Med.*, 5 : 143-154, 1990.

440. Hanck : Vitamin C and Cancer, in *Nutrition, Growth and Cancer*, p. 312, *op. cit.*

441. Hanck : Vitamin C and Cancer, in *Nutrition, Growth and Cancer*, pp. 312-314, *op. cit.*

442. Okunieff : Interactions Between Ascorbic Acid, Radiation Therapy, and Misonidazole, Extrait de la rencontre : Ascorbic Acid, Biological functions and Relation to Cancer, National Institutes of Health, Bethesda, Maryland, USA, 10-12 : 09/1990.

443. Park : Vitamin C in Leukemia and Preleukemia Cell Growth, in *Nutrition, Growth and Cancer*, pp. 321-330, *op. cit.*

444. Garrison, Somer, *The Nutrition Desk Reference*, Keats Publishing, New Cannan, Connecticut, USA, p. 97, 1990.

445. Anonyme : Vitamin D as an Adjuvant for Cancer Treatment, *Life Extension Update*, 7 (8), 1994.

446. Prasad : Mechanisms of Action of Vitamin E on Mammalian Tumor Cells in Culture, in *Nutrition, Growth and Cancer*, pp. 363-375, *op. cit.*

447. Prasad : Mechanisms of Action of Vitamin E on Mammalian Tumor Cells in Culture, in *Nutrition, Growth and Cancer*, p. 364, *op. cit.*

448. Prasad : Modification of the Effect of Pharmacological Agents, Ionizing Radiation and Hyperthermia on Tumor Cells by Vitamin E, in *Vitamins, Nutrition and Cancer*, pp. 76-104, *op. cit.*

449. Capel : Vitamin E Retards the Lipoperoxidation Resulting From Anticancer Drug Administration, *Anticancer Res.*, 3 : 59-62, 1983.

450. Szepanska : Inhibition of Leucocyte Migration by Cancer Chemotherapeutic Agents and Its Prevention by Free Radical Scavengers and Thiols, *Europ. J. Haematol.*, 40 : 69-74, 1988.

451. Clemens : Decreased Essential Antioxidants and Increased Lipid Hydroperoxides Following High-Dose Radiochemotherapy, *Free Radical Res. Commun.*, 7 : 227-232, 1989.

452. Prasad : Vitamin E Enhances the Growth Inhibitory and Differentiating Effects of Tumor Therapeutic Agents on Neuroblastoma and Glioma Cells in Culture, *Proc. Soc. exp. Biol.* (N. Y.), 164 (2) : 158-163, 1980.

453. Wood : Possible Prevention of Adriamicin-Induced Alopecia by Tocopherol, *New Engl. J. Med.*, 312 : 1060, 1985.

454. Prasad : *Vitamins Against Cancer : Fact and Fiction*, Nutrition Publishing House, Denver, Colorado, p. 91, 1984.

455. Schrauzer : Selenium in Nutritional Cancer Prophylaxis, in *Vitamins and Cancer*, Meyskens and Prasad (eds.), Humana, Clifton, New Jersey, USA, pp. 240-250, 1986.

456. Schrauzer : Selenium in Nutritional Cancer Prophylaxis, in *Vitamins and Cancer*, Meyskens and Prasad (eds.), Humana, Clifton, New Jersey, USA, pp. 240-250, *op. cit.*

457. Lockwood : Partial and Complete Regression of Breast Cancer in Patients with Relation to Dosage of Coenzyme Q_{10}, *Biochem. biophys. Res. Commun.*, 199 (3) : 1504-1508, 1994.

458. Coenzyme Q_{10}, New Hope for Cancer, *Health Healing*, 4 (7) : 1-2, 1994.

459. In Life Extension Foundation, *The Physician's Guide to Life Extension Drugs*, pp. 68-70, 1994.

460. Langer, Lee : Shark Cartilage Contains Inhibitors of Tumor Angiogenesis, *Science*, 19/04/1983.

461. The Physician's Guide to Life Extension Drugs, Life Extension Foundation, 1994.

462. Abrams, Duncan, Hertz-Picciotto : A Prospective Study of Dietary Intake and Acquired Immune Deficiency Syndrome in HIV-Seropositive Homosexual Men, *J. Acqu. Immune Defic. Synd.*, 6 (8) : 1993.

463. Smallman-Raynor, Cliff : Seasonality in Tropical AIDS : A Geographical Analysis, *Int. J. Epidemiol.*, 21 : 547-556, 1992.

464. Source : National Institutes of Health, USA, 1994.

465. Source : National Institutes of Health, USA, 1994.

466. Abrams, Duncan, Hertz-Picciotto : A Prospective Study of Dietary Intake and Acquired Immune Deficiency Syndrome in HIV-Seropositive Homosexual Men, *J. Acqu. Immune Defic. Synd., op. cit.*

467. Tang : Dietary Micronutrient Intake and Risk of Progression to Acquired Immunodeficiency Syndrome (AIDS) in Human Immunodeficiency Virus Type 1 (HIV-1)-Infected Homosexual Men, *Amer. J. Epidemiol.*, 138 (11) : 937-951, 1993.

468. Staal : Glutathione Deficiency and HIV Infection, *Lancet*, 339 : 909-912, 1992.

469. Chaldakov : Antioxydants and HIV Infection (correspondance), *Nutr. Rev.*, 50 (6) : 180, 1992.

470. Harakeh, Jariwalla, Pauling : Suppression of Human Immunodeficiency Virus Replication By Ascorbate in Chronically and Acutely Infected Cells, *Proc. nat. Acad. Sci. (Wash.)*, 87 : 7245-7249, 1990.

471. Harakeh, Jariwalla : Comparative Study of the Anti-HIV Activities of Ascorbate and Thiol-Containing Reducing Agents in Chronically and Acutely Infected Cells, *Amer. J. clin. Nutr.*, 54 (Supplement) : 1231S-1235S, 1991.

472. In *Men's Fitness*, p. 112, 09/1993.

473. Folkers, Morita, McRee : The Activities of Coenzyme Q_{10} and Vitamin B_6 for Immune Responses, *Biochem. biophys. Res. Commun.*, 193 (1) : 88-92, 1993.

474. Dworkin : Selenium Deficiency in HIV Infection and the Acquired Immunodeficiency Syndrome (AIDS), *Chem. biol. Inter.*, 91 (2-3) : 181-186, 1994.

475. Keusch, Thea : Malnutrition in AIDS, *Med. Clin. N. Amer.*, 77 (4) : 795-814, 1993.

476. Schrauzer, Sacher : Selenium in the Maintenance and Therapy of HIV-Infected Patients, *Chem. biol. Inter.*, 91 (2-3) : 199-205, 1994.

477. Source : National Institutes of Health, USA, 1994.

478. Keusch, Thea : Malnutrition in AIDS, *Med. Clin. N. Amer.*, 77 (4) : 795-814, 1993.

479. Herzlich : Reversal of Apparent AIDS Dementia Complex Following Treatment with Vitamin B_{12}, *J. intern. Med.*, 233 (6) : 495-497, 1993.

480. Koch : Zinc and Opportunistic Infections in AIDS Patients, *Nutrition*, 10 (5) : 484, 1994.

481. Tang : Dietary Micronutrient Intake and Risk of Progression to Acqui-

red Immunodeficiency Syndrome (AIDS) in Human Immunodeficiency Virus Type 1 (HIV-1)-Infected Homosexual Men, *Amer. J. Epidemiol.*, *op. cit.*

482. Isa, Lucchini, Lodi, Giachetti : Blood Zinc Status and Zinc Treatment in Human Immunodeficiency Virus-Infected Patients, *Int. J. clin. Lab. Res.*, 22 (1) : 45-47, 1992.

483. Wright, Harris, Taylor, Morse-Fischer : Long Chain Highly Unsaturated Fatty Acids Are Reduced in Patients with HIV Disease, Royal Free Hospital School of Medicine, London, U.K. et Efamol Research Institute, Nova Scotia, Canada.

484. Keusch, Thea : Malnutrition in AIDS, *Med. Clin. N. Amer.*, 77 (4) : 806, 1993.

485. Süttman : Immunonutrition in HIV Infection. Results of a Controlled, Double-Blind Phase I+II Trial, *Nutrition*, 10 (5) : 487, 1994.

486. Baba, Shigeta : Antiviral Activity of Glycyrrhizin Against Varicella-Zoster Virus in Vitro, *Antivir. Res.*, 7 : 99-107, 1987.

487. Nakashima : A New Anti-Human Immunodeficiency Virus Substance, Glycyrrhizin Sulfate, *Japan. J. Cancer Res.*, 78 : 767-771, 1987.

488. The Scandinavian Isoprinosine Study Group, *New Engl. J. Med.*, pp. 1757-1763, 21/06/1989.

489. Dupin, Abraham, Giachetti, p. 35, *op. cit.*

490. A Lifelong Program to Build Strong Bones, *University of California Berkeley Wellness Letter*, p. 5, *op. cit.*

491. A Lifelong Program to Build Strong Bones, *University of California Berkeley Wellness Letter*, p. 5, *op. cit.*

492. Recker : Prevention of Osteoporosis : Calcium Nutrition, in Proceedings of the International Conference on Osteoporosis, Nov. 5-7 1991, Lindsay, Meunier (eds), *Osteoporosis International*, 3 (Supplement 1) : 163-165, 1993.

493. *Manual of Medical Therapeutics*, (Woodley, Whelan, eds.), Little, Brown and Company, Boston, p. 438, 1992.

BIBLIOGRAPHIE

Les livres dont la liste suit peuvent compléter utilement votre connaissance de la nutrition, de la biochimie et de la biologie. Certains sont en anglais.

BIBLIOGRAPHIE GÉNÉRALE

ARON-BRUNETIÈRE, Dr, *La Beauté et les progrès de la médecine*, Stock-Laurence Pernoud, Paris, 1991.

BOURRE, *La Diététique du cerveau*, Odile Jacob, Paris, 1990.

DAVIS, *Let's Eat Right to Keep Fit*, New American Library, New York, USA, 1954.

DAVIS, *Let's Get Well*, New American Library, New York, USA, 1965.

ERDMANN, *The Amino Revolution*, Fireside, New York, USA, 1987.

GARROW, JAMES, *Human Nutrition and Dietetics*, Churchill Livingstone, Edinburgh, UK, 1994.

HAAS, *Eat Smart, Think Smart*, HarperCollins, New York, NY, USA, 1994.

HAAS, *Manger pour gagner*, Robert Laffont, Paris, 1986.

HAAS, *Manger pour réussir*, Robert Laffont, Paris, 1986.

HENDLER, *The Purification Prescription*, William Morrow, New York, USA, 1991.

KOUSMINE, Dr, *Sauvez votre corps !*, Robert Laffont, Paris, 1987 et Éd. J'ai lu, n° 7029.

LERNER, *Choices in Healing*, The MIT Press, Cambridge, Massachusetts, USA, 1994.

LYON, (avec le docteur CURTAY), *La Saga des vitamines*, Editions Josette Lyon, Paris, 1994.

MAGNIN, *Les Vitamines*, Presses universitaires de France, Paris, 1992.

PAULING, *Abusez des vitamines*, traduit de l'américain, Tchou, Paris, 1978.

PAULING, *Cancer and Vitamin C*, Camino Books, Philadelphia, Pennsylvania, USA, 1993.

PEARSON, SHAW, *Life Extension*, traduit de l'américain, Anne Carrière Editions, Paris, 1993.

RESTAK, *Receptors*, Bantam, New York, USA, 1994.

ROMBI, Dr, *La Peau de la vie*, Editions Romart, Nice, 1993.

RUEFF, Dr, *La Bible des vitamines*, Albin Michel, Paris, 1993.

SMITH, *Feed Yourself Right*, Dell Publishing, New York, USA, 1983.

SNYDER, *Les Drogues et le cerveau*, Pour la science, Paris, 1987.

SOUCCAR, *L'Encyclopédie pratique des vitamines et des minéraux*, Seuil, Paris, 1995.

WHITAKER, Dr, *101 Medical Alternatives to Drugs and Surgery*, Phillips Publishing, Potomac, Maryland, USA, 1994.

BIBLIOGRAPHIE SCIENTIFIQUE SOMMAIRE

BEAULIEU, KELLY, *Hormones*, Hermann, Paris, 1990.

COLLECTIF, *Dictionnaire du Vidal*, Editions du Vidal 1994, Paris, 1994.

DEVLIN, *Textbook of Chemistry*, Wiley-Liss, New York, USA, 1992.

DUPIN, ABRAHAM, GIACHETTI, *Apports nutritionnels conseillés pour la population française*, Tec & Doc — Lavoisier, Paris, 1992.

GUILLAND, LEQUEU, *Les Vitamines*, Tec & Doc — Lavoisier, Paris, 1992.

JOENSTEIN, JOHNSTON, NETTERVILLE, MOOD, *World of Chemistry*, Saunders College Publishing, Philadelphia, USA, 1991.

LE GRUSSE, WATTER, *Les Vitamines*, CEIV, Neuilly-sur-Seine, 1993.

INDEX

INDEX DES VITAMINES ET NUTRIMENTS

Bien-être

7138

Composition Nord Compo
Achevé d'imprimer en Europe
par Elsnerdruck à Berlin
le 27 mars 1998
Dépôt légal mars 1998. ISBN 2-290-07138-2

Editions J'ai lu
84, rue de Grenelle, 75007 Paris
Diffusion Flammarion (France et étranger)